KV-700-960

Tęsknię za tobą

Tego autora

NIE MÓW NIKOMU
BEZ POŻEGNANIA
JEDYNA SZANSA
TYLKO JEDNO SPOJRZENIE
NIEWINNY
W GŁĘBI LASU
ZACHOWAJ SPOKÓJ
MISTYFIKACJA
NA GORĄCYM UCZYNKU
KLINIKA ŚMIERCI
ZOSTAŃ PRZY MNIE
SZEŚĆ LAT PÓŹNIEJ
TĘSKNIĘ ZA TOBĄ

Myron Bolitar

BEZ SKRUPUŁÓW
KRÓTKA PIŁKA
BEZ ŚLADU
BŁĘKITNA KREW
JEDEN FAŁSZYWY RUCH
OSTATNI SZCZEGÓŁ
NAJCZARNIEJSZY STRACH
OBIECAJ MI
ZAGINIONA
WSZYSCY MAMY TAJEMNICE

Mickey Bolitar

SCHRONIENIE
KILKA SEKUND OD ŚMIERCI

Jako współautor

AŻ ŚMIERĆ NAS ROZŁĄCZY
NAJLEPSZE AMERYKAŃSKIE OPOWIADANIA KRYMINALNE 2011

Wkrótce

FOUND

HARLAN
COBEN

Tęsknię za tobą

Z angielskiego przełożył
ROBERT WALIŚ

Tytuł oryginału:
MISSING YOU

Redakcja: Beata Kaczmarczyk

Zdjęcie na okładce: Copyright © Mark Fearon/Arcangel Images

Projekt graficzny okładki: Wydawnictwo Albatros Andrzej Kuryłowicz s.c.

Skład: Laguna

ISBN 978-83-7885-943-7

Książka dostępna także jako e-book i audiobook
(czyta Krzysztof Gosztyła)

Dystrybutor

Firma Księgarska Olesiejuk sp. z o.o. sp. j.
Poznańska 91, 05-850 Ożarów Mazowiecki
tel. (22) 721 30 00, faks (22) 721 30 01
www.olesiejuk.pl

Sprzedaż wysyłkowa – księgarnie internetowe

www.empik.com
www.fabryka.pl
www.merlin.pl

Wydawca

WYDAWNICTWO ALBATROS ANDRZEJ KURYŁOWICZ S.C.
Hlonda 2A/25, 02-972 Warszawa
www.wydawnictwoalbatros.com

2014. Wydanie I/oprawa twarda
Druk: CPI Moravia, Czech Republic

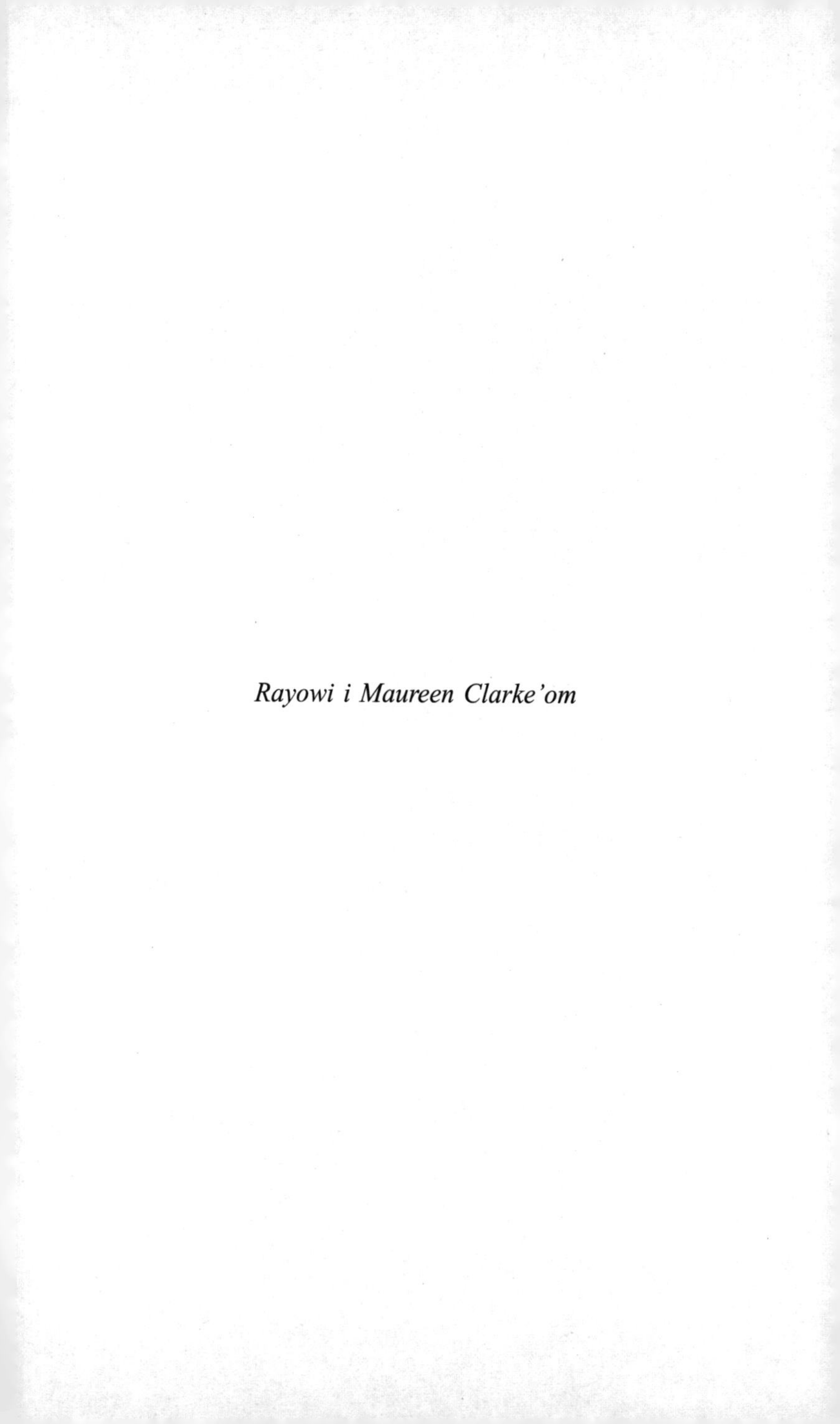

Rayowi i Maureen Clarke'om

1

Kat Donovan właśnie zeskoczyła ze stołka, na którym kiedyś siadywał jej ojciec, i szykowała się do wyjścia z pubu O'Malley's, gdy nagle Stacy powiedziała:

— Nie spodoba ci się to, co zrobiłam.

Ton jej głosu sprawił, że Kat zatrzymała się w pół kroku.

— To znaczy?

O'Malley's kiedyś był typowym barem dla gliniarzy. Zaglądał tutaj dziadek Kat, a także jej ojciec oraz ich koledzy z nowojorskiej policji. Od tamtego czasu zmieniono go jednak w bar dla bogatych, zadufanych w sobie, nadętych i pozerskich japiszonów, w którym roiło się od facetów ubranych w wyprasowane białe koszule i czarne garnitury, z dwudniowym zarostem tak przystrzyżonym, żeby wyglądał na nieprzystrzyżony. Ci delikatni chłoptasie ze zbyt dużą ilością pianki modelującej nałożonej na włosy uśmiechali się z wyższością i zamawiali wódkę Ketel One zamiast Grey Goose, ponieważ zobaczyli w reklamie telewizyjnej, że właśnie to pijają prawdziwi mężczyźni.

Stacy rozglądała się nerwowo po lokalu. Kat ogarnęły złe przeczucia.

— Co zrobiłaś? — spytała.

— Ojej — rzuciła Stacy.

— Co?

— Mięso Armatnie na godzinie piątej.

Kat odwróciła się w prawo, żeby popatrzeć.

— Widzisz go? — spytała Stacy.

— O tak.

Pod względem wystroju wnętrza O'Malley's przez lata niewiele się zmienił. Oczywiście stare telewizory zastąpiono płaskimi ekranami, na których pokazywano zbyt wiele meczów — kogo obchodzi, jak sobie radzi drużyna Edmonton Oilers? — jednak poza tym lokal utrzymał policyjny klimat i właśnie ta fałszywa autentyczność podobała się pozerom, którzy pozbawili go życia i zmienili w disneyowską wersję tego, czym był dawniej.

Oprócz Kat nie bywali tutaj inni gliniarze. Wszyscy po służbie wracali do domów albo szli na spotkania klubów AA. Tylko ona wciąż przychodziła do baru i spokojnie siadała na dawnym miejscu swojego ojca, za towarzystwo mając duchy, tak jak dzisiaj, gdy znów prześladowały ją wspomnienia z dnia, w którym go zamordowano. Chciała tutaj być, żeby czuć jego obecność i — jakkolwiek ckliwie by to brzmiało — czerpać z niej siłę.

Ale te dupki nie zamierzały dać jej spokoju.

Ten konkretny przedstawiciel Mięsa Armatniego — czyli facet, który nadawał się tylko na odstrzał — popełnił klasyczny grzech. Nosił okulary przeciwsłoneczne. O dwudziestej trzeciej. W słabo oświetlonym barze. Innymi niewybaczalnymi przewinieniami były: łańcuszki na portfelu, bandany na głowie, rozpięte jedwabne koszule, nadmiar tatuaży (szczególną kategorię stanowiły symbole plemienne), nieśmiertelniki u osób, które nie służyły w armii, a także duże białe zegarki.

Uśmiechnął się kpiąco i uniósł szklankę w stronę Kat i Stacy.

— Wpadłyśmy gościowi w oko — zauważyła Stacy.

— Przestań grać na zwłokę. Co mi się nie spodoba?

Kiedy Stacy ponownie zwróciła się w jej kierunku, Kat zobaczyła ponad ramieniem przyjaciółki rozczarowanie na twarzy Mięsa Armatniego aż lśniącej od drogiego balsamu. Już wielokrotnie widywała taką minę. Stacy podobała się mężczyznom. To zapewne mało powiedziane. Była z niej taka seksowna laska, że facetom miękły kolana oraz roztapiały się zęby i kości. Tracili przy niej rezon albo głupieli. Przeważnie to drugie. Stawali się głupi jak stołowe nogi.

Dlatego prawdopodobnie nie było warto spędzać czasu z kimś, kto wyglądał tak jak Stacy, gdyż faceci często dochodzili do wniosku, że nie mają szans u kobiety o takiej urodzie. Wydawała się niedostępna.

W odróżnieniu od Kat.

Mięso Armatnie skupiło uwagę na Kat i ruszyło w jej stronę. Nie tyle szło, ile ślizgało się na własnym ego.

Stacy powstrzymała chichot.

— Nieźle się zapowiada.

Licząc na to, że uda jej się go zniechęcić, Kat posłała facetowi obojętne spojrzenie i z pogardą zmarszczyła czoło. Nie poddawał się. Zbliżył się tanecznym krokiem, poruszając się w rytm muzyki, która rozbrzmiewała tylko w jego głowie.

— Cześć, mała — zagadnął. — Masz na imię Wi-Fi?

Kat się nie odezwała.

— Ponieważ czuję, że coś nas łączy.

Stacy parsknęła śmiechem.

Kat tylko się w niego wpatrywała. Facet kontynuował swoją przemowę:

— Uwielbiam takie drobne dziewczyny jak ty. Jesteście słodkie. No i mógłbym cię nieźle zwyobracać. Wiesz, co by na mnie dobrze leżało? Ty.

— Czy te teksty na kogokolwiek działają? — spytała Kat.

— Jeszcze nie skończyłem. — Zakaszlał w kułak, a potem wyjął iPhone'a i pomachał nim przed oczami Kat. — Gratulacje, mała, właśnie trafiłaś na szczyt mojej listy rzeczy do zaliczenia.

Stacy była zachwycona.

— Jak masz na imię? — spytała Kat.

Uniósł brwi.

— Jak tylko zechcesz, mała.

— Może Pan Dupek? — Kat odchyliła żakiet, pokazując broń przy pasie. — Zaraz sięgnę po pistolet, Panie Dupku.

— Cholera, kobieto, jesteś moją nową szefową? — Wskazał swoje krocze. — Bo właśnie dałaś mi podwyżkę.

— Spadaj.

— Moja miłość do ciebie jest jak biegunka — dodał. — Nie mogę jej w sobie utrzymać.

Kat popatrzyła na niego z przerażeniem.

— Przesadziłem? — spytał.

— Stary, to było obrzydliwe.

— Jasne, ale na pewno nigdy wcześniej tego nie słyszałaś.

O to mógł się założyć.

— Odejdź. Natychmiast.

— Naprawdę?

Stacy prawie tarzała się ze śmiechu.

Mięso Armatnie zaczęło się odwracać.

— Zaczekaj — powiedział. — Czy to test? Może Pan Dupek to jakiś komplement?

— Wynocha.

Wzruszył ramionami, odwrócił się, zauważył Stacy i uznał, że nie ma nic do stracenia. Zmierzył wzrokiem jej smukłe ciało.

— Co za nogi — zagaił. — Może pojedziemy do ciebie i sprawdzimy, co się między nimi kryje?

Stacy wciąż była zachwycona.

— Weź mnie, Panie Dupku. Tutaj i teraz.

— Naprawdę?

— Nie.

Obejrzał się na Kat, a kiedy położyła dłoń na rękojeści pistoletu, uniósł dłonie i chyłkiem się oddalił.

— Stacy? — odezwała się Kat.

— Hm?

— Dlaczego tym gościom wydaje się, że mają u mnie szanse?

— Bo jesteś urocza i żywiołowa.

— Wcale nie jestem żywiołowa.

— Nie, ale sprawiasz takie wrażenie.

— Serio, wyglądam aż tak żałośnie?

— Wyglądasz na skrzywdzoną — odparła Stacy. — Przykro mi to mówić, ale to jest jak feromon, któremu ci frajerzy nie potrafią się oprzeć.

Upiły po łyku ze swoich drinków.

— Więc co mi się nie spodoba? — spytała Kat.

Stacy ponownie popatrzyła w stronę Pana Dupka.

— Teraz mi go żal. Może powinnam się zgodzić na szybki numerek.

— Nie zaczynaj.

— No co? — Stacy skrzyżowała imponująco długie nogi i uśmiechnęła się do Pana Dupka, aż zrobił minę jak pies, którego zbyt długo pozostawiono w samochodzie. — Uważasz, że ta spódniczka jest za krótka?

— Spódniczka? — mruknęła Kat. — Myślałam, że to pasek.

Stacy to się spodobało. Uwielbiała być w centrum uwagi. Uwielbiała podrywać mężczyzn, ponieważ sądziła, że jednorazowy seks z nią odmieni ich życie. To stanowiło także część jej pracy. Stacy była współwłaścicielką agencji detektywistycznej, którą prowadziła z dwiema innymi zachwycającymi kobietami. Ich specjalność? Łapanie (chwytanie w sidła) zdradzających małżonków.

— Stacy?

— Hm?

— Co mi się nie spodoba?

— To.

Wciąż drocząc się z Panem Dupkiem, Stacy wręczyła Kat kawałek papieru. Ta popatrzyła na niego i zmarszczyła czoło.

KD8115
NajlepszySeksik

— Co to jest?

— KD osiemdziesiąt jeden piętnaście to twoja nazwa użytkownika.

Jej inicjały i numer odznaki.

— NajlepszySeksik to hasło. Zwróć uwagę na wielkie litery.

— Hasło do czego?

— Strony internetowej. YouAreJustMyType.com.

— Co?

— To internetowy serwis randkowy.

Kat się skrzywiła.

— Proszę, powiedz, że żartujesz.

— Ale bardzo ekskluzywny.

— To samo mówi się o klubach ze striptizem.

— Wykupiłam ci roczny abonament — dodała Stacy.

— Robisz sobie jaja, prawda?

— Nic z tych rzeczy. Czasami wykonuję zlecenia dla tej firmy. Są świetni. No i nie oszukujmy się. Potrzebujesz kogoś i chcesz kogoś znaleźć. No a tutaj ci się to nie uda.

Kat westchnęła, wstała i skinęła głową do barmana, Pete'a; facet wyglądał jak aktor charakterystyczny, który zawsze grywa irlandzkich barmanów — tylko że on rzeczywiście nim był. Pete odpowiedział skinieniem głowy, dając znać, że dopisał drinki do rachunku Kat.

— Kto wie — odezwała się Stacy. — Może spotkasz księcia z bajki.

Kat ruszyła w stronę drzwi.

— Raczej znów Pana Dupka.

▪ ▪ ▪

Kat wpisała „YouAreJustMyType.com", wcisnęła ENTER, a następnie wprowadziła swoją nazwę użytkownika oraz żenujące hasło. Zmarszczyła czoło, widząc opis, który Stacy dla niej wybrała.

Urocza i żywiołowa!

— Zapomniała o „skrzywdzona" — mruknęła pod nosem.

Minęła północ, ale Kat niewiele sypiała. Mieszkała w zdecydowanie zbyt eleganckiej dzielnicy — w Atelier przy Zachodniej Sześćdziesiątej Siódmej Ulicy obok Central Parku. Sto lat wcześniej w tym i okolicznych budynkach, wliczając słynny Hotel des Artistes, mieszkali pisarze, malarze, intelektualiści — twórcy. Po jednej stronie budynku znajdowały się obszerne staromodne apartamenty z widokiem na ulicę, po drugiej zaś — pracownie. Z czasem przekształcono je w dwupokojowe mieszkania. Ojciec Kat, gliniarz, który widział, jak jego przyjaciele bogacą się na handlu nieruchomościami, również spróbował się załapać. Jakiś facet, któremu kiedyś uratował życie, sprzedał mu to lokum za bezcen.

Kat początkowo korzystała z niego jako studentka Uniwersytetu Columbia. Płaciła za naukę w tej należącej do Ivy League prestiżowej uczelni dzięki policyjnemu stypendium. Zgodnie ze swoim życiowym planem miała następnie pójść na studia prawnicze i dołączyć do jakiejś ekskluzywnej kancelarii w Nowym Jorku, wyrywając się z zaklętego kręgu policyjnej roboty, w którym tkwiła jej rodzina.

Niestety, to się nie udało.

Obok klawiatury stał kieliszek z czerwonym winem. Kat za dużo piła. Wiedziała, że to stereotyp — policjant, który za dużo pije — ale czasem takie zachowania są usprawiedliwione. Funkcjonowała bez zarzutu. Nie piła w pracy. Alkohol nie wpływał w wyraźny sposób na jej życie. Jeśli jednak podejmowała jakieś decyzje późnym wieczorem, zazwyczaj okazywały się one nieprzemyślane. Przez lata nauczyła się więc, żeby po dwudziestej drugiej wyłączać telefon i trzymać się z daleka od skrzynki e-mailowej.

A jednak, pomimo późnej pory, właśnie oglądała profile przypadkowych facetów w serwisie randkowym.

Stacy wgrała na jej stronę cztery zdjęcia. Zdjęcie profilowe, pokazujące twarz, wycięła z grupowej fotografii wykonanej rok wcześniej podczas czyjegoś ślubu. Kat usiłowała spojrzeć na siebie w sposób obiektywny, ale to było niemożliwe. Nie znosiła tej fotki. Widniejąca na niej kobieta sprawiała wrażenie niepewnej; uśmiechała się niewyraźnie, jakby czekała, aż ktoś ją uderzy. Wszystkie zdjęcia — które właśnie z bólem obejrzała — Stacy wycięła z fotografii grupowych, a na każdym Kat wyglądała, jakby się krzywiła.

No dobrze, wystarczy oglądania własnego profilu.

W pracy jedynymi mężczyznami, których spotykała, byli policjanci. Nie chciała gliniarza. Byli dobrymi ludźmi, ale fatalnymi mężami. Widziała to na własne oczy. Kiedy okazało się, że babcia jest nieuleczalnie chora, dziadek nie poradził sobie z sytuacją i uciekł, a gdy wrócił, było już za późno. Nigdy sobie tego nie wybaczył. Przynajmniej tak uważała Kat. Czuł się samotny i chociaż wielu ludzi miało go za bohatera, stchórzył, gdy był najbardziej potrzebny, i nie potrafił z tym żyć. Jego służbowy rewolwer zawsze leżał na górnej półce w kuchni, więc pewnej nocy dziadek sięgnął po niego, usiadł samotnie przy kuchennym stole i...

Pach!

Tata również potrafił ruszyć w tango i zniknąć na kilka dni. Mama robiła się wtedy wyjątkowo pogodna — przez co cała sytuacja stawała się jeszcze straszniejsza i dziwaczniejsza. Udawała, że tata wykonuje jakieś tajne zadanie, albo całkowicie ignorowała jego nieobecność, zgodnie z zasadą „co z oczu, to z serca", a kiedy po tygodniu wpadał do domu, świeżo ogolony i z bukietem róż dla mamy, wszyscy zachowywali się, jakby nic się nie stało.

YouAreJustMyType.com. Ona, urocza i żywiołowa Kat Donovan, znalazła się w internetowym serwisie randkowym. Życie płata dziwne figle. Ujęła kieliszek z winem, wzniosła toast w stronę ekranu i pociągnęła zbyt duży łyk.

Świat, niestety, nie ułatwiał już poznania życiowego partnera. Co innego seks. Z tym nie było problemu. Prawdę mówiąc, wszyscy go oczekiwali, nawet jeśli nie przyznawali się do tego otwarcie, a chociaż Kat jak każda dziewczyna lubiła rozkosze ciała, uważała, że zbyt szybkie pójście z kimś do łóżka, z dobrych albo złych powodów, skutecznie rujnuje szanse zbudowania długoterminowego związku. Nie miała pojęcia, dlaczego tak się dzieje. Po prostu tak to działało.

Komputer zabrzęczał. Pojawił się dymek z wiadomością:

Znaleźliśmy dla ciebie partnera! Kliknij tutaj, żeby zobaczyć kogoś, kto może być dla ciebie idealny!

Kat dopiła wino. Przez chwilę zastanawiała się nad kolejnym kieliszkiem, ale doszła do wniosku, że ma dosyć. Przyjrzała się swojej sytuacji i uświadomiła sobie oczywistą, chociaż niewypowiedzianą prawdę: chciała mieć kogoś w swoim życiu. Miej odwagę to przyznać, dobrze? — nakazała sobie w duchu. Mimo że ceniła niezależność, jednocześnie pragnęła znaleźć mężczyznę, partnera, kogoś, z kim dzieliłaby w nocy łóżko. Nie usychała z tęsknoty, nie czuła się do niczego przymuszona ani nawet specjalnie się nie starała, ale nie była stworzona do samotności.

Zaczęła przeglądać profile. Trzeba podjąć grę, żeby wygrać, czyż nie?

Żałosne.

Niektórych mężczyzn mogła wyeliminować już na podstawie zdjęcia. Jeśli się nad tym zastanowić, to ono stanowiło klucz. Fotografia, którą każdy z kandydatów starannie wybrał, by zrobić na innych piorunujące wrażenie. Dlatego warta była więcej niż tysiąc słów.

Jeżeli świadomie postanowiłeś pokazać się w kapeluszu, odpadałeś w przedbiegach. Jeśli nie włożyłeś koszuli, również odpadałeś, nieważne, jak dobrze byłeś zbudowany. Jeśli miałeś w uchu słuchawkę Bluetooth — rany, ale ważniak! — nic z tego. Jeśli wyhodowałeś sobie kępkę zarostu pod ustami, nosiłeś kamizelkę, puszczałeś oko, gestykulowałeś, włożyłeś pomarańczową koszulę (osobisty uraz) albo zatknąłeś okulary przeciwsłoneczne na czubku głowy — nie, nie, nie. Jeśli nazwałeś swój profil Ogier, SeksownyUśmiech, BogatyPiękniś, UlubieniecPań — sami rozumiecie.

Kat otworzyła kilka profili, w których faceci wyglądali... chyba sympatycznie. Przygnębiła ją identyczność opisów. Wszyscy lubili spacery po plaży, kolacje w restauracjach, ćwiczenia, egzotyczne podróże, delektowanie się winem, wizyty w teatrze i muzeach, aktywny tryb życia, ryzyko i wielkie przygody — jednak równie chętnie zostawali w domu, żeby obejrzeć film, napić się kawy i porozmawiać, coś ugotować, poczytać albo oddać się innym prostym przyjemnościom. Każdy facet twierdził, że najważniejszą cechą, której szuka w kobiecie, jest poczucie humoru — tak, jasne — aż w końcu Kat zaczęła się zastanawiać, czy „poczucie humoru” to nie eufemistyczne określenie „wielkich cycków”. Oczywiście każdy zaznaczał, że lubi kobiety o wysportowanej, smukłej, a zarazem krągłej sylwetce.

To wydawało się bardziej prawdziwe, chociaż nierealne.

Profile nigdy nie odzwierciedlają rzeczywistości. Nie pokazują tego, kim jesteś, tylko cudowne — nawet jeśli zupełnie fałszywe — wyobrażenie o sobie albo wizję tego, jak chciałbyś się pokazać potencjalnemu partnerowi, bądź też, co najbardziej prawdopodobne (psychiatrzy mieliby tu co robić), po prostu odzwierciedlają to, kim chciałbyś być.

Motta życiowe bardzo się między sobą różniły, lecz gdyby Kat przyszło je podsumować jednym słowem, wybrałaby „syrop". Pierwsze brzmiało: „Każdego ranka życie jest jak płótno, które czeka, żeby je pomalować" — klik. Niektórzy postawili na szczerość, bez końca powtarzając, że są szczerzy. Inni tylko udawali. Niektórzy byli pretensjonalni, sztuczni, niepewni albo zbyt wymagający. Jak w prawdziwym życiu, pomyślała Kat. Większość po prostu za bardzo się starała. Z ekranu bił falami smród desperacji, jak woń kiepskiej wody kolońskiej. Bezustanna gadka o pokrewieństwie dusz działała co najmniej zniechęcająco. W prawdziwym życiu nikt z nas nie może znaleźć kogoś, z kim chciałby się umówić więcej niż raz, a jednak wierzymy, że na YouAreJustMyType.com natychmiast znajdziemy osobę, przy której będziemy się chcieli budzić do końca życia.

Urojenie — czy może nieustająca nadzieja?

Oto druga strona medalu. Łatwo być cynicznym i kpić, kiedy jednak Kat popatrzyła na to wszystko z dystansu, zrozumiała coś, od czego ścisnęło jej się serce: każdy profil to czyjeś życie. Banalne, owszem, ale za każdą z tych schematycznych sylwetek, zabiegających o względy, krył się bliźni, który miał swoje marzenia, aspiracje, czegoś pragnął i za czymś tęsknił. Ci ludzie zarejestrowali się, opłacili abonament i podali te wszystkie informacje nie bez powodu. Pomyślcie: każda z tych samotnych osób wchodzi na tę stronę internetową, rejestruje się i ogląda różne profile z nadzieją, że tym razem będzie inaczej, wierząc wbrew rozsądkowi, że wreszcie pozna kogoś, kto stanie się dla niej najważniejszy.

O rany! Tylko dopuśćcie do siebie tę myśl.

Kat zatraciła się w tej świadomości i coraz szybciej klikała w kolejne profile, aż twarze mężczyzn — którzy pojawili się tutaj, licząc, że znajdą „tę jedyną" — zmieniły się w rozmazaną plamę, gdy nagle zauważyła to zdjęcie.

Przez kilka sekund jej mózg nie wierzył w to, co zobaczyły oczy. Palec dopiero po chwili przestał uderzać w przycisk myszy, a ciąg zdjęć zwolnił i zatrzymał się. Kat zaczerpnęła głęboko powietrza.

To niemożliwe.

Przeglądała profile tak szybko, myśląc o mężczyznach kryjących się za zdjęciami, o ich życiu, pragnieniach, nadziejach. Błądziła gdzieś myślami — to była jej siła, a zarazem słabość jako policjantki — i nie do końca skupiała się na tym, co znajdowało się przed nią, a jednak potrafiła dostrzec większy obraz. W kontekście zawodowym to oznaczało, że umiała zobaczyć kilka możliwości, drogi ucieczki, odmienne scenariusze, postać ukrytą za przeszkodami i mgłą trudności oraz podstępów.

Ale z tego samego powodu czasami przegapiała to, co oczywiste.

Powoli zaczęła klikać na strzałkę prowadzącą do wcześniej przeglądanych profili.

To nie mógł być on.

Obraz pojawił się tylko na chwilę. Rozmyślała o prawdziwej miłości, pokrewnej duszy, człowieku, z którym chciałaby spędzić życie — nic dziwnego, że dała się zwieść wyobraźni. Minęło osiemnaście lat. Kilka razy po pijaku szukała go przez Google, ale znalazła tylko stare artykuły, które napisał. Niczego aktualnego. To ją zaskoczyło i rozbudziło jej ciekawość — Jeff był świetnym dziennikarzem — tylko co więcej mogła zrobić? Kusiło ją, żeby przeprowadzić dokładniejsze śledztwo. Nie byłoby to trudne na jej stanowisku. Jednak nie lubiła wykorzystywać swoich kontaktów zawodowych w sprawach osobistych. Mogłaby także poprosić o pomoc Stacy... Ale w jakim celu?

Jeff odszedł.

Ściganie byłego kochanka, a nawet wpisywanie jego nazwiska w wyszukiwarkę wydało jej się żałosne. W porządku, Jeff był kimś ważniejszym. Znacznie ważniejszym. Kat z roztargnieniem dotknęła kciukiem lewego palca serdecznego. Pusto. Ale nie zawsze tak było. Jeff poprosił, by została jego żoną, i zrobił wszystko jak należy. Uzyskał zgodę od jej ojca. Oświadczył się na kolanach. Żadnej tandety. Nie ukrył pierścionka w deserze ani nie wyznał jej miłości podczas meczu w Madison Square Garden. Zachował się z klasą, romantycznie i tradycyjnie, ponieważ wiedział, że tego chciała.

Łzy napłynęły jej do oczu.

Cofała się przez zbieraninę twarzy i fryzur, prawdziwą Organizację Kawalerów Zjednoczonych, aż w końcu się zatrzymała. Przez chwilę tylko patrzyła, bojąc się poruszyć, wstrzymując oddech.

Potem z jej ust wydobył się cichy okrzyk.

Złamane serce błyskawicznie się odezwało. Dawny ból przeszył ją z nową siłą, zupełnie jakby Jeff wyszedł z jej mieszkania przed sekundą, a nie osiemnaście lat wcześniej. Wyciągnęła drżącą rękę w stronę ekranu komputera.

Jeff.

Wciąż był cholernie przystojny. Nieco się postarzał, posiwiał na skroniach, ale było mu z tym do twarzy. Spodziewała się tego. Jeff był jednym z tych facetów, którzy z wiekiem wyglądają coraz lepiej. Pogładziła go po twarzy. Z jej oka wypłynęła pojedyncza łza.

A niech mnie, pomyślała.

Powinna się pozbierać, cofnąć o krok, żeby uzyskać lepszą perspektywę, ale świat wokół niej wirował i nie potrafiła go spowolnić. Oparła wciąż drżącą dłoń na myszce i kliknęła na zdjęcie profilowe, żeby je powiększyć.

Ekran zamigotał i pokazał następną stronę. Jeff stał, ubrany we flanelową koszulę i dżinsy, z rękami w kieszeniach i oczami tak niebieskimi, jakby nosił szkła kontaktowe. Był taki przystojny. Tak cholernie piękny. Tak zadbany i wysportowany, że — wbrew wszystkiemu — coś się w Kat obudziło. Zaryzykowała szybkie spojrzenie w stronę sypialni. Mieszkała tutaj, kiedy byli razem. Po nim w jej łóżku gościli inni mężczyźni, ale z żadnym nie zbliżyła się do szczytów, które osiągała ze swoim narzeczonym. Wiedziała, jak to brzmi, lecz kiedy była z Jeffem, sprawiał, że każda jej cząstka nuciła i śpiewała. Nie chodziło o technikę, rozmiar ani nic w tym rodzaju. Chociaż to nie wydaje się zbyt erotyczne, kluczem było zaufanie. To dzięki niemu seks był tak oszałamiający. Kat czuła się z Jeffem bezpieczna. Czuła się pewna siebie, piękna, odważna i wolna. Czasami się z nią droczył, kontrolował ją lub starał się zdominować, ale nigdy nie czuła się przy nim bezbronna albo skrępowana.

Nie była w stanie tak się otworzyć przed żadnym innym mężczyzną.

Przełknęła ślinę i otworzyła jego pełny profil. Motto było krótkie i — według Kat — idealne:

Sprawdźmy, co się wydarzy.

Żadnej presji. Żadnych wielkich planów. Żadnych warunków, gwarancji ani szalonych oczekiwań.

Sprawdźmy, co się wydarzy.

Przeszła do statusu. W ciągu ostatnich osiemnastu lat wielokrotnie zastanawiała się, jak potoczyło się jego życie, więc pierwsze pytanie było oczywiste: Co się wydarzyło w życiu Jeffa, że znalazł się w portalu dla singli?

Z drugiej strony, co takiego się wydarzyło u niej?

Status: Wdowiec.

Kolejny szok.

Usiłowała to sobie wyobrazić — Jeff bierze ślub, mieszka z inną kobietą, kocha ją, a w końcu ona umiera. Nie mieściło jej się to w głowie. Przynajmniej na razie. Nie dopuszczała do siebie takiej wizji. Przejdź dalej. Nie ma powodu o tym rozmyślać.

Wdowiec.

A poniżej kolejny wstrząs: Jedno dziecko.

Nie podano wieku ani płci, zresztą nie miało to żadnego znaczenia. Każde odkrycie, każdy nowy fakt dotyczący mężczyzny, którego kiedyś kochała całym sercem, sprawiał, że świat na nowo trząsł się w posadach. Jeff zbudował sobie życie bez niej. Czy to powinno ją zaskoczyć? Czego się spodziewała? Ich rozstanie było nagłe i nieuniknione. Co prawda to on odszedł, ale z jej winy. Zniknął gwałtownie, zabierając ze sobą całe życie, które znała i zaplanowała.

Teraz powrócił jako jeden ze stu albo dwustu mężczyzn, w których profile kliknęła.

Pytanie brzmi: Co powinna z tym zrobić?

2

Gerard Remington zamierzał poprosić o rękę Vanessę Moreau. Zaledwie kilka godzin dzieliło go od tej radosnej chwili, gdy w jego świecie zapadła ciemność.

Oświadczyny, tak jak wiele innych rzeczy w życiu Gerarda Remingtona, zostały starannie zaplanowane. Krok Pierwszy: Po skrupulatnych analizach kupił pierścionek zaręczynowy z brylantem: 2,93 karata, szlif princessa, czystość VVS1, barwa F, platynowa obrączka wysadzana mniejszymi kamieniami. Kupił go od uznanego jubilera w Diamentowej Dzielnicy na Manhattanie przy Zachodniej Czterdziestej Siódmej Ulicy — nie w jednym z drogich dużych sklepów, ale w budce na rogu Szóstej Alei.

Krok Drugi: Dzisiaj o 7.30 odlecą z portu lotniczego Logan w Bostonie lotem numer 267 linii JetBlue, a o 11.31 wylądują na St. Maarten, gdzie przesiądą się do niewielkiego samolotu lecącego na Anguillę, by dotrzeć na wyspę o 12.45.

Kroki Trzeci, Czwarty itd.: Odprężą się w dwupoziomowej willi w Viceroy nad zatoką Meads, popływają w basenie z widokiem na linię horyzontu, będą się kochać, a potem wezmą prysznic, ubiorą się i zjedzą kolację w Blanchards.

Mieli zarezerwowany stolik na dziewiętnastą. Gerard wcześniej zadzwonił i polecił przygotować butelkę ulubionego wina Vanessy, Château Haut-Bailly Grand Cru Classé rocznik 2005, bordeaux z Pessac-Léognan. Po kolacji pójdą na spacer po plaży, trzymając się za ręce. Gerard sprawdził kalendarz faz księżyca i wiedział, że może się spodziewać niemal całkowitej pełni. Dwieście osiemnaście metrów od zejścia na plażę (kazał to zmierzyć) znajdowała się kryta liśćmi palmowymi chatka, w której w ciągu dnia wypożyczano fajki do nurkowania i narty wodne. Miejscowy kwiaciarz ozdobi werandę, używając do tego dwudziestu jeden (od tylu tygodni się znali) białych kalii (ulubionych kwiatów Vanessy). Będzie także kwartet smyczkowy. Na znak Gerarda zaczną grać *Someone Only We Know* Keane, co do której oboje postanowili, że na zawsze będzie ich piosenką. Oboje lubią tradycję, dlatego Gerard uklęknie na jedno kolano. Oczami wyobraźni niemal widział reakcję Vanessy. Zaskoczenie pozbawi ją tchu. Jej oczy wypełnią się łzami. Dłonie uniosą się do twarzy pod wpływem oszołomienia i radości.

„Wkroczyłaś do mojego świata i zmieniłaś go na zawsze — powie Gerard. — Jak niezwykły katalizator przekształciłaś tę zwyczajną bryłę gliny w coś znacznie silniejszego, szczęśliwszego i pełniejszego życia, niż mogłem się spodziewać. Kocham cię. Kocham cię całym sobą. Kocham w tobie wszystko. Twój uśmiech nadaje mojemu życiu zupełnie nowe barwy i strukturę. Jesteś najpiękniejszą i najbardziej namiętną kobietą na świecie. Czy uczynisz mnie najszczęśliwszym mężczyzną na Ziemi i wyjdziesz za mnie?"

Gerard wciąż pracował nad ubraniem tej treści w słowa — chciał, żeby zabrzmiała idealnie — gdy nagle w jego świecie zapadła ciemność. Każde słowo jednak było prawdziwe. Kochał Vanessę. Kochał ją całym sercem. Nigdy nie był romantykiem. Ludzie zazwyczaj go rozczarowywali. Co innego nauka. Prawdę mówiąc, przywykł do samotności i najlepiej się czuł, gdy walczył z mikrobami i organizmami, opracowując nowe leki i odtrutki, które pozwolą wygrać te wojny. Najbardziej cieszyło go, kiedy mógł stanąć przed tablicą w swoim laboratorium w siedzibie Benesti Pharmaceuticals i pracować nad jakimś równaniem albo formułą. Jak mawiali jego młodsi koledzy, pod tym względem był staroświecki. Lubił swoją tablicę. Pomagała mu w myśleniu — zapach kredy, pył, brudne palce, łatwość ścierania — ponieważ w nauce niewiele rzeczy powinno się utrwalać.

Tak, to właśnie tam, w chwilach samotności, Gerard czuł się najlepiej.

Był najbardziej zadowolony. Ale nie szczęśliwy.

Vanessa jako pierwsza uczyniła go szczęśliwym.

Teraz otworzył oczy i pomyślał o ukochanej. Dzięki niej wszystko zostało podniesione do dziesiątej potęgi. Żadna inna kobieta nie poruszała go w taki sposób — umysłowo, emocjonalnie oraz, oczywiście, fizycznie. Żadna kobieta, którą znał, nie byłaby do tego zdolna.

Otworzył oczy, ale mrok się nie rozproszył. Początkowo zastanawiał się, czy nie jest wciąż w swoim domu, lecz było na to zbyt zimno. Zawsze ustawiał cyfrowy termostat na dwadzieścia dwa stopnie. Zawsze. Vanessa często podśmiewała się z jego dokładności. Niektórzy uważali, że ta potrzeba porządku zahacza o chorobliwy pedantyzm czy nawet natręctwo. Jednak Vanessa go rozumiała. Doceniała tę cechę, a wręcz traktowała jak zaletę. „To dzięki niej jesteś wybitnym naukowcem, a także troskliwym mężczyzną", powiedziała kiedyś. Wyjaśniła mu swoją teorię, że ludzie, których dziś uważamy za „zaburzonych", dawniej bywali geniuszami w sztuce, nauce czy literaturze, lecz obecnie, za sprawą leków i diagnoz, temperujemy ich, ujednolicamy i otępiamy ich zmysły.

— Geniusz rodzi się z tego, co nietypowe.

— Jestem nietypowy?

— W najlepszym znaczeniu tego słowa, kochany.

Lecz chociaż to wspomnienie dodało mu otuchy, Gerard nie mógł nie poczuć dziwnej woni. To było coś wilgotnego, starego i zbutwiałego, zupełnie jak...

Jak ziemia. Świeża gleba.

Nagle ogarnęła go panika. Wciąż otoczony ciemnością, usiłował podnieść dłonie do twarzy. Nie potrafił. Miał spętane nadgarstki. To był sznurek albo raczej coś cieńszego. Może żyłka. Spróbował poruszyć nogami. One również były związane. Napiął mięśnie brzucha, zamierzając wyrzucić obie nogi w powietrze, ale o coś uderzyły. Coś drewnianego. Tuż nad nim. Zupełnie jakby był w...

Zaczął drżeć ze strachu.

Gdzie on jest? Gdzie jest Vanessa?

— Halo?! — zawołał. — Halo?!

Chciał usiąść, lecz jego pierś otaczał pas. Nie mógł się ruszyć. Czekał, aż jego oczy przyzwyczają się do ciemności, nie zapowiadało się jednak, żeby miało to wkrótce nastąpić.

— Halo? Jest tam ktoś? Proszę, pomóżcie mi!

Usłyszał jakiś odgłos. Dokładnie nas sobą. Coś jak drapanie, szuranie albo...

Czyżby kroki?

Kroki rozbrzmiewające ponad nim.

Gerard pomyślał o ciemności. Pomyślał o woni świeżej ziemi. Odpowiedź wydawała się oczywista, ale zarazem bezsensowna.

Jestem pod ziemią, pomyślał. Jestem pod ziemią.

Potem zaczął krzyczeć.

3

Kat raczej straciła przytomność, niż zasnęła.

Jak w każdy dzień tygodnia budzik w iPodzie obudził ją o szóstej ulubioną, losowo wybraną piosenką — tego ranka to była *Bulletproof Weeks* Matta Nathansona. Nie umknęło jej uwadze, że spała w tym samym łóżku, w którym przed laty sypiała z Jeffem. Pokój wciąż był wyłożony panelami z ciemnego drewna. Poprzedni właściciel, skrzypek z nowojorskiej filharmonii, postanowił upodobnić całe sześćdziesięciometrowe mieszkanie do wnętrza starej łodzi. Wyłożył je ciemnym drewnem i wstawił iluminatory zamiast okien. Kat i Jeff często głupio sobie żartowali na temat burzy na morzu, wywracania łodzi czy wzywania szalupy ratunkowej.

Miłość sprawia, że nawet mdłe komentarze nabierają ostrości.

„To miejsce jest zupełnie nie w twoim stylu", mawiał Jeff.

Oczywiście wtedy uważał, że jego narzeczona, studentka, jest zbyt pogodna i radosna, żeby mieszkać w takim miejscu, jednak teraz, osiemnaście lat później, każdy, kto wchodził do apartamentu, uważał, że idealnie do niej pasuje. Tak jak niektórzy małżonkowie zaczynają się do siebie upodabniać z upływem lat, tak samo ona dopasowywała się do swojego mieszkania.

Kat rozważała pozostanie w łóżku i dalszy sen, ale za kwadrans zaczynały się ćwiczenia. Jej trener, Aqua, drobny transwestyta ze schizofrenią, nie uznawał żadnych usprawiedliwień oprócz zagrożenia życia. Poza tym na treningu może się pojawić Stacy, a Kat chciała jej opowiedzieć o Jeffie. Włożyła spodnie do jogi i podkoszulek bez rękawów, złapała butelkę wody i ruszyła do drzwi. Nagle zatrzymała wzrok na komputerze stojącym na biurku.

Ach, nie zaszkodzi zerknąć.

Strona YouAreJustMyType.com wciąż była otwarta, chociaż Kat została wylogowana po dwóch godzinach bezczynności. Na ekranie pojawiła się „ekscytująca oferta powitalna" przeznaczona dla „nowych użytkowników" (a kto inny miałby skorzystać z oferty powitalnej?), czyli miesiąc nieograniczonego dostępu (cokolwiek to znaczyło) za niewielką sumę 5,74 dolara, która będzie „dyskretnie ściągana" (jak to?) z karty kredytowej. Na szczęście dla niej Stacy już wykupiła roczny abonament. Hura.

Kat ponownie wpisała nazwę użytkownika oraz hasło we właściwe pola i wcisnęła ENTER. Dostała kilka wiadomości od mężczyzn. Zignorowała je. Znalazła profil Jeffa — oczywiście dodała go do ulubionych.

Najechała kursorem na ODPOWIEDZ i kliknęła. Oparła palce na klawiaturze.

Co powinna napisać?

Nic. Przynajmniej nie teraz. Przemyśl to. Tracisz czas. Zaraz zacznie się trening. Pokręciła głową, wstała i ruszyła do drzwi. Tak samo jak w każdy poniedziałek, środę i piątek, pobiegła do Siedemdziesiątej Drugiej Ulicy i weszła do Central Parku. Burmistrz Strawberry Fields, performer, który utrzymywał się z datków od turystów, już rozkładał swoje kwiaty na mozaice upamiętniającej Johna Lennona. Robił to niemal każdego dnia, ale rzadko pojawiał się tak wcześnie.

— Witaj, Kat — powiedział, wręczając jej różę.

Przyjęła kwiat.

— Dzień dobry, Gary.

Pospiesznie minęła taras Bethesda. Nad jeziorkiem wciąż było spokojnie — nie wypłynęły jeszcze żadne łódki — ale woda tryskająca z fontanny lśniła jak zasłona z koralików. Kat skręciła w ścieżkę biegnącą w lewo, zbliżając się do olbrzymiego posągu Hansa Christiana Andersena. Tyrell i Billy, dwaj bezdomni (jeśli rzeczywiście byli bezdomni — równie dobrze mogli mieszkać w San Remo i tylko tak się ubierali), którzy siedzieli tam każdego ranka, jak zwykle grali w remika.

— Masz niezły tyłek, dziewczyno — odezwał się Tyrell.

— Ty też — rzuciła Kat.

Tyrellowi to się spodobało. Wstał, wyzywająco poruszył pośladkami i przybił piątkę z Billym, upuszczając karty na ścieżkę. Kumpel spojrzał na niego z naganą.

— Podnieś je! — zawołał.

— Uspokój się, dobra? — burknął Tyrell, po czym zwrócił się do Kat: — Masz trening dziś rano?

— Tak. Ile osób?

— Osiem.

— Stacy już przechodziła?

Słysząc to imię, obaj mężczyźni zdjęli kapelusze i z szacunkiem przyłożyli je do piersi.

— Boże uchowaj — szepnął Billy.

Kat zmarszczyła czoło.

— Jeszcze nie — dodał Tyrell.

Powędrowała w prawo i okrążyła staw Conservatory Water. Od wczesnego ranka ścigały się na nim modele łódek. Za hangarem na łodzie znalazła Aquę, który siedział ze skrzyżowanymi nogami. Miał zamknięte oczy. Aqua, potomek Afroamerykanina i Żydówki, mawiał, że jego skóra ma kolor kawy mocha latte z dodatkiem bitej śmietany. Był drobny, gibki i siedział w całkowitym bezruchu, co byłoby nie do pomyślenia u szalejącego chłopaka, z którym zaprzyjaźniła się przed wielu laty.

— Spóźniłaś się — powiedział, nie otwierając oczu.

— Jak ty to robisz?

— Co? Widzę cię z zamkniętymi oczami?

— Właśnie.

— To specjalny sekret jogina — odparł Aqua. — Nazywa się podglądanie. Siadaj.

Tak zrobiła. Wkrótce do grupy dołączyła Stacy. Aqua jej nie upomniał. Kiedyś prowadził trening na Wielkim Trawniku — do czasu, aż Stacy zaczęła się pojawiać na zajęciach i publicznie chwalić swoją gibkością. Mężczyźni nagle bardzo się zainteresowali jogą na świeżym powietrzu. Aqua nie był tym zachwycony, więc pozostawił w porannej grupie same kobiety, przeniósł trening za hangar na łodzie i polecił Stacy ćwiczyć najbliżej ściany, żeby nikt nie mógł się na nią gapić z daleka.

Aqua przeprowadził ich przez serię asan. Każdego ranka, w deszczu, słońcu czy śniegu, nauczał swoją grupę w tym samym miejscu. Nie pobierał ustalonej opłaty. Płacili mu tyle, ile uznawali za sprawiedliwe. Był cudownym nauczycielem — skutecznym, serdecznym, motywującym, szczerym i zabawnym. Poprawiał „psa z twarzą w dół” albo „wojownika II” najlżejszym dotknięciem, które jednak poruszało wszystko we wnętrzu jego uczniów.

Kat zazwyczaj całkowicie zatracała się w ćwiczeniach. Jej ciało ciężko pracowało. Oddech zwalniał. Umysł się poddawał. Na co dzień piła, od czasu do czasu wypalała cygaro, jadła byle co i byle jak. W pracy zalewała ją niekończąca się fala toksyn. Ale tutaj, w obecności uspokajającego głosu Aquy, to wszystko zazwyczaj odchodziło w niepamięć.

Nie dzisiaj.

Próbowała się odprężyć, skupić na chwili obecnej i zastosować do wszystkich zaleceń zen, które brzmiały jak bzdury, jeśli nie wypowiadał ich Aqua, ale twarz Jeffa — którą kiedyś znała, a wczoraj znów zobaczyła — nie dawała jej spokoju. Aqua zauważył rozproszenie Kat. Spoglądał na nią czujnie i nieco dłużej poprawiał jej pozycje. Niczego jednak nie mówił.

Pod koniec treningu, gdy uczniowie odpoczywali w pozycji trupa, relaksujące czary Aquy działały na wszystkich. Każda część twojego ciała się odprężała i odpływałeś. Potem Aqua życzył ci wyjątkowego dnia pełnego błogosławieństwa. Leżałeś jeszcze przez kilka chwil, głęboko oddychając i czując mrowienie w opuszkach palców. Twoje oczy powoli się otwierały — tak jak teraz u Kat — i zauważałeś, że Aqua zniknął.

Kat powoli wróciła do życia. Podobnie pozostali uczniowie. W milczeniu zwijali swoje maty, omal niezdolni do mówienia. Stacy dołączyła do przyjaciółki. Przez kilka minut szły wzdłuż Conservatory Water.

— Pamiętasz tamtego faceta, z którym tak jakby się spotykałam? — spytała Stacy.

— Patricka?

— No właśnie.

— Wyglądał na słodkiego — zauważyła Kat.

— Tak, no cóż, musiałam go spławić. Okazało się, że robił coś bardzo złego.

— Co takiego?

— Trenował na rowerze stacjonarnym.

Kat przewróciła oczami.

— Daj spokój, Kat. Facet trenuje na rowerku. Co dalej, ćwiczenia Kegla?

Towarzyszenie Stacy to dziwne przeżycie. Po chwili przestajesz zauważać spojrzenia i gwizdy. Nie obrażasz się ani ich nie ignorujesz. Po prostu przestają istnieć. To najlepsza forma kamuflażu, jaką znała Kat.

— Kat?

— Tak?

— Powiesz mi, co się stało?

Jakiś wielki mięśniak z włosami zaczesanymi na żel stanął przed Stacy i popatrzył na jej piersi.

— No, no, ale duże cycki.

Stacy też się zatrzymała i opuściła wzrok na jego krocze.

— No, no, ale mały fiut.

Ponownie ruszyły. Okay, może nie wszyscy przestawali istnieć. Stacy różnie radziła sobie z ich zainteresowaniem. Nienawidziła popisów i przeciągłych chamskich gwizdów. Co innego nieśmiali faceci, którzy tylko podziwiali ją z daleka — tych lubiła. Czasami uśmiechała się do nich albo nawet machała, jak gwiazda, która daje część siebie, ponieważ nic jej to nie kosztuje, a sprawia innym radość.

— Wczoraj weszłam na tę stronę internetową — zaczęła Kat.

Stacy się uśmiechnęła.

— Już?

— No.

— Szybko się uwinęłaś. Spiknęłaś się z kimś?

— Niezupełnie.

— Więc co się stało?

— Znalazłam tam swojego byłego narzeczonego.

Stacy przystanęła i zrobiła wielkie oczy.

— Słucham?

— Nazywa się Jeff Raynes.

— Zaraz, byłaś zaręczona?

— Dawno temu.

— Naprawdę zaręczona? Ty? Miałaś pierścionek i tak dalej?

— Dlaczego tak bardzo cię to dziwi?

— Nie wiem. Od jak dawna się przyjaźnimy?

— Od dziesięciu lat.

— I przez cały ten czas ani razu się nie zakochałaś.

Kat niemrawo wzruszyła ramionami.

— Miałam wtedy dwadzieścia dwa lata.

— Brakuje mi słów — odparła Stacy. — Ty. Zaręczona.

— Szkoda, że nie wzięłam broni. Możemy już tego nie drążyć?

— Jasne, przepraszam. A więc wczoraj znalazłaś jego profil na tej stronie?

— Tak.

— I co napisałaś?

— Gdzie?

— Nie gdzie, tylko komu. Jeffowi.

— Nic.

— Jak to?

— Nie napisałam do niego.

— Dlaczego?

— Facet mnie rzucił.

— Narzeczony. — Stacy pokręciła głową. — Nigdy wcześniej mi o nim nie mówiłaś. Czuję się oszukana.

— To znaczy?

— Sama nie wiem. Po prostu zawsze sądziłam, że jeśli chodzi o miłość, jesteś cyniczką, tak jak ja.

Kat się nie zatrzymywała.

— A jak sądzisz, dlaczego stałam się cyniczna?

— Racja.

Znalazły stolik w Le Pain Quotidien, wewnątrz Central Parku, niedaleko Zachodniej Sześćdziesiątej Dziewiątej Ulicy, i zamówiły kawę.

— Bardzo mi przykro — odezwała się Stacy.

Kat machnęła ręką.

— Zarejestrowałam cię na tej stronie, żebyś znalazła sobie kogoś do łóżka. Nie ulega wątpliwości, że tego potrzebujesz. Bardziej niż ktokolwiek, kogo znam.

— Niezłe przeprosiny — stwierdziła Kat.

— Nie miałam zamiaru przywołać złych wspomnień.

— To nic takiego.

Stacy nie była przekonana.

— Chcesz o tym porozmawiać? Jasne, że tak. Zresztą tak mnie zaciekawiłaś, że teraz musisz mi wszystko opowiedzieć.

Zatem Kat opowiedziała jej o Jeffie. O tym, jak się poznali na Uniwersytecie Columbia, jak się zakochali i myśleli, że to na zawsze, jak swobodnie i dobrze się razem czuli, jak Jeff się oświadczył, jak wszystko się zmieniło, gdy jej ojciec został zamordowany, jak się wycofała, jak Jeff w końcu odszedł, a ona była za słaba, a może zbyt dumna, żeby za nim pójść.

Kiedy skończyła, Stacy powiedziała tylko:

— O rany.

Kat upiła łyczek kawy.

— A teraz, prawie dwadzieścia lat później, znajdujesz swojego byłego narzeczonego w serwisie randkowym?

— Tak.

— Jest wolny?

Kat zmarszczyła czoło.

— Tam nie ma zbyt wielu żonatych.

— No tak. Więc co się stało? Jest rozwiedziony? Przesiedział te lata w domu, usychając z tęsknoty jak ty?

— Wcale nie usycham z tęsknoty — zaprotestowała Kat. — Jest wdowcem.

— O rany.

— Przestań ciągle mówić „O rany". Zachowujesz się jak siedmiolatka.

Stacy zignorowała ten drobny wybuch.

— Ma na imię Jeff, tak?

— Zgadza się.

— Kochałaś go, kiedy cię zostawił?

Kat przełknęła ślinę.

— Oczywiście, że tak.

— Myślisz, że on też cię kochał?

— Najwyraźniej nie.

— Przestań. Pomyśl o moim pytaniu. Zapomnij na chwilę, że cię rzucił.

— Trudno to zrobić. Wyznaję zasadę, że czyny są ważniejsze od słów.

Stacy nachyliła się bliżej.

— Niewielu ludzi zna ciemne strony miłości i małżeństwa lepiej ode mnie. Obie o tym wiemy, prawda?

— Tak.

— Wiele można się nauczyć o związkach, kiedy twoja praca w pewnym sensie polega na ich rozbijaniu. Ale prawda jest taka, że niemal każdy związek ma swoje słabe punkty. Szczeliny i pęknięcia. To nie znaczy, że jest bezwartościowy czy zły. Wiemy, że wszystko w naszym życiu jest złożone i że dominują w nim różne odcienie szarości. A mimo to oczekujemy, że nasze relacje będą proste i nieskazitelne.

— To wszystko prawda — przyznała Kat. — Nie rozumiem jednak, do czego zmierzasz.

Stacy jeszcze bardziej się przybliżyła.

— Czy Jeff wciąż cię kochał, kiedy się rozstawaliście? Nie chrzań, że „czyny są ważniejsze od słów". Czy wciąż cię kochał?

Kat odpowiedziała bez namysłu.

— Tak.

Stacy wpatrywała się w przyjaciółkę.

— Kat?

— Co?

— Wiesz doskonale, że nie jestem religijna, ale to wygląda na przeznaczenie, kismet czy coś w tym rodzaju.

Kat upiła kolejny łyczek kawy.

— Ty i Jeff oboje jesteście samotni — ciągnęła Stacy. — Wolni. Oboje wiele przeszliście.

— Jesteśmy skrzywdzeni — mruknęła Kat.

Stacy przez chwilę się zastanawiała.

— Nie o to chodzi... Owszem, to też część prawdy, ale jesteście nie tyle skrzywdzeni, ile... pozbawieni złudzeń. — Uśmiechnęła się i odwróciła wzrok. — O rany.

— Co się stało?

Stacy popatrzyła jej w oczy, nie przestając się uśmiechać.

— To może być historia jak z bajki, wiesz?

Kat nic nie odpowiedziała.

— Ale to nie wszystko. Kiedyś dobrze się wam układało z Jeffem?

Kat nadal milczała.

— Nie rozumiesz? Tym razem oboje możecie się w to zaangażować z otwartymi oczami. To będzie jak bajka, tylko bez złudzeń. Będziecie widzieli szczeliny i pęknięcia. Wejdziecie w to z bagażem doświadczeń i uczciwymi oczekiwaniami. Doceniając wszystko, co spieprzyliście dawno temu. Kat, posłuchaj mnie. — Stacy chwyciła przyjaciółkę za rękę. Miała łzy w oczach. — To naprawdę może się udać.

Kat wciąż nie odpowiadała. Bała się odezwać. Nie śmiała nawet o tym myśleć. Ale wiedziała. Dokładnie rozumiała, co Stacy ma na myśli.

— Kat?

— Po powrocie do mieszkania wyślę mu wiadomość.

4

Biorąc prysznic, Kat zastanawiała się nad swoją wiadomością do Jeffa. Co w niej zawrzeć? Rozpatrzyła kilkanaście możliwości, ale każda była gorsza od poprzedniej. Nie znosiła tego uczucia. Nienawidziła zamartwiać się, co powinna napisać do faceta, zupełnie jakby była w szkole średniej i miała zostawić liścik w jego szafce. Ech! Czy nigdy z tego nie wyrastamy?

Bajka, powiedziała Stacy, tylko pozbawiona złudzeń.

Włożyła cywilny strój policjantki — dżinsy oraz żakiet — i wsunęła na stopy buty od TOMS. Włosy związała w kucyk. Nigdy nie odważyła się ich obciąć na krótko, ale zawsze lubiła je nosić z tyłu, żeby nie opadały jej na twarz. Jeffowi też się to podobało. Większość mężczyzn wolała ją z rozpuszczonymi włosami. Jeff nie. „Uwielbiam twoją twarz. Te kości policzkowe i oczy..."

Zmusiła się, żeby o tym nie myśleć.

Czas zabrać się do pracy. Później będzie się martwiła, co napisać.

Ekran komputera niemal z niej kpił, gdy go mijała, więc

przystanęła. Linie wygaszacza ekranu tańczyły. Kat sprawdziła godzinę.

Miej to już za sobą.

Usiadła i ponownie weszła na stronę YouAreJustMyType.com. Kiedy się zalogowała, zobaczyła, że czekają na nią „nowi idealni kandydaci". Nie zawracała sobie nimi głowy. Znalazła profil Jeffa, kliknęła w zdjęcie i ponownie odczytała motto:

Sprawdźmy, co się wydarzy.

Zastanawiała się, ile czasu Jeff potrzebował, żeby wymyślić coś tak prostego, kuszącego, wyluzowanego, niezobowiązującego i wciągającego. Żadnej presji. Zaproszenie, nic więcej. Kat kliknęła w ikonę, żeby wysłać mu bezpośrednią wiadomość. Pojawiło się okienko tekstowe. Kursor mrugał niecierpliwie.

Tak, sprawdźmy, co się wydarzy.

Uf...

Od razu to skasowała.

Wypróbowała kilka innych pomysłów. *Zgadnij, kto to; Ile to już lat?*; *Jak się masz, Jeff?*; *Miło znów zobaczyć twoją twarz*. Skasować, skasować, skasować. Każda wypowiedź była nędzna do kwadratu. Może właśnie tak to działa. Trudno być wygadanym, pewnym siebie lub odprężonym, kiedy próbuje się poznać przez internet miłość swojego życia.

Uśmiechnęła się z rozmarzeniem pod wpływem pewnego wspomnienia. Jeff miał słabość do tandetnych teledysków z lat osiemdziesiątych. To było, zanim YouTube umożliwił ich oglądanie w dowolnej chwili. Należało sprawdzić, kiedy VH1 nadaje specjalny blok albo coś w tym rodzaju. Nagle wyobraziła sobie, co Jeff teraz robi: zapewne siedzi przed komputerem i ogląda stare wideoklipy Tears for Fears, Spandau Ballet, Paula Younga albo Johna Waite'a.

John Waite.

Waite nagrał piosenkę *Missing You*, która stała się klasykiem wczesnego MTV. Niby-nowofalowy popowy utwór nadal wzruszał Kat, gdy słyszała go w radiu albo w barze, gdzie puszczano hity z lat osiemdziesiątych. Natychmiast wracała myślą do niezwykle łzawego teledysku, w którym John szedł samotnie ulicą i choć piosenka nosiła tytuł *Tęsknię za tobą*, powtarzał: „Wcale za tobą nie tęsknię" głosem tak udręczonym, że kolejny wers („Mogę się okłamywać") stawał się zbędny i nadmiernie objaśniający. Chwilę później siedział w barze i topiąc smutki w kieliszku, przywoływał szczęśliwe wspomnienia o kobiecie, którą będzie zawsze kochał, przez cały czas śpiewając, że wcale za nią nie tęskni. Och, ale my słyszymy, że to kłamstwo. Widzimy to w każdym jego kroku i ruchu. Na końcu teledysku samotny John wraca do domu i zakłada słuchawki, żeby tym razem szukać zapomnienia w muzyce, a nie w alkoholu, przez co, niczym w kiepskiej sitcomowej wersji szekspirowskiej tragedii, nie słyszy, gdy — wstrzymujemy oddech — ukochana powraca i puka do jego drzwi. Wielka miłość, z którą miał być na wieki, puka ponownie, przykłada ucho do drzwi, a następnie odchodzi, pozostawiając Johna Waite'a ze złamanym sercem, wciąż powtarzającego, że za nią nie tęskni, i wiecznie się okłamującego.

Cóż za ironia losu.

Często wspólnie żartowali sobie z tego teledysku. Kiedy się rozstawali, nawet na krótko, Jeff zostawiał jej wiadomość: „Wcale za tobą nie tęsknię", a ona czasem nawet odpowiadała: „Możesz się okłamywać".

Tak, miłość nie zawsze jest ładna.

Ale kiedy Jeff chciał być bardziej serio, dołączał do liścików tytuł piosenki, który Kat teraz niemal podświadomie wpisała w okienko tekstowe:

Tęsknię za Tobą.

Przez chwilę rozważała kliknięcie przycisku WYŚLIJ.

To była przesada. Motto „Sprawdźmy, co się wydarzy" było tak cudownie subtelne, a ona odpowiada „Tęsknię za Tobą". Nie. Skasowała wiadomość i spróbowała jeszcze raz, cytując wers z refrenu:

Wcale za Tobą nie tęsknię.

To wydało jej się zbyt bezczelne. Znów skasowała wpis.

Dobrze, wystarczy.

Nagle wpadł jej do głowy pomysł. Otworzyła nowe okno przeglądarki i znalazła link do starego teledysku Johna Waite'a. Nie oglądała go od jakichś dwudziestu lat, ale okazało się, że klip nie stracił nic ze swojego ckliwego uroku. Tak, pomyślała Kat z uśmiechem, tak będzie idealnie. Wkleiła link do pola tekstowego. Pojawiło się miniaturowe zdjęcie pokazujące scenę z baru. Kat dłużej się nie zastanawiała.

Kliknęła w przycisk WYŚLIJ, szybko wstała i niemal wybiegła z mieszkania.

▪ ▪ ▪

Kat mieszkała przy Sześćdziesiątej Siódmej Ulicy na Upper West Side. Dziewiętnasty posterunek, jej miejsce pracy, znajdował się przy tej samej ulicy, ale po wschodniej stronie, niedaleko Hunter College. Uwielbiała codziennie chodzić do pracy przez Central Park. Jej jednostka zajmowała charakterystyczny budynek, który wzniesiono w latach dziewięćdziesiątych dziewiętnastego wieku w stylu neorenesansowym. Kat była detektywem i pracowała na drugim piętrze. W telewizji detektywi zazwyczaj w czymś się specjalizują, na przykład w zabójstwach, tyle że większość tych specjalizacji już dawno zlikwidowano. W roku, w którym zamordowano jej ojca, popełniono niemal czterysta zabójstw. W tym roku jak dotąd zdarzyło się ich dwanaście. Sześcioosobowe grupy detektywów oddelegowane do badania zabójstw straciły rację bytu.

Kiedy mijała recepcję, zaczepił ją Keith Inchierca, dyżurny sierżant.

— Kapitan chce się z tobą widzieć, natychmiast. — Wskazał grubym kciukiem, jakby mogła nie wiedzieć, gdzie znajduje się gabinet kapitana. Pokonując po dwa stopnie naraz, wspięła się na pierwsze piętro. Pomimo osobistej relacji z kapitanem Staggerem rzadko bywała do niego wzywana.

Zapukała cicho do drzwi.

— Proszę wejść.

Nacisnęła klamkę. Gabinet był niewielki i szary jak chodnik zmoczony deszczem. Kapitan z opuszczoną głową pochylał się nad biurkiem. Kat nagle zaschło w ustach. Stagger miał tak samo opuszczoną głowę osiemnaście lat wcześniej, gdy zapukał do drzwi jej mieszkania. Wtedy Kat nie zrozumiała. Nie od razu. Zawsze uważała, że taka wizyta jej nie zaskoczy i że poprzedzi ją jakieś przeczucie. Wyobrażała sobie tę scenę setki razy — późny wieczór, ulewny deszcz, donośne pukanie. Otworzy drzwi, wiedząc, co się wydarzy. Popatrzy w oczy policjantowi, pokręci głową, zobaczy, jak on powoli przytakuje, a potem padnie na ziemię, krzycząc „Nie!”.

Ale kiedy pukanie do drzwi rzeczywiście się rozległo, a Stagger przybył, żeby dostarczyć wiadomość, która miała rozpłatać jej życie na pół — od tamtej chwili była inną osobą — słońce świeciło pewnie i beztrosko. Kat wybierała się do uczelnianej biblioteki na Uniwersytecie Columbia, żeby siedzieć nad pracą o planie Marshalla. Wciąż to pamiętała. Cholerny plan Marshalla. Otworzyła drzwi, gotowa ruszyć w stronę stacji pociągu linii C, i zobaczyła Staggera, który stał z opuszczoną głową, tak jak teraz, a ona nie miała pojęcia, o co chodzi. Dlaczego unika jej wzroku. Prawdę mówiąc — chociaż była to dziwaczna i wstydliwa myśl — gdy go zobaczyła na korytarzu, przyszło jej do głowy, że może przyszedł do niej. Podejrzewała, że wpadła Staggerowi w oko. Młodzi gliniarze, zwłaszcza ci, którzy traktowali jej tatę jak własnego ojca, mieli do niej słabość. Zatem widząc Staggera na progu, tak właśnie pomyślała: że chociaż wiedział o jej zaręczynach z Jeffem, zamierzał przejść do działania. Delikatnie. Żadnej natarczywości. Stagger — na imię miał Thomas, ale nikt tak do niego nie mówił — nie był w jej typie. Mimo to wydawał się miły.

Kiedy zobaczyła krew na jego koszuli, zmrużyła oczy, lecz prawda wciąż do niej nie docierała. Potem powiedział trzy słowa, trzy proste słowa, które połączyły się i wybuchły w jej piersi, rozsadzając świat na kawałki:

— Jest źle, Kat.

Teraz Stagger zbliżał się do pięćdziesiątki, ożenił się, miał czterech synów. Jego biurko było upstrzone zdjęciami. Na jednym z nich Staggerowi towarzyszył nieżyjący partner, detektyw z wydziału zabójstw Henry Donovan, czyli jej tata. Tak to działa. Kiedy giniesz na służbie, twoje zdjęcie trafia wszędzie. Dla jednych stanowi miły hołd. Dla innych bolesne wspomnienie. Na ścianie za plecami Staggera wisiała oprawiona w ramkę fotografia jego najstarszego syna, ucznia szkoły średniej, zrobiona podczas gry w lacrosse. Stagger z żoną mieszkali w Brooklynie. Kat podejrzewała, że dobrze im się wiedzie.

— Chciał pan ze mną porozmawiać, kapitanie?

Poza posterunkiem zwracała się do niego po nazwisku, ale nie potrafiła się do tego zmusić w tych murach. Kiedy podniósł wzrok, z zaskoczeniem stwierdziła, że jest blady jak ściana. Nieświadomie się cofnęła, niemal spodziewając się, że znów usłyszy te same trzy słowa, lecz tym razem go uprzedziła.

— Co się stało? — spytała.

— Monte Leburne — odparł Stagger.

To nazwisko wyssało powietrze z pomieszczenia. Bezwartościowa egzystencja nastawiona na destrukcję zaprowadziła Montego Leburne'a do więzienia, gdzie odsiadywał dożywocie za zamordowanie nowojorskiego detektywa Henry'ego Donovana.

— Co z nim?

— Umiera.

Kat pokiwała głową, grając na zwłokę, próbując odzyskać równowagę.

— Na co?

— Na raka trzustki.

— Od jak dawna go ma?

— Nie wiem.

— Dlaczego teraz mi pan o tym mówi?

Jej słowa zabrzmiały ostro, choć wcale nie zamierzała podnosić głosu. Stagger popatrzył na nią chłodno. Kat wykonała przepraszający gest.

— Właśnie sam się dowiedziałem — odparł.

— Próbowałam go odwiedzić.

— Tak, wiem.

— Kiedyś mi pozwalał. Ale ostatnio...

— O tym też wiem — mruknął Stagger.

Zapadła cisza.

— Wciąż siedzi w Clinton? — spytała Kat. Clinton było zakładem karnym o zaostrzonym rygorze na północy stanu Nowy Jork, niedaleko granicy z Kanadą. Uchodziło za najbardziej samotne i najzimniejsze miejsce na Ziemi. Od Nowego Jorku dzieliło je sześć godzin jazdy. Kat zbyt często odbywała tę przygnębiającą podróż.

— Nie, przenieśli go do Fishkill.

Świetnie. To znacznie bliżej. Mogła tam dotrzeć w półtorej godziny.

— Ile czasu mu zostało?

— Niewiele.

Stagger zrobił kilka kroków. Być może chciał wyjść zza biurka, żeby ją pocieszyć albo objąć, ale ostatecznie się powstrzymał.

— To dobrze, Kat. Zasługuje na śmierć. A nawet na coś gorszego.

Pokręciła głową.

— Nie.

— Kat...

— Muszę znów z nim porozmawiać.

Kapitan pokiwał z wolna głową.

— Spodziewałem się, że to powiesz.

— I co?

— Złożyłem wniosek, ale Leburne nie chce się z tobą spotkać.

— Szkoda — odpowiedziała. — Jestem policjantką, a on skazanym mordercą, który niedługo zabierze do grobu tajemnicę.

— Kat.

— Słucham?

— Nawet gdyby udało ci się go skłonić do mówienia, a oboje wiemy, że nic z tego nie wyjdzie, to on i tak nie dożyje procesu.

— Możemy nagrać jego zeznanie. Spowiedź grzesznika na łożu śmierci.

Kapitan nie wyglądał na przekonanego.

— Muszę spróbować.

— Nie spotka się z tobą.

— Mogę wziąć służbowe auto?

Zamknął oczy i nic nie odpowiedział.

— Proszę, Stagger.

Dała sobie spokój z tytułowaniem go „panem kapitanem".

— Twój partner cię zastąpi?

— Jasne — skłamała. — Oczywiście.

— Wygląda na to, że nie mam wyboru — odparł z rezygnacją. — Dobrze, jedź.

5

Gerard Remington wreszcie ujrzał światło dnia.

Nie miał pojęcia, jak długo przebywał w ciemności. Nagły rozbłysk wybuchł w jego oczach jak supernowa. Gerard zacisnął powieki. Chciał je osłonić, ale wciąż miał skrępowane ręce. Próbował zamrugać, oczy łzawiły mu pod wpływem światła.

Ktoś nad nim stał.

— Nie ruszaj się — rozległ się męski głos.

Gerard zastosował się do polecenia. Usłyszał jakiś trzask i zrozumiał, że mężczyzna przecina jego więzy. Przez chwilę serce wypełniała mu nadzieja. Może ten człowiek przyszedł go uratować.

— Wstawaj — odezwał się nieznajomy. Mówił z nieznacznym akcentem, być może karaibskim albo południowoamerykańskim. — Mam broń. Jeśli spróbujesz czegoś głupiego, zabijemy cię i pogrzebiemy na miejscu. Rozumiesz?

Gerardowi zaschło w ustach, lecz zdołał odpowiedzieć:

— Tak.

Mężczyzna wyszedł... ze skrzyni? Gerard Remington po

raz pierwszy zobaczył, gdzie go trzymano przez ostatnie... godziny? Schowek był niewiele większy od trumny: głęboki i szeroki na metr dwadzieścia i długi na dwa i pół metra. Kiedy Gerard wstał, zauważył, że otacza go gęsty las. Skrzynię umieszczono w dole wykopanym w ziemi. Jakiś ukryty bunkier? Schron przeciwburzowy albo magazyn na ziarno? Trudno powiedzieć.

— Wychodź — ponaglił mężczyzna.

Gerard popatrzył w górę, mrużąc oczy. Mężczyzna — nie, raczej nastolatek — był potężny i muskularny. W jego akcencie pobrzmiewały echa portugalskiego, może odmiany brazylijskiej, ale Gerard nie czuł się specjalistą od dialektów. Młodzieniec miał krótkie, mocno kręcone włosy, a ubrany był w znoszone dżinsy i opięty T-shirt, który wyglądał niemal jak opaska uciskowa na jego rozdętych bicepsach.

Miał także pistolet.

Gerard wygramolił się ze skrzyni i wszedł do lasu. W oddali dostrzegł psa — chyba czekoladowego labradora — biegnącego ścieżką. Kiedy mężczyzna zamknął klapę bunkra, zwierzę stało się niewidoczne. Pozostały tylko dwa duże metalowe pierścienie, łańcuch oraz kłódka na drzwiach.

Gerard się rozejrzał.

— Gdzie jestem?

— Cuchniesz — odparł młodzieniec. — Za tamtym drzewem znajdziesz szlauch. Obmyj się, zrób, co masz zrobić, a potem to włóż.

Wręczył Gerardowi jednoczęściowy kombinezon w maskujących barwach.

— Nic z tego nie rozumiem — wymamrotał Gerard.

Muskularny mężczyzna z pistoletem przysunął się do niego i zaczął prężyć mięśnie klatki piersiowej i tricepsy.

— Mam ci skopać dupę?

— Nie.

— Więc rób, co każę.

Gerard spróbował przełknąć ślinę, lecz znów miał zbyt wyschnięte gardło. Odwrócił się w stronę szlauchu. Co tam mycie. Potrzebował wody. Ruszył biegiem w stronę węża, ale ugięły się pod nim kolana, tak że prawie upadł. Zbyt długo był zamknięty w tej skrzyni. Z trudem udało mu się utrzymać na nogach i dotrzeć do celu. Odkręcił kurek, a kiedy wypłynęła woda, zaczął łapczywie pić. Smakowała starą gumą, nie dbał jednak o to.

Czekał, aż mężczyzna znów na niego warknie, ale ten niespodziewanie wykazał się cierpliwością. Z jakiegoś powodu to zaniepokoiło Gerarda. Rozejrzał się. Gdzie jest? Obrócił się, mając nadzieję, że zauważy jakąś polanę, drogę albo coś w tym rodzaju. Jednak niczego takiego nie zobaczył. Tylko las.

Zaczął uważnie nasłuchiwać, ale również bez efektów.

Gdzie jest Vanessa? Czy czeka na niego na lotnisku, zagubiona, lecz bezpieczna?

A może ją także uprowadzono?

Gerard Remington stanął za drzewem i zdjął przemoczone ubranie. Młodzieniec wciąż go obserwował. Gerard zastanawiał się, kiedy ostatnio rozebrał się do naga przed innym mężczyzną. Pewnie na zajęciach z wychowania fizycznego w szkole średniej. Dziwne, że w takiej chwili myśli o wstydzie.

Gdzie jest Vanessa? Czy nic jej się nie stało?

Oczywiście tego nie wiedział. Niczego nie wiedział. Ani gdzie jest, ani dlaczego się tutaj znalazł, ani kim jest ten człowiek. Próbował się uspokoić i racjonalnie zastanowić nad swoim kolejnym ruchem. Będzie musiał współpracować i ze wszystkich sił starać się zachować rozsądek. Gerardowi nie brakowało sprytu. Teraz sobie o tym przypomniał i poczuł się nieco lepiej.

Jest sprytny. Ma kobietę, którą kocha, świetną pracę i cudowną przyszłość. Owszem, ten bydlak ma pistolet, ale nie może się równać intelektem z Gerardem Remingtonem.

— Szybciej — odezwał się w końcu mężczyzna.

Gerard opłukał się wodą z węża.

— Masz ręcznik? — spytał.

— Nie.

Włożył kombinezon na mokre ciało. Dygotał. Strach, wyczerpanie i zagubienie odcisnęły na nim piętno.

— Widzisz tamtą ścieżkę?

Mężczyzna o rozdętych mięśniach wskazał tę samą przesiekę, w której Gerard wcześniej zobaczył psa.

— Tak.

— Idź nią aż do końca. Jeśli zboczysz ze ścieżki, zastrzelę cię.

Gerard nie zamierzał kwestionować tego polecenia. Ruszył wąską ścieżką. Ucieczka nie wchodziła w grę. Nawet gdyby mężczyzna go nie zastrzelił, to dokąd Gerard miałby pójść? Może mógłby się ukryć w lesie, licząc na to, że jego prześladowca go nie dogoni. Tylko jaki kierunek obrać? Skąd miał wiedzieć, czy pobiegnie w stronę jakiejś drogi, czy raczej w głąb lasu?

Wydawało się, że to idiotyczny plan.

Poza tym, gdyby ci ludzie chcieli go zabić — zakładał, że jest ich więcej, skoro bydlak użył liczby mnogiej — już by to zrobili. Dlatego bądź sprytny, nakazał sobie w duchu. Bądź czujny. Pozostań przy życiu.

Znajdź Vanessę.

Gerard wiedział, że jego kroki mają długość osiemdziesięciu

centymetrów. Zaczął je liczyć. Po dwustu krokach, czyli stu sześćdziesięciu metrach, zobaczył, że zbliża się do polany. Po kolejnych dwunastu wyszedł z gęstego lasu. Przed sobą ujrzał biały dom, stanowiący część gospodarstwa. Przyjrzał mu się z daleka i zauważył ciemnozielone zasłony w oknach na piętrze. Wypatrywał kabli elektrycznych prowadzących do domu, ale żadnych nie zobaczył.

Ciekawe.

Na werandzie stał jakiś mężczyzna. Swobodnie opierał się o słupek. Miał podwinięte rękawy koszuli i ręce skrzyżowane na piersi. Nosił okulary przeciwsłoneczne oraz robocze obuwie. Blond włosy o brudnawym odcieniu sięgały mu do ramion. Kiedy zauważył Gerarda, gestem zaprosił go do środka. Potem sam zniknął w domu.

Gerard ruszył w stronę budynku. Ponownie zwrócił uwagę na zielone zasłony. Po prawej stronie znajdowała się stodoła. Przed nią siedział pies — tak, to z pewnością był czekoladowy labrador — który cierpliwie mu się przyglądał. Za psem Gerard wypatrzył kawałek szarego powozu. Hm. Zauważył także wiatrak. To miało sens. Potraktował te spostrzeżenia jako wskazówki. Nie wiedział, co z nich wynika — a może wiedział i właśnie dlatego sytuacja wydawała się jeszcze bardziej zagmatwana — więc na razie po prostu je przyswajał.

Wspiął się po dwóch stopniach prowadzących na werandę i zawahał przed otwartymi drzwiami. Wziął głęboki oddech, po czym wszedł do przedpokoju. Po lewej stronie znajdował się salon. Długowłosy mężczyzna siedział w dużym fotelu. Zdjął okulary przeciwsłoneczne. Miał brązowe, przekrwione oczy. Jego przedramiona pokrywały tatuaże. Gerard uważnie się im przyjrzał, usiłując stworzyć mentalny portret mężczyzny i licząc na to, że wzory podpowiedzą mu, z kim ma do czynienia. Jednak tatuaże były proste i niczego z nich nie wywnioskował.

— Mam na imię Titus. — Mężczyzna mówił z melodyjną intonacją. W jego głosie było coś srebrzystego, miękkiego, niemal kruchego. — Proszę, usiądź.

Gerard wszedł do pokoju. Titus przeszył go wzrokiem. Gerard usiadł. Wtedy do pomieszczenia wszedł kolejny mężczyzna, którego można by nazwać hipisem. Miał na sobie barwną koszulę, wełnianą czapkę i okulary o różowawych szkłach. Usiadł przy biurku w kącie i otworzył macbooka air. Oczywiście wszystkie notebooki tego modelu wyglądają podobnie, dlatego Gerard nakleił na swoim kawałek czarnej taśmy.

Wciąż była na miejscu.

Gerard zmarszczył czoło.

— Co się dzieje? Gdzie jest Vanessa...

— Ciii — przerwał mu Titus.

Jego głos przeciął powietrze jak kosa.

Potem Titus odwrócił się w stronę hipisa, a ten skinął głową.

— Jestem gotowy — oznajmił.

Gerard miał ochotę spytać: „Na co?", ale syk Titusa, który nadal pobrzmiewał mu w uszach, skutecznie go uciszył.

Blondyn ponownie zwrócił się w stronę Gerarda i uśmiechnął. To był najbardziej przerażający widok, jaki Gerard Remington kiedykolwiek oglądał.

— Mamy do ciebie kilka pytań, Gerardzie.

6

Zakład Karny Fishkill pierwotnie nosił nazwę Stanowego Szpitala dla Niepoczytalnych Przestępców w Matteawan. Było tak w latach dziewięćdziesiątych dziewiętnastego wieku. Placówka pozostała stanowym szpitalem dla chorych psychicznie aż do lat siedemdziesiątych dwudziestego wieku, gdy sądy utrudniły arbitralne skazywanie niepoczytalnych osób na karę więzienia. Teraz Fishkill mieniło się jednostką penitencjarną o średnio zaostrzonym rygorze, chociaż przebywali tam zarówno skazańcy, którym umożliwiano pracę poza murami więzienia, jak i kryminaliści z Bloku S odsiadujący wyroki za najpoważniejsze przestępstwa.

Przybyszów witał ceglany gmach pierwotnego zakładu karnego, który wznosił się w malowniczej miejscowości Beacon w stanie Nowy Jork, pomiędzy rzeką Hudson a pasmem górskim Fishkill. Za sprawą drutów kolczastych i zaniedbania placówka przypominała połączenie uniwersyteckiego kampusu z obozem Auschwitz.

Kat skorzystała z życzliwości strażników oraz swojej złotej odznaki, żeby dostać się do środka. W nowojorskiej policji funkcjonariusze pracujący na ulicy mają srebrne odznaki, a detektywi — złote. Numer odznaki Kat, 8115, należał kiedyś do jej ojca.

Starsza pielęgniarka, ubrana w biały fartuch i staroświecki czepek, zatrzymała ją przy wejściu do skrzydła szpitalnego. Nosiła krzykliwy makijaż — granatowe cienie do powiek, jaskrawoczerwoną szminkę — przez który wyglądała, jakby ktoś pokrył jej twarz roztopionymi kredkami świecowymi. Uśmiechała się zbyt słodko i miała zęby ubrudzone szminką.

— Pan Leburne prosił, żeby nikt go nie odwiedzał.

Kat ponownie błysnęła odznaką.

— Chcę go tylko zobaczyć... — dostrzegła identyfikator z nazwiskiem Sylvia Steiner — ...siostro Steiner.

Pielęgniarka wyciągnęła rękę po złotą odznakę, uważnie ją obejrzała, a następnie wbiła wzrok w twarz Kat, która nie zdradzała żadnych emocji.

— Nie rozumiem. Po co pani tu przyjechała?

— Leburne zabił mojego ojca.

— I chce pani zobaczyć, jak cierpi?

W głosie siostry Steiner nie wyczuwało się nagany. Zupełnie jakby to była najnormalniejsza rzecz na świecie.

— Nie. Chciałabym zadać mu kilka pytań.

Pielęgniarka jeszcze raz zerknęła na odznakę, po czym ją oddała.

— Tędy, moja droga.

Głos miała melodyjny, anielski i niepokojący. Zaprowadziła Kat do sali z czterema łóżkami. Trzy z nich były puste. Na czwartym, w przeciwległym kącie po prawej, leżał Monte Leburne z zamkniętymi oczami. Kiedyś był potężnym, krzepkim awanturnikiem. Jeśli przestępstwo wymagało zastosowania przemocy albo zastraszenia, wzywano ciemniaka Montego

Leburne'a. Jako były bokser wagi ciężkiej, który przyjął zdecydowanie zbyt wiele ciosów na głowę, wykorzystywał swoje pięści (i nie tylko), odbierając długi, wymuszając haracze, uczestnicząc w wojnach gangów, rozpędzając strajki związkowców i tak dalej. Kiedy jedna z konkurencyjnych rodzin kazała go brutalnie pobić, szefowie Leburne'a — ceniący jego graniczącą z głupotą lojalność — dali mu broń i pozwolili wykonywać zadania, które nie wymagały aż takiego wysiłku fizycznego, polegające na strzelaniu do ich wrogów.

Mówiąc w skrócie, Monte Leburne został zabójcą średniego szczebla. Nie był bystry ani sprytny, ale w końcu zastrzelenie kogoś nie wymaga nadzwyczajnej inteligencji.

— Często zasypia — wyjaśniła siostra Steiner.

Kat podeszła do łóżka. Pielęgniarka trzymała się kilka kroków z tyłu.

— Mogłaby pani zostawić nas samych? — spytała detektyw.

Słodki uśmiech. Niepokojący, melodyjny głos:

— Nie, moja droga, nie mogłabym.

Kat popatrzyła na Leburne'a i przez chwilę szukała w sobie oznak współczucia dla człowieka, który zabił jej ojca. Jeśli nawet coś odczuwała, było to głęboko ukryte. Na co dzień trawiła ją gorąca nienawiść, choć czasami zdawała sobie sprawę, że równie dobrze mogłaby nienawidzić broni. Ten facet nie był niczym więcej.

Oczywiście broń również należy zniszczyć, prawda?

Kat położyła dłoń na ramieniu Leburne'a i lekko nim potrząsnęła. Leburne zamrugał i otworzył oczy.

— Witaj, Monte.

Potrzebował chwili, żeby skupić wzrok na twarzy Kat. Gdy już to zrobił — kiedy ją rozpoznał — jego ciało zesztywniało.

— Nie powinno cię tu być, Kat.

Sięgnęła do kieszeni i wyjęła zdjęcie.

— Był moim ojcem.

Leburne już wielokrotnie widział tę fotografię. Kat przynosiła ją na wszystkie wizyty. Nie była pewna, w jakim celu. Może chciała jakoś do niego dotrzeć, ale ludzie, którzy wykonują egzekucje na innych, rzadko miewają wyrzuty sumienia. Niewykluczone, że przynosiła ją dla siebie, żeby dodać sobie siły i w pewien dziwaczny sposób zapewnić wsparcie ojca.

— Kto wydał na niego wyrok? To był Cozone, prawda?

Leburne nie podnosił głowy z poduszki.

— Czemu wciąż zadajesz mi te same pytania?

— Ponieważ nigdy na nie nie odpowiadasz.

Monte uśmiechnął się, ukazując kołkowate zęby. Nawet z tej odległości Kat czuła rozkład w jego oddechu.

— Liczysz na wyznanie na łożu śmierci?

— Nie ma żadnego powodu, dla którego nie miałbyś mi powiedzieć prawdy, Monte.

— Oczywiście, że jest.

Miał na myśli swoją rodzinę. To była jego cena. Bądź cicho, a my zajmiemy się twoją rodziną. Otwórz usta, a posiekamy ich na kawałeczki.

Metoda kija i marchewki w najpełniejszym wydaniu.

Na tym zawsze polegał jej problem. Nie miała mu niczego do zaoferowania.

Nie trzeba było lekarza, by się zorientować, że Montemu Leburne'owi nie zostało dużo czasu. Śmierć już usadowiła się w wygodnym miejscu i zaczęła zmierzać ku nieuniknionemu zwycięstwu. Zapadł się w sobie, jakby miał wniknąć w łóżko, potem w podłogę, a w końcu — puf — rozpłynąć się w powietrzu. Kat popatrzyła na jego prawą dłoń — w której zazwyczaj trzymał broń — pokrytą grubymi żyłami przypominającymi ogrodowe węże. Obok nadgarstka podłączono kroplówkę.

Leburne zacisnął zęby, gdy przeszyła go nowa fala bólu.

— Idź sobie — wykrztusił.

— Nie. — Kat czuła, że wymyka jej się ostatnia szansa. — Proszę — powiedziała, starając się, żeby jej głos nie zabrzmiał błagalnie. — Muszę wiedzieć.

— Idź sobie.

Nachyliła się bliżej.

— Posłuchaj, to tylko dla mnie. Rozumiesz? Minęło osiemnaście lat. Muszę poznać prawdę. To wszystko. Żeby zamknąć ten rozdział. Dlaczego kazał zabić mojego ojca?

— Odejdź stąd.

— Powiem, że się wygadałeś.

— Co takiego?

Kat pokiwała głową, starając się zabrzmieć surowo.

— Kiedy tylko umrzesz, wsadzę go do pudła. Powiem, że sypnąłeś. Powiem mu, że złożyłeś pełne zeznanie.

Monte Leburne ponownie się uśmiechnął.

— Niezła próba.

— Myślisz, że tego nie zrobię?

— Nie wiem, co zrobisz. Wiem tylko, że nikt ci nie uwierzy. — Monte Leburne przeniósł wzrok na siostrę Steiner. — Poza tym mam świadka, prawda, Sylvio?

Pielęgniarka pokiwała głową.

— Jestem tutaj, Monte.

Nowa fala bólu sprawiła, że się skrzywił.

— Czuję się naprawdę zmęczony, Sylvio. Robi się bardzo niedobrze.

Siostra Steiner szybko zbliżyła się do łóżka.

— Jestem tutaj, Monte. — Wzięła go za rękę. Za sprawą krzykliwego makijażu jej uśmiech wyglądał jak namalowany, jak element charakteryzacji strasznego klauna.

— Proszę, Sylvio, niech ona sobie pójdzie.

— Już wychodzi. — Siostra Steiner zaczęła naciskać pompkę, wpuszczając jakiś narkotyk do jego żył. — Odpręż się, Monte, dobrze?

— Nie pozwól jej zostać.

— Ciii, wszystko będzie dobrze. — Siostra Steiner posłała Kat złowrogie spojrzenie. — Już prawie jej tu nie ma.

Kat chciała zaprotestować, ale pielęgniarka ponownie wcisnęła guziki na pompie infuzyjnej, tak że dyskusja stała się bezprzedmiotowa. Leburne zatrzepotał powiekami. Po kilku chwilach stracił przytomność.

▪ ▪ ▪

Strata czasu.

Ale z drugiej strony, czego Kat się spodziewała? Nawet umierający człowiek gardził ideą wyznania win na łożu śmierci. Cozone potrafił zadbać o milczenie swoich pracowników. Siedzisz cicho, a twoja rodzina ma zapewnioną opiekę przez całe życie. Zaczynasz gadać, a wszyscy giną. Kat nie miała żadnych argumentów, żeby skłonić Leburne'a do mówienia — ani kiedyś, ani teraz.

Już miała wracać do samochodu, gdy usłyszała za sobą chorobliwie słodki głos.

— Fatalnie to rozegrałaś, moja droga.

Odwróciła się i zobaczyła siostrę Steiner, którą strój pielęgniarki i gruba warstwa makijażu upodabniały do postaci z horroru.

— Tak, cóż, dziękuję za pomoc.

— A chciałaby ją pani otrzymać?

— Słucham?

— On prawie w ogóle nie odczuwa skruchy. Kiedy przychodzi do niego ksiądz, mówi to, co trzeba, ale nie jest przy tym szczery. Po prostu stara się wynegocjować miejsce w niebie. Jednak Boga nie tak łatwo oszukać. — Ponownie posłała Kat niepokojący uśmiech, ukazując zęby ubrudzone szminką. — Monte zamordował wielu ludzi, prawda?

— Przyznał się do zabicia trojga, ale było ich więcej.

— Wliczając pani ojca?

— Tak.

— A pani ojciec był policjantem? Tak samo jak pani?

— Tak.

Siostra Steiner cmoknęła współczująco.

— Bardzo mi przykro.

Kat nic nie odpowiedziała.

Pielęgniarka przez chwilę przygryzała umalowaną dolną wargę.

— Niech pani idzie za mną.

— Słucham?

— Potrzebuje pani informacji, tak?

— Tak.

— Proszę pójść ze mną, tylko niech się pani trzyma z boku. Sama się wszystkim zajmę.

Siostra Steiner obróciła się na pięcie i ruszyła z powrotem w stronę skrzydła szpitalnego. Kat z trudem za nią nadążała.

— Chwileczkę, co pani zamierza?

— Słyszała pani o lekkiej narkozie? — spytała pielęgniarka.

— Nie wydaje mi się.

— Na początku swojej kariery pracowałam na porodówce. Dawniej używaliśmy morfiny i skopolaminy jako środków znieczulających. Wprowadzały one rodzącą kobietę w półnarkotyczny stan, w którym pozostawała świadoma, ale później niczego nie pamiętała. Podobno to łagodziło ból. Być może, chociaż wątpię. Sądzę raczej, że kobiety po prostu zapominały cierpienie, które musiały znieść. — Przekrzywiła głowę jak pies, który słyszy nieznajomy dźwięk. — Czy ból jest realny, jeśli go nie pamiętamy?

Kat myślała, że to retoryczne pytanie, jednak siostra Steiner umilkła, czekając na odpowiedź.

— Nie wiem.

— Niech się pani zastanowi. To dotyczy każdego doświadczenia, dobrego albo złego: jeśli natychmiast je zapominamy, czy ono w ogóle się liczy?

Pielęgniarka ponownie czekała na odpowiedź.

— Nie wiem — powtórzyła Kat.

— Ja również. To ciekawe pytanie, prawda?

— Pewnie tak — odparła Kat, zastanawiając się, dokąd zmierza ta rozmowa.

— Wszyscy chcemy żyć chwilą. Rozumiem to. Ale jeśli tej chwili nie pamiętamy, to czy ona naprawdę się wydarzyła? Nie jestem pewna. Pierwsi zastosowali lekką narkozę Niemcy. Uważali, że poród będzie łatwiejszy. Ale się mylili. Oczywiście z czasem zrezygnowaliśmy z tej metody. Dzieci rodziły się odurzone. To była główna przyczyna zaniechania jej, a przynajmniej tak utrzymywali ludzie ze świata medycyny. — Nachyliła się konspiracyjnie w stronę Kat. — Między nami mówiąc, sądzę, żeby to nie był prawdziwy powód.

— To znaczy?

— Nie chodziło o to, co się dzieje z noworodkami, tylko z matkami. — Siostra Steiner zatrzymała się przy drzwiach.

— Co się z nimi działo?

— Im również nie podobała się cała procedura. Owszem, lekka narkoza pozwalała uniknąć bólu, ale omijało je doświadczenie porodu. Wchodziły na salę i nagle zdawały sobie sprawę, że trzymają noworodka w ramionach. Czuły się emocjonalnie oderwane od narodzin własnego dziecka. Wprawiało je to w zakłopotanie. Nosiły dziecko przez dziewięć miesięcy, zaczynały rodzić, a potem nagle puf...

Siostra Steiner strzeliła palcami dla większego efektu.

— Zastanawiały się, co tak naprawdę się wydarzyło — dokończyła Kat.

— Właśnie.

— Ale jaki to ma związek z Montem Leburne'em?

Pielęgniarka uśmiechnęła się nieśmiało.

— Przecież pani wie.

Kat nie wiedziała. A może jednak.

— Potrafi go pani wprowadzić w lekką narkozę?

— Tak, oczywiście.

— I uważa pani, że... co? Skłonię go do mówienia, a on o wszystkim zapomni?

— Nie do końca. To znaczy, owszem, nie będzie niczego pamiętał, ale morfina nie różni się zbytnio od tiopentalu. Wie pani, co to jest, prawda?

Kat wiedziała, chociaż tę substancję częściej nazywano pentotalem sodu, a w skrócie: serum prawdy.

— Oczywiście to nie działa tak jak w filmach — ciągnęła siostra Steiner. — Ale kiedy ludzie są pod jego wpływem... cóż... matki stawały się gadatliwe. Skłonne do wyjawiania tajemnic. Podczas niejednego porodu, gdy mąż krążył nerwowo w sąsiednim pokoju, wyznawały, że to nie on jest ojcem. Oczywiście sami o to nie pytaliśmy. Po prostu o tym mówiły, a my udawaliśmy, że nie słyszymy. Jednak z czasem zaczęłam sobie zdawać sprawę, że w takich okolicznościach można prowadzić rozmowę. Można pytać i wiele się dowiedzieć, a taka osoba potem niczego nie pamięta.

Pielęgniarka popatrzyła jej w oczy, aż Kat poczuła dreszcz na plecach. Potem siostra Steiner odwróciła wzrok i otworzyła drzwi pchnięciem.

— Powinnam zwrócić pani uwagę na duży problem z wiarygodnością. Wielokrotnie tego doświadczyłam w przypadku morfiny. Pacjent przekonująco opowiadał o czymś, co nie mogło być prawdą. Na przykład ostatni człowiek, który zmarł w skrzydle szpitalnym, przysięgał, że za każdym razem, gdy zostawiam go samego, ktoś go porywa i zabiera na pogrzeby kotów. Nie kłamał. Był przekonany, że tak się dzieje. Rozumie pani?

— Tak.

— Zatem możemy kontynuować?

Kat nie była pewna. Wychowała się w policyjnej rodzinie. Wiedziała, jak groźne jest naginanie zasad.

Tylko jaki miała wybór?

— Pani detektyw?

— Proszę to zrobić — powiedziała Kat.

Siostra Steiner znów się uśmiechnęła; tym razem uśmiech był szerszy.

— Jeżeli Monte usłyszy pani głos, będzie się bronił. Ale jeśli pozwoli pani, żebym to ja się wszystkim zajęła, może zdołamy uzyskać użyteczne dla pani informacje.

— W porządku.

— Niech mi pani opowie o tamtym zabójstwie.

Zajęło im to około dwudziestu minut. Pielęgniarka dodała skopolaminy do kroplówki, sprawdziła wskazania aparatury i dokonała kilku poprawek. Działała z taką wprawą, że Kat przez chwilę zastanawiała się, czy ta kobieta już kiedyś nie robiła tego z pozamedycznych pobudek. Kat rozważała konsekwencje lekkiej narkozy i możliwe nadużycia. Usprawiedliwienie tej metody, jakie podała pielęgniarka — jeśli niczego nie pamiętasz, to czy coś się wydarzyło? — wydawało jej się zbyt beztroskie.

Z tą kobietą niewątpliwie było coś nie w porządku. Jednak w tej chwili Kat o to nie dbała.

Usiadła w kącie, poza zasięgiem wzroku chorego. Monte Leburne nie spał, a jego głowa kołysała się na poduszce. Zaczął nazywać pielęgniarkę Cassie — imieniem swojej siostry, która zginęła, kiedy miał osiemnaście lat. Zaczął opowiadać o tym, że bardzo chciał ją zobaczyć, kiedy odeszła. Kat z podziwem słuchała, jak pielęgniarka prowadzi go coraz dalej ścieżką, którą powinien podążyć.

— Ależ zobaczysz mnie, Monte — odparła. — Będę na ciebie czekała po drugiej stronie. Tylko że mogą być problemy z tymi ludźmi, których zabiłeś.

— Mężczyznami — poprawił ją Monte.

— Słucham?

— Zabijałem tylko mężczyzn. Nie zabiłem żadnej kobiety. Nigdy. Żadnych kobiet ani dzieci, Cassie. Zabijałem mężczyzn. Złych mężczyzn.

Siostra Steiner zerknęła na Kat.

— Ale zabiłeś policjanta.

— Był najgorszy z nich wszystkich.

— Dlaczego tak twierdzisz?

— Gliniarze. Wcale nie są lepsi. Jednak to bez znaczenia.

— Nie rozumiem, Monte. Wyjaśnij mi, proszę.

— Nigdy nie zabiłem żadnego policjanta, Cassie. Przecież wiesz.

Kat zamarła. To nie może być prawda.

Pielęgniarka odchrząknęła.

— Ale, Monte...

— Cassie? Przepraszam, że cię nie obroniłem. — Leburne zaczął płakać. — Pozwoliłem mu cię skrzywdzić i nie zrobiłem nic, żeby ci pomóc.

— To nieważne, Monte.

— Nieprawda. Ochroniłem wszystkich innych. Tylko nie ciebie.

— To już przeszłość. Jestem teraz w lepszym miejscu. Chciałabym, żebyś był tutaj ze mną.

— Teraz chronię swoją rodzinę. Odebrałem lekcję. Tata do niczego się nie nadawał.

— Wiem o tym. Ale, Monte, powiedziałeś, że nigdy nie zabiłeś żadnego policjanta.

— Dobrze o tym wiesz.

— A co z detektywem Henrym Donovanem?

— Ciii.

— Co takiego?

— Ciii — powtórzył. — Usłyszą cię. To było proste. Wiedziałem, że i tak jestem załatwiony.

— Co masz na myśli?

— Zgarnęli mnie za zabicie Lazlowa i Greene'a. Nie mogłem się wywinąć. Czekało mnie dożywocie. Jeden więcej nie robił różnicy, zwłaszcza jeśli można było na tym coś zyskać, rozumiesz?

Lodowata dłoń zacisnęła się na sercu Kat.

Nawet siostra Steiner z trudem panowała nad głosem.

— Wytłumacz mi to, Monte. Dlaczego zastrzeliłeś detektywa Donovana?

— Uważasz, że go zabiłem? Ja tylko wziąłem na siebie winę. Już byłem załatwiony. Nie rozumiesz?

— Nie zastrzeliłeś go?

Żadnej odpowiedzi.

— Monte?

Powoli się jej wymykał.

— Monte, skoro nie ty go zabiłeś, kto to zrobił?

— Kto? — Jego głos dobiegał jakby z oddali.

— Kto zabił Henry'ego Donovana?

— Skąd mam wiedzieć? Odwiedzili mnie następnego dnia po aresztowaniu. Powiedzieli, żebym wziął pieniądze i przyznał się do winy.

— Kto?

Monte zamknął oczy.

— Jestem taki śpiący.

— Monte, kto kazał ci wziąć winę na siebie?

— Nigdy nie powinienem pozwolić, żeby tacie uszło to na sucho, Cassie. To, co ci zrobił. Wiedziałem. Mama też. Ale niczego nie zrobiliśmy. Przepraszam.

— Monte?

— Jestem taki zmęczony...

— Kto ci kazał wziąć winę na siebie?

Monte Leburne zasnął.

7

W drodze powrotnej Kat trzymała obie dłonie na kierownicy. Aż za bardzo skupiała się na drodze, lecz tylko tak mogła powstrzymać zawroty głowy. Jej świat wywrócił się do góry nogami. Siostra Steiner jeszcze raz ją ostrzegła, że Monte Leburne był zdezorientowany pod wpływem leków i jego słowa należy przyjmować z dużą dozą sceptycyzmu. Kat kiwała głową, słuchając jej pouczeń. Wszystko to rozumiała — zdezorientowanie, niepewność, rolę wyobraźni — ale jako policjantka nauczyła się jednego: prawda ma charakterystyczny zapach.

W tej chwili Monte Leburne cuchnął prawdą.

Włączyła radio i próbowała słuchać gniewnych rozmówców. Gospodarze programów radiowych zawsze proponowali proste rozwiązania światowych problemów. Kat irytował ten prymitywizm, przez co ich audycje działały na nią dziwnie rozpraszająco. Ludzie, którzy twierdzą, że znają proste odpowiedzi, zarówno ci po prawej, jak i po lewej stronie, zawsze się mylą. Świat jest złożony. Nie da się go wepchnąć w sztywne ramy.

Kiedy wróciła na dziewiętnasty posterunek, udała się prosto do gabinetu kapitana Staggera. Nie zastała go. Mogła spytać, kiedy wróci, lecz jeszcze nie chciała ściągać na siebie uwagi. Ograniczyła się do wysłania mu krótkiego SMS-a:

Musimy porozmawiać.

Nie było natychmiastowej odpowiedzi, ale też się jej nie spodziewała. Wspięła się po schodach na kolejne piętro. Jej obecny partner, Charles „Chaz" Faircloth, stał w kącie z trzema innymi policjantami. Kiedy podeszła, odezwał się do niej, przeciągając słowa:

— No, cześć, Kat. — Nawet w tak niewinnym powitaniu dało się wyczuć sarkazm. A potem, ponieważ miał takie poczucie humoru, dodał: — Wyglądasz, jakby dopadł cię kat.

Niestety, towarzyszący mu mężczyźni zachichotali.

— Dobre — rzuciła.

— Dzięki. Pracowałem nad wyczuciem chwili.

— Opłaciło się.

O rany, nie była teraz w nastroju do takich gierek.

Chaz miał na sobie drogi, idealnie skrojony garnitur, który lśnił, jakby był mokry, krawat zawiązany w węzeł windsorski przez kogoś, kto miał za dużo czasu, oraz buty od Ferragamo, przywodzące na myśl stare przysłowie o sądzeniu człowieka po blasku jego obuwia. Gadanie. Ludzie, którzy polerują swoje buty, zazwyczaj są egocentrycznymi dupkami uważającymi, że forma może zastąpić treść.

Chaza charakteryzowały pewność siebie ładnego chłoptasia oraz niemal nadnaturalna charyzma, jak u typowego socjopaty, którym zapewne był. Należał do nadzianego i wpływowego rodu Fairclothów. Jego członkowie często bawili się w policjantów, ponieważ dobrze to wyglądało podczas wyborów na państwowe stanowiska. Wciąż nie spuszczając z niej wzroku, Chaz wyszeptał jakiś żarcik do swoich kolegów, zapewne kpiąc z Kat, a grupa wybuchła śmiechem.

— Spóźniłaś się — powiedział po chwili.

— Wykonywałam zadanie dla kapitana.

Uniósł brwi.

— Tak to się teraz nazywa?

Co za palant!

W wypadku Chaza wszystko zalatywało dwuznacznością, która trąciła molestowaniem. Nie chodziło o to, że od czasu do czasu narzucał się kobietom. Taką miał osobowość. Niektórzy mężczyźni już tacy są — odnoszą się do każdej kobiety tak, jakby właśnie spotkali ją w barze dla singli. Chaz nie potrafił nawet opowiedzieć kobiecie, co zjadł na śniadanie, nie zachowując się przy tym przymilnie, jakby to ona mu je przyrządziła po wspólnie spędzonej nocy.

— Więc nad czym pracujemy? — spytała Kat.

— Nie martw się. Usprawiedliwiłem cię.

— Tak, no cóż, dzięki, ale czy mógłbyś zapoznać mnie ze sprawą?

Chaz wskazał jej biurko, błyskając szmaragdowymi spinkami do mankietów.

— Tam są wszystkie akta. Śmiało. — Zerknął na swojego zbyt dużego i zbyt błyszczącego rolexa. — Muszę lecieć.

Wyszedł dumnie z wyprostowanymi plecami, pogwizdując jakąś kiepską piosenkę. Kat już rozmawiała ze Stephenem Singerem, swoim bezpośrednim przełożonym, o przydzieleniu jej nowego partnera. Kiedy Chaz dowiedział się o tej prośbie, był zaszokowany, ale nie dlatego, że lubił Kat; po prostu nie potrafił pojąć, jak ta — czy jakakolwiek inna — kobieta może opierać się jego urokowi. Postanowił jeszcze bardziej ją oczarować, pewien, że każda w końcu mu ulegnie.

Zwrócony do niej plecami, machnął ręką i rzucił:

— Do zobaczenia później, mała.

Nie warto, westchnęła w duchu.

Miała ważniejsze zmartwienia. Na przykład: czy Monte Leburne mógł mówić prawdę?

A jeśli przez wszystkie te lata się mylili? Jeśli zabójca jej ojca nadal jest na wolności?

Ta myśl była zbyt przytłaczająca. Kat musiała porozmawiać z kimś, kto znał wszystkie zaangażowane strony i całą sytuację. Od razu przyszedł jej do głowy — Boże, miej ją w opiece — Jeff Raynes.

Zerknęła na komputer na swoim biurku.

Ale po kolei. Zgromadziła wszystkie materiały o Montem Leburnie i morderstwie detektywa Henry'ego Donovana. Było ich mnóstwo, ale to nic. Mogła się z nimi zapoznać wieczorem w domu. Oczywiście czytała je już setki razy, tylko czy kiedykolwiek podchodziła do nich z myślą, że Monte Leburne może być kozłem ofiarnym? Nie. Świeża perspektywa. Właśnie tak teraz na nie spojrzy.

Potem zaczęła się zastanawiać, czy Jeff już odpowiedział na jej wiadomość.

Biurka po lewej i po prawej były puste. Obejrzała się za siebie. Nikogo nie dostrzegła. Dobrze. Gdyby koledzy zobaczyli, że wchodzi na serwis randkowy, nie daliby jej spokoju. Usiadła przy komputerze i jeszcze raz się rozejrzała. Droga wolna. Szybko wpisała na pasku adresu YouAreJustMyType.com i wcisnęła ENTER.

Strona zablokowana. Żeby uzyskać dostęp, poproś bezpośredniego przełożonego o kod dostępu.

Aha, nic z tego. Posterunek policji coraz bardziej przypominał korporację — próbowali zwiększyć wydajność, nie pozwalając pracownikom na przeglądanie osobistych stron internetowych i korzystanie z serwisów społecznościowych. Oto jeden z przykładów.

Wcześniej Kat rozważała zainstalowanie aplikacji YouAreJustMyType na swoim telefonie, miała jednak wrażenie, że to byłby zbyt desperacki krok. Zatem to będzie musiało poczekać. Nic nie szkodzi. Ale wiedziała, że tylko się oszukuje.

Ludzie przychodzili z kolejnymi sprawami, a Kat się nimi zajmowała. Taksówkarz skarżył się, że jakiś celebryta odmówił zapłaty za kurs. Kobieta doniosła, że jej sąsiad uprawia marihuanę. Same drobiazgi. Kat sprawdziła telefon. Żadnej odpowiedzi od Staggera. Nie wiedziała, co o tym myśleć. Wysłała mu kolejną wiadomość:

Naprawdę musimy porozmawiać.

Już miała schować telefon do kieszeni, gdy poczuła wibracje. Stagger odpisał:

Zakładam, że to dotyczy wizyty w więzieniu?

Tak.

Tym razem dłużej zwlekał z odpowiedzią.

Zajęty do ósmej. Mogę wpaść wieczorem albo zaczekajmy do jutra.

Kat nie wahała się ani chwili.

WPADNIJ WIECZOREM.

▪ ▪ ▪

Kat przestała udawać, że nie chce jak najszybciej sprawdzić, czy Jeff jej odpisał.

Po zakończeniu swojej zmiany przebrała się w strój do joggingu, przebiegła przez park, z uśmiechem i skinieniem głowy minęła portiera, wbiegła po schodach, pokonując po dwa stopnie naraz, i jednym płynnym ruchem otworzyła drzwi.

Komputer był w stanie hibernacji. Kat poruszyła myszką i chwilę odczekała. Pojawiła się mała klepsydra i zaczęła się obracać. Kurczę, potrzebowała nowego komputera. Chciało jej się pić po biegu i zamierzała pójść po szklankę wody, ale wtedy klepsydra znieruchomiała.

Kat otworzyła stronę YouAreJustMyType.com. Minęło wiele godzin od jej ostatniej wizyty, więc serwis ponownie ją wylogował. Wpisała nazwę użytkownika i hasło, a następnie kliknęła DALEJ. Pojawił się ekran powitalny i sześć dużych, jaskrawozielonych słów:

Masz nową wiadomość w skrzynce odbiorczej!

Serce mocniej jej zabiło. Czuła jego powolne, regularne pulsowanie, które z pewnością było widoczne gołym okiem.

Kliknęła w zielony napis. Otworzyło się okienko skrzynki odbiorczej, a w nim malutkie zdjęcie profilowe Jeffa.

Teraz albo nigdy.

Pasek tematu był pusty. Kat nakierowała na niego kursor i kliknęła, a wtedy na ekranie pojawiła się wiadomość od Jeffa:

> **HA! Uroczy teledysk! Zawsze go uwielbiałem. Wiem, że mężczyźni często twierdzą, iż lubią kobiety z poczuciem humoru, ale to był naprawdę sprytny sposób na nawiązanie kontaktu. Poza tym bardzo mnie zaciekawiły Twoje zdjęcia. Oczywiście masz piękną twarz, jednak jest w Tobie... coś jeszcze. Miło mi Cię poznać!**

To wszystko. Żadnego podpisu. Żadnego imienia.

Niczego.

Chwileczkę!

Prawda była jak uderzenie w twarz: Jeff jej nie pamiętał.

Czy to możliwe? Jak mógł ją zapomnieć? Spokojnie, nie wyciągaj pochopnych wniosków. Wzięła głęboki oddech i spróbowała to sobie przemyśleć. No dobrze, zatem możliwe, że Jeff jej nie rozpoznał. Jak bardzo się zmieniła? Pewnie bardzo. Miała teraz ciemniejsze i krótsze włosy. Postarzała się. Oczywiście mężczyźni mają więcej szczęścia. Siwizna na skroniach tylko uczyniła Jeffa przystojniejszym... Niech go szlag. Obiektywnie patrząc, czas niezbyt łaskawie się z nią obszedł. Kat wstała, zaczęła krążyć po pokoju, popatrzyła w lustro. Rzecz jasna, samemu się tego nie dostrzega. Nie widzi się zmian, które przynosi czas. Ale kiedy znalazła w szufladach swoje stare zdjęcia — z kiepską fryzurą, pulchniejszymi policzkami, lśniącą cerą — prawie go zrozumiała. Ostatnio widział ją jako jasnooką, choć zdruzgotaną dwudziestodwulatkę. Teraz miała czterdzieści lat. To duża różnica. W swoim profilu nie zawarła żadnych osobistych informacji. Nie podała adresu, nie wspomniała o dyplomie Uniwersytetu Columbia ani o niczym innym, co pozwoliłoby ją zidentyfikować.

Dlatego w pewnym sensie to zrozumiałe, że Jeff jej nie poznał.

Oczywiście, kiedy zaczęła dokładniej się nad tym zastanawiać, to wytłumaczenie przestało brzmieć przekonująco. Przecież się kochali. Byli zaręczeni. Ta piosenka — teledysk — nie była dla nich po prostu „urocza", ale odgrywała w ich życiu rolę, którą trudno zapomnieć...

Coś przyciągnęło jej spojrzenie.

Kat zbliżyła twarz do ekranu i zobaczyła bijące serce obok profilowego zdjęcia Jeffa. Według tabelki na dole strony to oznaczało, że jest zalogowany i może odbierać wiadomości od osób, które „wcześniej się z nim komunikowały".

Usiadła, otworzyła okienko komunikatora i napisała:

To ja, Kat.

Żeby wysłać wiadomość, trzeba było wcisnąć ENTER. Nie traciła czasu ani nie dawała sobie szansy na rezygnację. Wdusiła przycisk. Wiadomość została wysłana.

Kursor migał niecierpliwie. Kat czekała na odpowiedź. Zaczęła przytupywać prawą nogą. Nigdy nie zdiagnozowano u niej zespołu niespokojnych nóg, ale podejrzewała, że jest na granicy tego schorzenia. Jej ojciec też potrząsał nogą, i to często. Położyła dłoń na kolanie i zmusiła się do uspokojenia. Ani na chwilę nie odrywała wzroku od ekranu.

Migający kursor zniknął. Pojawił się niewielki dymek.

To oznaczało, że Jeff pisze odpowiedź. Po chwili ją otrzymała.

Bez imion. Przynajmniej na razie.

Zmarszczyła czoło. Co to ma znaczyć, do cholery? Niejasno przypominała sobie, że podczas pierwszej wizyty na YouAreJustMyType.com przeczytała ostrzeżenie dla użytkowników, aby nie używali swoich prawdziwych imion, dopóki nie upewnią się, że osoba, z którą rozmawiają, to ktoś, z kim chcą się spotkać.

Więc on nie był pewny?

Co tu się dzieje? Jej palce znalazły klawiaturę i zaczęły pisać:

Jeff? Czy to ty? To ja, Kat.

Kursor zamigotał dokładnie dwanaście razy — liczyła — a potem bijące czerwone serce zniknęło.

Jeff się wylogował.

8

Jeżeli to był Jeff.

Kolejna myśl przemknęła jej przez głowę. Może wdowiec z serwisu randkowego to nie Jeff. Może to tylko jakiś facet, który wygląda jak jej eksnarzeczony. Ponownie przyjrzała się zdjęciom i stwierdziła, że są ziarniste. Większość wykonano na zewnątrz i z daleka. Jedno w lesie, jedno na opustoszałej plaży przy połamanym ogrodzeniu, jedno zapewne na polu golfowym. Na niektórych mężczyzna miał na głowie bejsbolówkę. Na innych także okulary przeciwsłoneczne (na szczęście nigdy nie w pomieszczeniu). Tak samo jak Kat na swoich zdjęciach, Chyba-Jeff nigdy nie wyglądał na w pełni rozluźnionego, jakby się ukrywał, został zaskoczony albo unikał fotografa, który koniecznie chciał uwiecznić go na zdjęciu.

Jako policjantka Kat na własnej skórze przekonała się, jaką siłą przekonywania dysponują nasze oczy i jak mało możemy na nich polegać, zwłaszcza gdy w grę wchodzą emocje. Widywała, jak świadkowie podczas okazania wybierają podejrzanego, którego sugerują im policjanci. Mózg potrafi nas oszukać nawet dzięki prostym zachętom.

Jak ma sobie poradzić z takim pragnieniem?

Poprzedniego wieczoru pospiesznie przeglądała stronę internetową w poszukiwaniu życiowego partnera. Czy nie jest bardziej prawdopodobne, że wyobraziła sobie mężczyznę, z którym łączyła ją najbliższa więź, a nie rzeczywiście go znalazła?

Zabrzęczał dzwonek interkomu.

Wcisnęła guzik.

— Tak, Frank?

— Przyszedł kapitan.

— Wpuść go na górę.

Kat zostawiła otwarte drzwi, żeby Stagger mógł wejść bez pukania — ostatnie, czego pragnęła, to przywołanie wspomnień z tamtego dnia przed osiemnastu laty. Wylogowała się ze strony YouAreJustMyType.com i dla bezpieczeństwa wyczyściła historię w przeglądarce.

Stagger wyglądał na wyczerpanego. Miał czerwone zapadnięte oczy. Jego popołudniowy zarost ściemniał, jakby kapitan nie golił się przez całą dobę. Garbił się niczym myszołów, który nie ma siły ruszyć za zdobyczą.

— Wszystko w porządku? — spytała Kat.

— To był długi dzień.

— Napijesz się czegoś?

Pokręcił głową.

— Co się stało, Kat?

Postanowiła od razu przejść do sedna.

— Czy jesteś całkowicie pewien, że to Monte Leburne zabił Henry'ego?

Czegokolwiek się spodziewał — jakąkolwiek wysnuł teorię na temat tego, po co Kat tak rozpaczliwie chciała z nim porozmawiać — z pewnością go zaskoczyła.

— Pytasz poważnie?

— Tak.

— Więc pewnie się z nim dzisiaj widziałaś?

— Tak.

— I nagle zaprzeczył, że zastrzelił twojego ojca?

— Niezupełnie.

— A więc co się stało?

Kat musiała zachować ostrożność. Stagger nie tylko stosował się do kodeksu — on był kodeksem: oprawą, kartkami i drukiem. Gdyby dowiedział się o siostrze Steiner i lekkiej narkozie, wpadłby w szał.

— No dobrze, chciałabym, żebyś mnie wysłuchał — zaczęła. — Postaraj się podejść do tego z otwartym umysłem.

— Kat, czy ja wyglądam, jakbym miał ochotę na gierki?

— Nie. W żadnym wypadku.

— Więc po prostu mi powiedz, co się dzieje.

— Rozumiem, ale proszę o odrobinę cierpliwości. Zacznę od początku.

— Kat...

Brnęła dalej.

— Mamy Montego Leburne'a, tak? Federalni przyskrzyniają go za dwa zabójstwa. Próbują skłonić do sypnięcia Cozone'a. Nic z tego nie wychodzi. To nie w jego stylu. Może jest za głupi. A może boi się, że skrzywdzą mu rodzinę. Tak czy inaczej, Leburne trzyma gębę na kłódkę.

Czekała, aż kapitan każe jej przejść do sedna. Nie zrobił tego.

— Tymczasem wy szukacie zabójcy mojego ojca. Nie macie wiele, tylko plotki i kilka luźnych wątków, aż tu nagle, voilà, Leburne się przyznaje.

— To nie było tak — odparł Stagger.

— Owszem, było.

— Mieliśmy tropy.

— Ale niczego pewnego. Więc powiedz: dlaczego Monte się nagle przyznał?

Stagger się skrzywił.

— Przecież wiesz. Zabił gliniarza. Na sprawę Cozone'a położono olbrzymi nacisk. Musiał nam coś dać.

— Właśnie. Dlatego Monte Leburne wziął na siebie winę, a Cozone uciekł przed sprawiedliwością. Jak wygodnie. Facet, który już odsiadywał dożywocie, dostał kolejny taki wyrok.

— Przez lata próbowaliśmy przyskrzynić za to Cozone'a. Dobrze o tym wiesz.

— Ale nigdy nam się nie udało. Nie rozumiesz? Nigdy nie udało nam się powiązać Cozone'a z Leburne'em. Wiesz dlaczego?

Kapitan westchnął.

— Chyba nie zamierzasz uwierzyć w teorie spiskowe, Kat?

— Nie.

— Nie udało nam się ich powiązać, ponieważ tak działa świat. To nie jest idealny system.

— A może — odparła Kat, usiłując zachować spokojny ton — może nie zdołaliśmy tego zrobić, ponieważ Monte Leburne nie zastrzelił mojego taty. Zdołaliśmy niezależnie powiązać Leburne'a z pozostałymi dwoma morderstwami. Ale nigdy nam się to nie udało w sprawie mojego taty. Dlaczego? No i co z tamtymi odciskami palców, których nie zidentyfikowaliśmy? Nie zastanawia cię, kto jeszcze był na miejscu zbrodni?

Stagger tylko na nią popatrzył.

— Co się wydarzyło w Fishkill?

Kat wiedziała, że musi to rozegrać ostrożnie.

— Jest w złym stanie.

— Leburne?

Pokiwała głową.

— Myślę, że został mu tydzień, może dwa.

— Więc pojechałaś tam, a on zgodził się z tobą zobaczyć.

— W pewnym sensie.

Zerknął na nią spode łba.

— Co to znaczy?

— Leży w skrzydle szpitalnym. Przekonałam ich, żeby mnie wpuścili. Bez żadnych przekrętów. Pokazałam odznakę, nie zdradzałam za wiele.

— No i co?

— Kiedy znalazłam się przy łóżku Leburne'a, był w fatalnym stanie. Nafaszerowali go lekami przeciwbólowymi. Pewnie morfiną.

Stagger zmrużył oczy.

— No i co?

— Zaczął bełkotać. Nie zadawałam mu żadnych pytań. Był zbyt otumaniony. Ale zaczął jakby majaczyć. Myślał, że pielęgniarka jest jego nieżyjącą siostrą, Cassie. Przepraszał za to, że pozwalał ojcu ją molestować albo coś w tym rodzaju. Rozpłakał się, mówił jej, że wkrótce do niej dołączy i tak dalej.

Stagger wbijał w nią wzrok. Nie wiedziała, czy jej wierzy, ale jednocześnie nie była pewna, czy sama stara się zabrzmieć przekonująco.

— Mów dalej.

— No i powiedział, że nigdy nie zabił żadnego policjanta.

Kapitan lekko wytrzeszczył zapadnięte oczy. To nie była prawda, lecz Kat doszła do wniosku, że na potrzeby tej rozmowy wystarczająco się do niej zbliżyła.

— Powiedział, że jest niewinny — dodała.

Stagger popatrzył na nią z niedowierzaniem.

— Całkowicie?

— Nie, wręcz przeciwnie. Powiedział, że już go przyskrzynili za dwa morderstwa, więc nic mu nie szkodziło przyznać się do kolejnego, jeśli można było coś na tym zyskać.

— Coś zyskać?

— To jego słowa.

Stagger tylko pokręcił głową.

— To szaleństwo — rzucił. — Zdajesz sobie z tego sprawę, prawda?

— Niezupełnie. Szczerze mówiąc, to ma sens. Skoro i tak miał odbyć karę dożywocia, czym jest kolejny wyrok za morderstwo? — Kat zbliżyła się o krok do kapitana. — Powiedzmy, że byliście na tropie zabójcy. Od poskładania wszystkiego w całość dzieliło was kilka dni, a może kilka godzin. Aż tu nagle facet, który już odsiaduje dożywocie, przyznaje się do winy. Nie rozumiesz?

— A kto miałby to zaplanować?

— Nie wiem. Zapewne Cozone.

— Wykorzystałby swojego człowieka?

— Człowieka, co do którego miał pewność, podobnie jak my, że nie będzie sypał? Jasne, dlaczego nie?

— Mamy narzędzie zbrodni, pamiętasz?

— Owszem.

— Pistolet, z którego zastrzelono twojego ojca. Znaleźliśmy go w miejscu, które wskazał Monte Leburne.

— Oczywiście, że je znał. Powiedział mu o nim prawdziwy zabójca. Tylko pomyśl. Dlaczego ktoś taki jak Leburne miałby zachować swoją broń? Pozbyłby się jej. Nie znaleźliśmy narzędzi zbrodni z pozostałych dwóch morderstw, prawda? Tymczasem po zabójstwie policjanta Monte postanowił zatrzymać pistolet? Jako pamiątkę? No i co z tamtymi odciskami palców? Czy miał wspólnika? Zrobił to sam?

Stagger położył dłonie na jej ramionach.

— Kat, posłuchaj mnie...

Wiedziała, co się zaraz stanie. To była nieunikniona część rozmowy. Musiała ją przetrwać.

— Powiedziałaś, że Leburne był nafaszerowany lekami, tak? Morfiną?

— Zgadza się.

— Więc majaczył. Sama tak to nazwałaś. Bredził od rzeczy. To wszystko.

— Nie traktuj mnie jak dziecko, Stagger.

— Wcale tego nie robię.

— Owszem. Dobrze wiesz, że nie przekonuje mnie to całe — zaznaczyła cudzysłowy palcami w powietrzu — „domknięcie". Myślę, że to bzdury. Nawet jeśli przyskrzynimy wszystkich zamieszanych w to zabójstwo, nie zwróci to życia mojemu ojcu. Nic się nie zmieni. Takie domknięcie sprawy to niemal obraza jego pamięci. Wiesz, co mam na myśli?

Powoli pokiwał głową.

— Jednak to przyznanie się do winy... nigdy mi się nie podobało. Zawsze podejrzewałam, że kryje się za tym coś więcej.

— A teraz się o to postarałaś.

— Słucham?

— Daj spokój, Kat. Przecież to Monte Leburne. Myślisz, że nie wiedział, że tam jesteś? Bawi się z tobą. Wie, że od początku masz wątpliwości. Chciałaś zobaczyć coś, czego nie ma, a on ci to dał.

Otworzyła usta, żeby zaprotestować, ale nagle pomyślała o Chyba-Jeffie w swoim komputerze. Pragnienie może zaburzyć percepcję. Czy tak było w tym wypadku? Czy tak bardzo chciała znaleźć rozwiązanie — „zamknąć" tę sprawę — że wymyślała własne scenariusze zdarzeń?

— To nie tak — odparła, lecz w jej głosie już nie było pewności.

— Jesteś pewna?

— Zrozum, nie mogę tego tak zostawić.

Pokiwał powoli głową.

— Rozumiem.

— Znów traktujesz mnie z góry.

Zmusił się do zmęczonego uśmiechu.

— Monte Leburne zabił twojego ojca. To nie jest łatwa ani idealna odpowiedź. Nigdy tak nie bywa, i dobrze o tym wiesz. Wątpliwości dotyczące tej sprawy... wszystkie normalne, rutynowe i łatwe do wyjaśnienia... nie dają ci spokoju. Ale w pewnej chwili trzeba odpuścić. W przeciwnym razie zwariujesz. Jeśli pozwolisz, żeby to cię tak dotykało, wpadniesz w depresję i... — Urwał w pół zdania.

— Jak mój dziadek?

— Tego nie powiedziałem.

— Nie musiałeś.

Przez dłuższą chwilę patrzył jej w oczy.

— Twój ojciec chciałby, żebyś dała temu spokój.

Nic nie odpowiedziała.

— Wiesz, że mówię prawdę.

— Tak — mruknęła.

— Ale?

— Ale nie potrafię. Na pewno by to wiedział.

■ ■ ■

Kat napełniła kolejną szklaneczkę jackiem daniel'sem i zaczęła drukować dawne akta sprawy morderstwa jej ojca.

To nie była część policyjnej kartoteki, którą oczywiście wielokrotnie czytała, ale jej własne dzieło, składające się z zawartości oficjalnej teczki — detektywi, którzy zamknęli sprawę, byli przyjaciółmi rodziny — oraz wszystkiego, nawet plotek, co udało jej się samodzielnie odkryć. Sprawa została dobrze udokumentowana, a dwoma najważniejszymi elementami były przyznanie się do winy Leburne'a oraz narzędzie zbrodni znalezione w jego domu. Większość wątpliwości udało się wyjaśnić, z jednym istotnym wyjątkiem, który zawsze niepokoił Kat: niezidentyfikowane odciski palców na miejscu zbrodni. Ludzie z laboratorium odkryli pełny, wyraźny odcisk na pasku ofiary, lecz nie udało się go dopasować do żadnej osoby w rejestrze.

Kat nie była w pełni usatysfakcjonowana oficjalnym wyjaśnieniem, ale wszyscy, także ona sama, składali to na karb jej osobistego zaangażowania. Aqua wyraził to najlepiej, gdy pewnego dnia spotkała go w parku. Miał wtedy wyjątkowo jasny umysł. „Szukasz w tej sprawie czegoś, czego nigdy nie znajdziesz".

Aqua.

Dziwna sprawa. Kat mogła porozmawiać o tym, że jej ojciec został zamordowany, ze Stacy, tyle że ta nigdy go nie spotkała. Nie znała „dawnej Kat", która chodziła na randki z Jeffem, beztrosko się uśmiechała, a wszystko to przed morderstwem Henry'ego Donovana. Osobą, która mogłaby zrozumieć, przez co Kat teraz przechodzi, był Jeff.

Nie najlepszy pomysł, prawda?

Przynajmniej tak by się wydawało o dziesiątej wieczorem. Ale o trzeciej w nocy, gdy kilka porcji whisky krążyło w żyłach Kat, ta myśl jawiła się jako najgenialniejsza w historii ludzkości. Kat wyjrzała przez okno mieszkania. Powiadają, że

Nowy Jork to miasto, które nigdy nie zasypia. Bzdura. Kiedy zatrzymywała się w innych miastach, nawet mniejszych, jak St. Louis czy Indianapolis, miała wrażenie, że ludzie kładą się spać później, chociaż wydawało się, że robią to z desperacji. Nie jesteśmy Nowym Jorkiem, więc musimy się bardziej postarać, żeby dobrze się bawić. Coś w tym stylu.

Ulice Manhattanu o trzeciej w nocy? Spokojne jak cmentarz.

Kat chwiejnie podeszła do komputera. Dopiero za trzecim podejściem zdołała się zalogować na YouAreJustMyType.com, ponieważ jej palce, podobnie jak język, zesztywniały od alkoholu. Sprawdziła, czy Jeff przypadkiem nie jest online. Nie był. Wielka szkoda. Kliknęła w link, żeby wysłać mu prywatną wiadomość.

Jeff!
Możemy porozmawiać? Coś się wydarzyło i bardzo chciałabym się Ciebie poradzić.
Kat

Część jej mózgu zdawała sobie sprawę, że to bardzo zły pomysł i odpowiednik esemesowania po pijaku. Takie wyskoki nigdy nie kończą się dobrze. Nigdy, przenigdy.

Wysłała wiadomość, po czym urwał jej się film. Kiedy o szóstej rano odezwał się budzik, znienawidziła się za swoje żałosne zachowanie, jeszcze zanim poczuła w czaszce przeszywające iskry bólu wywołane kacem.

Sprawdziła skrzynkę odbiorczą. Żadnej wiadomości od Jeffa. A raczej Chyba-Jeffa. No tak, czy w pewnej chwili nie uznała, że to może nie być Jeff, tylko jakiś podobny facet? To bez znaczenia. Kogo to obchodzi? Gdzie, u diabła, jest paracetamol?

Trening jogi u Aquy. Eee. Nic z tego. Nie dzisiaj. Jej głowa tego nie zniesie. Poza tym była wczoraj. Nie musi iść także dzisiaj.

Tylko że...

Zaraz, chwileczkę. Dopadła z powrotem do komputera i wywołała profil Jeffa. Poza Staggerem jedyną osobą, która znała ją za czasów Jeffa i jej taty, był... Aqua. Aqua i Jeff zakumplowali się dzięki niej, a nawet dzielili nędzne trzypokojowe mieszkanie przy Sto Siedemdziesiątej Ósmej Ulicy. Kliknęła DRUKUJ, pospiesznie się ubrała i ruszyła biegiem do wschodniej części parku. Jak zwykle dotarła na miejsce, gdy wszyscy już medytowali z zamkniętymi oczami.

— Spóźniłaś się — przywitał ją Aqua.

— Przepraszam.

Zmarszczył czoło i zaskoczony otworzył oczy. Kat nigdy wcześniej nie przepraszała. Domyślił się, że coś się stało.

Dwadzieścia lat wcześniej Aqua i Kat razem studiowali na Uniwersytecie Columbia. Tam się poznali na pierwszym roku. Aqua był najgenialniejszym człowiekiem, jakiego kiedykolwiek spotkała. Osiągał rewelacyjne wyniki podczas testów. Jego mózg działał na tak wysokich obrotach, że w ciągu kilku minut rozwiązywał zadania, które innym zajmowały całą noc. Pochłaniał wiedzę w sposób, w jaki niektórzy pochłaniają śmieciowe jedzenie. Chodził na dodatkowe zajęcia, miał dwie prace, zaczął trenować biegi, ale nic nie było w stanie zaspokoić jego obsesji.

W końcu przegrzał mu się silnik. Właśnie tak Kat o tym myślała. Spalił się, chociaż naprawdę po prostu był chory. Chory umysłowo. To było jak rak albo toczeń. Od tamtej pory Aquę regularnie poddawano leczeniu. Lekarze próbowali wszystkiego, żeby umożliwić mu powrót do zdrowia, ale jego chorobę psychiczną zdiagnozowano jako przewlekłą. Kat nie wiedziała, gdzie Aqua obecnie mieszka. Podejrzewała, że gdzieś w parku. Czasami natykała się na niego poza porannymi zajęciami, gdy jego obsesja się nasilała. Czasami ubierał się jak mężczyzna. Czasami — no dobrze, najczęściej — wkładał kobiece stroje. Zdarzało się, że nie rozpoznawał Kat.

Pod koniec zajęć, kiedy pozostali leżeli z zamkniętymi oczami w pozycji trupa, Kat usiadła i wbiła wzrok w Aquę. Odwzajemnił — albo odwzajemniła, to zawsze jest niejasne w wypadku okazjonalnych transwestytów — jej spojrzenie, a na jego twarzy odmalował się gniew. Podczas zajęć obowiązywały jasne zasady, a ona złamała jedną z nich.

— Spróbujcie rozluźnić twarz — odezwał się łagodnym głosem. — Rozluźnijcie oczy. Poczujcie, jak się zapadają. Rozluźnijcie usta...

Cały czas patrzył jej w oczy. W końcu uległ. Jednym cichym ruchem bez wysiłku wstał z pozycji lotosu. Kat również się podniosła. Podążyła za nim ścieżką prowadzącą na północ.

— Więc to tutaj chodzisz po zajęciach — zagadnęła.

— Nie.

— Nie?

— Nie pokażę ci, dokąd chodzę. Czego chcesz?

— Chciałabym cię prosić o przysługę.

Aqua się nie zatrzymywał.

— Nie wyświadczam przysług. Nauczam jogi.

— Wiem o tym.

— Więc po co zawracasz mi głowę? — Zacisnął obie dłonie w pięści, jak dziecko, które zaraz wpadnie w złość. — Joga to rutyna, a ta najbardziej mi służy. Prosząc o rozmowę, wykraczasz poza ten schemat. To dla mnie szkodliwe.

— Potrzebuję twojej pomocy.

— Pomagam poprzez nauczanie jogi.

— Wiem o tym.

— Jestem dobrym nauczycielem, prawda?

— Najlepszym.

— Więc pozwól mi robić to, na czym się znam. Właśnie tak pomagam innym. W ten sposób zachowuję koncentrację. Daję coś od siebie społeczeństwu.

Kat nagle poczuła się przytłoczona. Dawno temu byli przyjaciółmi. Dobrymi przyjaciółmi. Bliskimi. Przesiadywali w bibliotece i rozmawiali o wszystkim. Godziny mijały niepostrzeżenie — Aqua był takim rodzajem przyjaciela.

Rozmawiała z nim o Jeffie po ich pierwszej randce. Zrozumiał. Zobaczył to od razu. Aqua i Jeff także się do siebie zbliżyli. Zamieszkali razem poza kampusem, chociaż Jeff i tak spędzał większość nocy u Kat. Widząc oszołomiony wyraz twarzy Aquy, Kat ponownie uświadomiła sobie, jak wiele straciła. Straciła tatę. To oczywiste. Straciła narzeczonego. To również oczywiste. Ale być może — to już mniej oczywiste — straciła także coś innego, prawdziwego i głębokiego, gdy Aqua pogrążył się w chorobie.

— Mój Boże, tak mi ciebie brakuje — powiedziała.

Przyspieszył kroku.

— To w niczym nam nie pomoże.

— Wiem, przepraszam.

— Muszę już iść. Mam coś do załatwienia.

Położyła dłoń na jego ramieniu, chcąc go zatrzymać.

— Może przedtem rzucisz na to okiem?

Zmarszczył czoło, ale szedł dalej. Wręczyła mu wydruk profilu Jeffa.

— Co to jest? — spytał Aqua.

— Ty mi powiedz.

Widziała, że to mu się nie spodobało. Rozdrażniła go zaburzeniem codziennej rutyny. Nie miała takiego zamiaru. Wiedziała, że to może być dla niego groźne.

— Aqua? Po prostu na to zerknij, dobrze?

Usłuchał. Popatrzył na wydruk. Próbowała wyczytać coś z jego twarzy. Wciąż był wzburzony, miała jednak wrażenie, że dostrzegła błysk w oczach przyjaciela.

— Aqua?

— Dlaczego mi to pokazujesz? — zapytał, a w jego głosie zabrzmiał lęk.

— Czy on ci kogoś przypomina?

— Nie.

Była załamana. Nagle Aqua zaczął się pospiesznie oddalać.

— On nie przypomina Jeffa, Kat. To jest Jeff.

9

Kat właśnie odłożyła słuchawkę, po raz kolejny odtwarzając w głowie słowa Montego Leburne'a, gdy od strony komputera dobiegł dźwięk informujący o nadejściu prywatnej wiadomości w serwisie YouAreJustMyType.

Malutkie profilowe zdjęcie nie pozostawiało wątpliwości, że to wiadomość od Jeffa. Przez chwilę tylko siedziała, bojąc się poruszyć albo kliknąć w przycisk ODCZYTAJ, ponieważ nawiązany kontakt wydawał się kruchy i delikatny jak najcieńsza nitka, którą mogło zerwać każde gwałtowniejsze działanie z jej strony.

Na ikonce serca obok zdjęcia profilowego widniał znak zapytania, czekający, aż Kat zgodzi się podjąć rozmowę. Przez minione trzy godziny pracowała nad sprawą morderstwa swojego ojca. Z akt nie dowiedziała się niczego nowego, tylko przypomniała sobie wszystkie dawne obiekcje. Henry'ego Donovana zabito strzałem w pierś z bliskiej odległości z niewielkiego pistoletu Smith & Wesson. To także nie dawało jej spokoju. Czy nie lepiej byłoby strzelić ofierze w głowę? Podejść do niej od tyłu, przyłożyć lufę do czaszki i dwukrotnie pociągnąć za spust? Tak zazwyczaj działał Monte Leburne. Dlaczego tym razem postąpił inaczej? Po co strzelał w pierś?

To nie trzymało się kupy.

Podobnie jak odpowiedź, której Monte Leburne udzielił siostrze Steiner na pytanie, kto zabił Henry'ego Donovana: „Skąd mam wiedzieć? Odwiedzili mnie następnego dnia po aresztowaniu. Powiedzieli, żebym wziął pieniądze i przyznał się do winy".

Oczywiste pytanie: kto?

Ale być może Monte już się wygadał. Odwiedzili go w więzieniu. I to następnego dnia po aresztowaniu.

Hm.

Kat sięgnęła po telefon i zadzwoniła do swojego starego przyjaciela, Chrisa Harropa, który pracował w Departamencie Więziennictwa.

— Kat, miło cię słyszeć. Co się dzieje?

— Muszę cię prosić o przysługę.

— Cóż za niespodzianka. Myślałem, że chcesz się ze mną umówić na gorący seks.

— Moja strata, Chris. Możesz dla mnie sprawdzić rejestr odwiedzin u pewnego więźnia?

— Bez problemu — odparł Harrop. — Co to za więzień i gdzie odsiaduje wyrok?

— Monte Leburne. Siedział wtedy w Clinton.

— Jaka data cię interesuje?

— To był dwudziesty siódmy marca.

— Dobrze, zaraz się tym zajmę.

— Osiemnaście lat temu.

— Słucham?

— Potrzebuję rejestru odwiedzin sprzed osiemnastu lat.

— Żartujesz, tak?

— Nie.

— O rany.

— No właśnie.

— Słuchaj, to trochę potrwa — powiedział Harrop. — Komputeryzację rozpoczęto w dwa tysiące czwartym roku. Wydaje mi się, że dawne rejestry przechowuje się w Albany. Jak bardzo ci na tym zależy?

— Jak na gorącym seksie.

— Załatwione.

Kiedy się rozłączyła, na ekranie komputera pojawił się dymek komunikatora ze strony YouAreJustMyType.com. Kat drżącą dłonią kliknęła w znak zapytania, potwierdzając, że jest gotowa podjąć internetową rozmowę, a po krótkim oczekiwaniu zobaczyła wiadomość od Jeffa:

Hej, Kat. Dostałem twoją wiadomość. Jak się masz?

Serce jej zamarło.

Przeczytała słowa Jeffa jeszcze dwa, może trzy razy. Nie była pewna. Zobaczyła bijące serce obok jego imienia — był zalogowany i czekał na odpowiedź. Jej palce znalazły klawiaturę.

Hej, Jeff...

Znieruchomiała, zastanawiając się, co jeszcze dodać przed kliknięciem w przycisk WYŚLIJ. Postanowiła napisać to, co nie dawało jej spokoju:

Hej, Jeff. Chyba mnie nie poznałeś.

Czekała na jego odpowiedź — wyjaśnienie, które zapewne będzie pełne bzdurnych usprawiedliwień w rodzaju: „Teraz jesteś jeszcze ładniejsza" albo „Świetnie ci w tej nowej fryzurze". Zresztą kogo to obchodzi? To bez znaczenia. Po co w ogóle poruszyła ten temat? Idiotyzm.

Jednak jego odpowiedź ją zaskoczyła:

Nie, od razu cię rozpoznałem.

Serce obok jego zdjęcia profilowego nie przestawało bić. Rozmyślała o tej ikonie, awatarze czy jak, u diabła, to się nazywa. Bijące czerwone serce — symbol romansu i miłości. Gdyby Jeff teraz odszedł od komputera i postanowił się rozłączyć, serce przestałoby bić, a potem zniknęło. Jako potencjalna partnerka nie powinna do tego dopuścić.

Spytała:

Więc dlaczego tego nie napisałeś?

Znów migoczące serce.

Przecież wiesz.

Zmarszczyła czoło, zastanawiając się nad tym przez chwilę. Potem odpisała:

Prawdę mówiąc, nie wiem.

Po paru sekundach namysłu dodała jeszcze:

Dlaczego tak zdawkowo potraktowałeś nasz teledysk?

Serce. Migotanie. Serce. Migotanie.

Po prostu teraz jestem wdowcem.

Jak na to odpowiedzieć?

Widziałam. Przykro mi.

Chciała mu zadać milion pytań — gdzie mieszka, jakie jest jego dziecko, kiedy i jak zmarła mu żona, czy jeszcze pamięta, co ich łączyło przed osiemnastu laty — ale tylko siedziała jak sparaliżowana, czekając na jego odpowiedź.

On: **Dziwnie się tutaj czuję.**

Ona: **Ja też.**

On: **Jestem przez to ostrożniejszy i bardziej skryty. Czy to ma sens?**

Miała ochotę odpowiedzieć: „Tak, oczywiście. Doskonale cię rozumiem". Ale jeszcze bardziej cisnęły się jej na klawiaturę słowa: „Ostrożny? Skryty? Wobec mnie?".

W końcu zdecydowała się na:

Chyba tak.

Pulsująca ikona serca ją hipnotyzowała. Czuła się niemal tak, jakby jej własne serce dopasowywało się rytmem do tego obok zdjęcia Jeffa. Czekała. Trwało to dłużej, niż się spodziewała.

On: **Nie powinniśmy więcej ze sobą rozmawiać.**

Jego słowa uderzyły w nią jak zaskakująca fala na plaży.

On: **Wracanie do przeszłości to błąd. Muszę zacząć od nowa. Rozumiesz?**

Przez chwilę szczerze nienawidziła Stacy za to, że się wtrąciła i wykupiła jej to durne konto. Próbowała się otrząsnąć, pamiętać, że to od początku była absurdalna fantazja i że Jeff kiedyś ją zostawił, zranił, złamał jej serce, a ona nie miała zamiaru pozwolić, żeby zrobił to ponownie.

Ona: **Jasne. Rozumiem.**

On: **Trzymaj się, Kat.**

Mignięcie. Serce. Mignięcie. Serce.

Łza spłynęła jej po policzku. Proszę, nie odchodź, pomyślała, pisząc:

Ty też.

Serce na ekranie przestało bić. Zmieniło kolor z czerwonego na szary, a potem całkowicie zniknęło.

10

Gerardowi Remingtonowi mieszało się w głowie.

Miał wrażenie, że jego tkanka mózgowa odrywa się niczym za sprawą dziwacznej siły odśrodkowej. Przez większość czasu był pogrążony w ciemności i bólu, a jednak mimo zamroczenia ogarnęła go oszałamiająca jasność umysłu. Chociaż „jasność" to może niewłaściwe słowo. Bardziej odpowiednie byłoby „skupienie".

Muskularny mężczyzna z akcentem wskazał ścieżkę.

— Znasz drogę.

Znał. To będzie czwarta wyprawa Gerarda do domu na farmie. Titus już czekał. Gerard ponownie rozważał ucieczkę, wiedział jednak, że nie dotrze daleko. Dawali mu tylko tyle jedzenia, żeby utrzymać go przy życiu. Mimo że przez cały dzień nic nie robił, zamknięty w tej cholernej podziemnej skrzyni, był wyczerpany i słaby. Wędrówka ścieżką pochłonęła wszystkie jego siły.

To bez sensu, zrozumiał.

Wciąż miał nadzieję na cudowne ocalenie. Owszem, ciało go zawiodło, ale jego mózg to co innego. Stale miał się na baczności i zaczął porządkować podstawowe informacje dotyczące swojego miejsca pobytu.

Przetrzymywano go na wsi w Pensylwanii, sześć godzin jazdy samochodem z portu lotniczego w Logan, skąd go uprowadzono.

Skąd to wiedział?

Prosta architektura domu, brak kabli elektrycznych (Titus miał własny generator), stary wiatrak, powóz, zielone zasłony w oknie — to wszystko wskazywało, że znajdował się na terenie należącym do amiszów. Poza tym Gerard wiedział, że różne kolory powozów odpowiadały konkretnym obszarom. Przykładowo szary kolor zazwyczaj wskazywał na okręg Lancaster w Pensylwanii, stąd wniosek dotyczący jego lokalizacji.

To nie miało żadnego sensu. A może wręcz przeciwnie.

Słońce przeświecało przez zielone korony drzew. Niebo miało błękitny kolor, jaki mogło namalować tylko bóstwo. Piękno zawsze znajduje schronienie pośród brzydoty. Prawdę mówiąc, nie ma bez niej racji bytu. Czy może istnieć światło bez mroku?

Gerard właśnie miał wejść na polanę, gdy usłyszał pick-upa.

Na chwilę uwierzył, że ktoś przybył mu na ratunek. Potem pojawią się radiowozy. Zawyją syreny. Mięśniak wyciągnie pistolet, ale jeden z funkcjonariuszy go zastrzeli. Gerard niemal to widział — policjanci aresztują Titusa i zaczynają przeczesywać teren, dzięki czemu świat dowiaduje się o tym koszmarze, chociaż nie jest w stanie go pojąć.

Ponieważ nawet Gerard nie w pełni go rozumiał.

Jednak pick-up nie przyjechał po to, żeby kogokolwiek ratować. Wręcz przeciwnie.

Z daleka Gerard wypatrzył kobietę na tylnym siedzeniu samochodu. Miała na sobie jaskrawożółtą sukienkę na ramiączkach. Tyle zdołał dostrzec. Sukienka była tak nie na miejscu pośród tego horroru, że łzy napłynęły Gerardowi do oczu. Wyobraził sobie Vanessę w takim stroju. Widział, jak go wkłada, odwraca się w jego stronę i uśmiecha w sposób, od którego serce szybciej mu biło. Zobaczył Vanessę w tej jaskrawożółtej letniej sukience i pomyślał o wszystkim, co piękne na świecie. O dorastaniu w Vermoncie. O tym, jak bardzo ojciec uwielbiał zabierać go na wspólne łowienie ryb pod lodem. O jego śmierci, która spadła na Gerarda, gdy miał zaledwie osiem lat, i zmieniła wszystko, ale przede wszystkim zdruzgotała jego matkę. O jej kolejnych partnerach, okropnych i obleśnych mężczyznach, którzy bez wyjątku lekceważyli Gerarda i uznawali go w najlepszym wypadku za dziwaka. O tym, jak dręczono go w szkole, wybierano w ostatniej kolejności do drużyny kickballu, wyśmiewano, wykpiwano i maltretowano. O swojej sypialni na poddaszu, która stała się kryjówką, gdzie leżał przy zgaszonym świetle, zupełnie jak w tej podziemnej skrzyni, o laboratorium, które z czasem również stało się jego azylem. O matce, która zestarzała się i straciła urodę, a gdy odeszli od niej mężczyźni, wprowadziła się do Gerarda, gotowała mu, utrzymywała go i odgrywała bardzo ważną rolę w jego życiu. O tym, jak zmarła na raka przed dwoma laty, pozostawiając go samego jak palec, dopóki Vanessa go nie odnalazła i nie wypełniła jego życia pięknem — barwami, takimi jak na tej letniej sukience — a także o tym, że wkrótce to wszystko straci.

Pick-up się nie zatrzymał. Zniknął w obłoku pyłu.

— Gerardzie?

Titus nigdy nie krzyczał. Nigdy nie wpadał w gniew ani nie groził zastosowaniem przemocy. Nie musiał. Gerard już wcześniej miał do czynienia z ludźmi, którzy wzbudzali respekt i natychmiast przejmowali kontrolę nad pomieszczeniem, do którego wchodzili. Titus był jednym z nich. Niezachwiany ton jego głosu chwytał człowieka za gardło i zmuszał do posłuszeństwa.

Gerard odwrócił się w jego stronę.

— Chodź.

Titus zniknął w głębi domu. Gerard podążył za nim.

Godzinę później ruszył z powrotem ścieżką. Kroczył niepewnie. Zaczął dygotać. Nie chciał wracać do tej przeklętej skrzyni. Oczywiście Titus złożył mu obietnicę, że jeśli będzie współpracował, wróci do Vanessy, ale Gerard już nie wiedział, w co ma wierzyć. Czy miało to jakieś znaczenie?

Jeszcze raz rozważył ucieczkę i ponownie uznał ją za absurd.

Kiedy dotarł do polany, Mięśniak przestał się bawić ze swoim czekoladowym labradorem i wydał mu polecenie, prawdopodobnie po portugalsku. Pies odbiegł ścieżką i zniknął im z oczu. Mężczyzna wycelował w Gerarda z pistoletu. Gerard już wcześniej przez to przechodził. Miał wejść do skrzyni, a wtedy jego oprawca zamknie wieko i zatrzaśnie zamek.

Ponownie pochłonie go ciemność.

Jednak tym razem coś się zmieniło. Gerard dostrzegł to w oczach mężczyzny.

— Vanessa — powiedział cicho do siebie. Powtarzał jej imię jak mantrę. W ten sposób się wyciszał, podobnie jak jego matka, gdy odmawiała różaniec przed śmiercią.

— Tędy — odezwał się Mięśniak i wskazał bronią w prawo.

— Dokąd idziemy?

— Tędy.

— Dokąd idziemy? — powtórzył Gerard.

Mężczyzna podszedł do niego i przystawił mu pistolet do głowy.

— Tędy.

Gerard ruszył w prawo. Już wcześniej tutaj był — w tym miejscu obmył się wodą z węża i przebrał w kombinezon.

— Dalej.

— Vanessa...

— Tak. Idź dalej.

Gerard minął szlauch. Mięśniak trzymał się dwa kroki za nim, celując mu w plecy.

— Nie zatrzymuj się. Już prawie jesteśmy.

Gerard dostrzegł przed sobą mniejszą polanę. Zaskoczony, zmarszczył czoło. Zrobił jeszcze jeden krok, zobaczył to i znieruchomiał.

— Idź dalej.

Nie usłuchał. Nie poruszył się. Nawet nie mrugnął. Nie oddychał.

Po jego lewej stronie — obok grubego dębu — leżała sterta ubrań. Całe mnóstwo, jakby ktoś zamierzał zrobić pranie. Trudno było je policzyć. Dziesięć kompletów, może więcej. Gerard widział nawet szary garnitur, który miał na sobie, gdy jechał na lotnisko.

Ilu nas jest...?

Jednak to nie jego szary garnitur ani nawet rozmiar sterty ubrań przyciągnęły jego wzrok. Coś innego sprawiło, że się zatrzymał, zamarł i poczuł, jak prawda spada na niego boleśnie. To nie liczba ubrań, ale jeden konkretny przedmiot, który spoczywał na szczycie sterty, jak dekoracja na torcie, roztrzaskał jego świat na kawałki.

Jaskrawożółta sukienka na ramiączkach.

Gerard zacisnął powieki. Jego życie przemknęło mu przed oczami — życie, które miał i które prawie miał — zanim huk ponownie przywołał ciemność, tym razem na zawsze.

11

Dwa tygodnie później Kat akurat kończyła jakąś papierkową robotę na posterunku, gdy Stacy wparowała do środka jak burza. Wszyscy się obejrzeli. Wywiesili języki. Większość wyższych funkcji umysłowych uległa zawieszeniu. Mówiąc wprost, nic tak skutecznie nie obniża ilorazu inteligencji u mężczyzny jak kształtna kobieta. Chaz Faircloth, który niestety wciąż był partnerem Kat, poprawił idealnie prosty krawat. Ruszył w stronę Stacy, ale ona posłała mu spojrzenie, pod którego wpływem cofnął się o krok.

— Lunch w Carlyle — rzuciła Stacy. — Ja płacę.

— Umowa stoi.

Kat zaczęła się wylogowywać z komputera.

— Jak ci się udała wczorajsza randka? — spytała Stacy.

— Nienawidzę cię — odparła Kat.

— A jednak zjesz ze mną lunch.

— Powiedziałaś, że zapłacisz.

Pierwsze trzy randki, na które Kat się wybrała dzięki You-AreJustMyType.com, okazały się grzeczne, eleganckie i... cóż... nijakie. Żadnych fajerwerków, żadnej chemii, po prostu nic. Ostatnia randka — czwarta w ciągu dwóch tygodni, które upłynęły od czasu, gdy Jeff ponownie dał jej kosza — początkowo dobrze się zapowiadała. Razem ze Stanem Jakimś-tam — nie było potrzeby zapamiętywać jego nazwiska, dopóki nie dojdzie do, jak dotąd nieosiągalnej, Drugiej Randki — szli Zachodnią Sześćdziesiątą Dziewiątą Ulicą w stronę restauracji Telepan, gdy nagle Stan spytał:

— Lubisz Woody'ego Allena?

Kat szybciej zabiło serce. Uwielbiała Woody'ego Allena.

— Nawet bardzo.

— A *Annie Hall*? Widziałaś *Annie Hall*?

To był jeden z jej ulubionych filmów.

— Oczywiście.

Stan roześmiał się i przystanął.

— Pamiętasz tamtą scenę, w której Alvy idzie na pierwszą randkę z Annie i proponuje, żeby przed randką się pocałowali, dzięki czemu się odprężą?

Kat prawie zemdlała. Woody Allen zatrzymuje się, zanim on i Diane Keaton docierają do restauracji, podobnie jak teraz Stan, a następnie mówi: „Hej, pocałuj mnie". Diane Keaton odpowiada: „Naprawdę?". Woody mówi: „Tak, czemu nie. Później wrócimy do domu i będziemy spięci, bo nigdy się nie całowaliśmy, a ja nie będę wiedział, kiedy wykonać właściwy ruch. Więc pocałujmy się teraz, miejmy to już z głowy i chodźmy coś zjeść. To nam dobrze zrobi na trawienie".

Ubóstwiała tę scenę. Uśmiechnęła się do Stana i czekała.

— Hej — odezwał się, naśladując Woody'ego — chodźmy do łóżka przed jedzeniem.

Kat zamrugała.

— Słucham?

— Wiem, że to niedokładny cytat, ale tylko się zastanów. Nie będę wiedział, kiedy wykonać właściwy ruch i ile musi minąć randek, zanim się ze sobą prześpimy, więc w sumie możemy zacząć od fikołków, bo jeśli nie będzie nam się układało w łóżku, to i tak nie warto tego ciągnąć, prawda?

Czekała, aż Stan się roześmieje. Nie zrobił tego.

— Zaraz, ty mówisz poważnie? — spytała.

— Jasne. To nam dobrze zrobi na trawienie.

— Właśnie czuję, że wraca mój ostatni posiłek — odparła Kat.

Podczas kolacji starała się trzymać bezpiecznego tematu filmów Woody'ego Allena. Wkrótce się okazało, że Stan nie był jego fanem, ale oglądał *Annie Hall.*

— Oto moja taktyka — wyznał szeptem. — Szukam w serwisie kobiet, które uwielbiają ten film. Na ciebie cytat nie podziałał, ale większość fanek Woody'ego Allena natychmiast rozkłada nogi.

Cudownie.

Stacy uważnie wysłuchała opowieści o Stanie, starając się nie parsknąć śmiechem.

— Jejku, wyjątkowy dupek.

— Właśnie.

— I tak jesteś zbyt wybredna. Tamten drugi facet wydawał się miły.

— Prawda. Przynajmniej nie obrzydził mi żadnego z ulubionych filmów.

— Wyczuwam, że było jakieś „ale"...

— Ale zamówił wodę Dasani. Nie zwykłą butelkę wody. Wodę Dasani.

Stacy zmarszczyła czoło.

— Innymi słowy: cóż za bęcwał.

Kat głośno jęknęła.

— Jesteś zbyt wybredna, Kat.

— Pewnie potrzebuję więcej czasu.

— Żeby zapomnieć o Jeffie?

Kat nic nie odpowiedziała.

— Żeby zapomnieć o facecie, który rzucił cię dwadzieścia lat temu?

— Zamknij się, proszę — mruknęła, a po chwili sprostowała: — Osiemnaście.

Właśnie wychodziły, gdy Kat usłyszała, że ktoś ją woła. Obie zatrzymały się i odwróciły. To był Chaz.

— Muszę zamienić z tobą dwa słowa — oznajmił.

— Wychodzę na lunch — odparła Kat.

Przywołał ją ruchem palca, nie spuszczając wzroku ze Stacy. Westchnęła i ruszyła w jego stronę. Chaz odwrócił się i wskazał kciukiem jej przyjaciółkę.

— Kim jest ta pierwszorzędna, wykwintna, wyborna laska?

— Nie jest w twoim typie.

— Wygląda, jakby była.

— Potrafi myśleć.

— Hę?

— Czego chcesz, Chaz?

— Masz gościa.

— Zaczęłam przerwę na lunch.

— Tak powiedziałem dzieciakowi i zaproponowałem, że mu pomogę, ale stwierdził, że zaczeka.

— Dzieciakowi?

Chaz wzruszył ramionami.

— Jakiemu dzieciakowi?

— Wyglądam jak twoja sekretarka? Sama go zapytaj. Siedzi przy twoim biurku.

Kat gestem poprosiła Stacy, żeby chwilę zaczekała, po czym wspięła się z powrotem na górę. Na krześle przy jej biurku siedział nastoletni chłopak. Siedział jak typowy nastolatek — rozparty na krześle, jakby się roztopił albo ktoś usunął mu kości. Odnosiło się wrażenie, że ręka obejmująca oparcie nie stanowi części jego ciała. Za długie włosy, które miały go zapewne upodobnić do członka boysbandu albo luzaka, zwisały jak frędzle.

Kat podeszła bliżej.

— Czym mogę służyć?

Wyprostował się i odepchnął zasłonę włosów z twarzy.

— Pani detektyw Donovan.

To było bardziej stwierdzenie faktu niż pytanie.

— Zgadza się. Czym mogę służyć?

— Mam na imię Brandon. — Wyciągnął rękę. — Brandon Phelps.

Uścisnęła jego dłoń.

— Miło cię poznać, Brandonie.

— Panią też.

— Czy mogę ci jakoś pomóc?

— Chodzi o moją mamę.

— Co się z nią stało?

— Zaginęła. Sądzę, że może mi pani pomóc ją odnaleźć.

▪ ▪ ▪

Kat odwołała lunch ze Stacy. Potem wróciła do swojego biurka i usiadła naprzeciwko Brandona Phelpsa. Zadała pierwsze pytanie, które przyszło jej do głowy.

— Dlaczego ja?

Brandon z trudem przełknął ślinę.

— Hę?

— Dlaczego przyszedłeś konkretnie do mnie? Mój partner powiedział, że chciałeś na mnie zaczekać.

— Tak.

— Dlaczego?

Brandon błądził wzrokiem po wnętrzu posterunku.

— Słyszałem, że pani jest najlepsza.

Kłamstwo.

— Od kogo?

Brandon wzruszył ramionami jak typowy nastolatek, zarazem leniwie i pretensjonalnie.

— Czy to ważne? Chciałem porozmawiać z panią, a nie z tamtym gościem.

— To tak nie działa. Nie możesz sobie wybrać śledczego.

Nagle zrobił taką minę, jakby miał się rozpłakać.

— Nie pomoże mi pani?

— Tego nie powiedziałam. — Kat niczego nie rozumiała, ale czuła, że coś jest nie w porządku. — Opowiedz, co się stało.

— Chodzi o moją mamę.

— W porządku.

— Zaginęła.

— No dobrze, zacznijmy od początku. — Kat wyjęła długopis i kartkę. — Nazywasz się Brandon Phelps?

— Tak.

— A twoja matka?

— Dana.

— Phelps?

— Tak.

— Jest mężatką?

— Nie. — Chłopak zaczął gryźć paznokieć. — Tata zmarł trzy lata temu.

— Przykro mi — odparła Kat, ponieważ tak wypadało. — Masz rodzeństwo?

— Nie.

— Więc mieszkacie sami z mamą?

— Zgadza się.

— Ile masz lat, Brandonie?

— Dziewiętnaście.

— Gdzie mieszkasz?

— Przy Trzeciej Alei numer dwanaście siedemdziesiąt dziewięć.

— Numer mieszkania?

— Osiem J.

— Numer telefonu?

Podał jej numer swojej komórki. Zapisała jeszcze kilka szczegółów, a potem, widząc, że Brandon traci cierpliwość, spytała:

— Więc na czym polega problem?

— Moja matka zaginęła.

— Nie jestem pewna, co dokładnie masz na myśli.

Brandon uniósł brwi.

— Nie wie pani, czym jest zaginięcie?

— Nie, chodzi o to... — Pokręciła głową. — No dobrze, zacznijmy od tego: od jak dawna jej nie ma?

— Od trzech dni.

— Opowiedz mi, co się stało.

— Mama powiedziała, że jedzie na wycieczkę ze swoim chłopakiem.

— Rozumiem.

— Ale myślę, że tego nie zrobiła. Dzwoniłem do niej na komórkę. Nie odebrała.

Kat starała się nie marszczyć czoła. Z takiego powodu przegapiła lunch w Carlyle?

— Dokąd się wybierała?

— Gdzieś na Karaiby.

— Dokąd dokładnie?

— Powiedziała, że to będzie niespodzianka.

— Może ma słaby zasięg.

Brandon zmarszczył czoło.

— Nie sądzę.

— A może jest zajęta.

— Obiecała, że codziennie będzie do mnie przynajmniej esemesować. — Widząc wyraz twarzy Kat, Brandon dodał: — Zazwyczaj tego nie robimy. Ale to był jej pierwszy wyjazd od śmierci taty.

— Próbowałeś zadzwonić do hotelu?

— Już pani mówiłem, że nie wiem, gdzie się zatrzymała.

— Nie pytałeś?

Ponownie wzruszył ramionami.

— Myślałem, że po prostu będziemy do siebie esemesować.

— Próbowałeś skontaktować się z jej chłopakiem?

— Nie.

— Dlaczego?

— Nie znam go. Zaczęli się spotykać, kiedy poszedłem do college'u.

— Gdzie się uczysz?

— W UConn. Jakie to ma znaczenie?

Słusznie.

— Po prostu staram się wszystko poukładać. Kiedy twoja mama zaczęła się umawiać z tym facetem?

— Nie wiem. Nie opowiada mi o takich sprawach.

— Ale powiedziała ci, że z nim wyjeżdża?

— Tak.

— Kiedy?

— Kiedy mi powiedziała, że wyjeżdżają?

— Tak.

— Nie wiem. Może z tydzień temu. Czy mogłaby się pani tym zająć? Proszę.

Kat zmierzyła go wzrokiem. Chłopak się wzdrygnął.

— Brandonie?

— Tak.

— Co się tutaj dzieje?

Jego odpowiedź ją zaskoczyła.

— Naprawdę pani nie wie?

— Nie.

Brandon popatrzył na nią z powątpiewaniem.

— Hej, Donovan?

Kat odwróciła się w stronę, z której dobiegł znajomy głos. Obok schodów stał kapitan Stagger.

— Zapraszam do mojego gabinetu — powiedział.

— Jestem w trakcie...

— To nie potrwa długo.

Jego ton nie pozostawiał miejsca na dyskusję. Kat popatrzyła na Brandona.

— Zaczekaj tutaj chwilę, dobrze?

Chłopak odwrócił wzrok i pokiwał głową.

Kat wstała. Stagger na nią nie zaczekał. Pospiesznie zbiegła po schodach i weszła do jego gabinetu. Kapitan zamknął za nią drzwi. Nie wrócił do swojego biurka ani nie tracił więcej czasu.

— Monte Leburne zmarł dziś rano.

Kat oparła się o ścianę.

— Cholera.

— Cóż, zareagowałem nieco inaczej, ale pomyślałem, że chciałabyś o tym wiedzieć.

Przez ostatnie dwa tygodnie Kat wielokrotnie próbowała ponownie się do niego zbliżyć. Bezskutecznie. Teraz było już za późno.

— Dziękuję.

Stali niezręcznie przez kilka chwil.

— Coś jeszcze? — spytała Kat.

— Nie. Po prostu pomyślałem, że będziesz chciała wiedzieć.

— Doceniam to.

— Zakładam, że sprawdzałaś jego zeznania.

— Owszem.

— I co?

— Nic, kapitanie — odparła Kat. — Niczego nie znalazłam.

Powoli pokiwał głową.

— W porządku, możesz odejść.

Ruszyła w stronę drzwi, ale się zatrzymała.

— Odbędzie się pogrzeb? — spytała.

— Leburne'a?

— Tak.

— Nie wiem. Dlaczego pytasz?

— Bez powodu.

A może jednak. Leburne miał rodzinę. Zmienili nazwisko i przeprowadzili się do innego stanu, ale może zainteresują się jego zwłokami. Może coś wiedzą. Może, gdy drogi Monte już umarł, będą chcieli oczyścić jego imię, przynajmniej w jednej sprawie.

Małe szanse.

Kat wyszła z gabinetu Staggera, próbując uporządkować swoje uczucia. Była otępiała. Jej życie wypełniały pytania bez odpowiedzi. Pracowała w policji. Lubiła zakończone sprawy. Coś się wydarza. Ty ustalasz, kto to zrobił i dlaczego. Nie znajdujesz wszystkich odpowiedzi, ale wiesz wystarczająco dużo.

Jej życie nagle zaczęło przypominać potężną nierozwiązaną sprawę. Miała tego dosyć.

To bez znaczenia. Później się nad sobą poużala. Teraz musi wrócić do Brandona i skupić się na sprawie jego zaginionej mamy. Kiedy jednak zeszła po schodach, okazało się, że krzesło przy biurku jest puste. Usiadła, myśląc, że chłopak mógł pójść do toalety albo coś w tym rodzaju, ale nagle zauważyła karteczkę:

Musiałem wyjść. Proszę, niech pani znajdzie moją mamę. Ma pani mój numer, jeśli będzie się pani chciała ze mną skontaktować — Brandon.

Ponownie przeczytała liścik. Coś w tej całej historii — zaginiona mama, zgłoszenie się konkretnie do Kat, tak naprawdę wszystko — wydawało się nie w porządku. Czegoś nie dostrzegała. Zajrzała do notatek.

Dana Phelps.

Co zaszkodzi sprawdzić to nazwisko?

Zadzwonił telefon na jej biurku.

— Donovan — odezwała się do słuchawki.

— Cześć, Kat. — To był Chris Harrop z Departamentu Więziennictwa. — Przepraszam, że tak długo się nie odzywałem, ale tak jak mówiłem, stare rejestry nie są wprowadzone do komputera, więc musiałem wysłać człowieka do magazynu w Albany. A potem trzeba było czekać.

— Na co?

— Aż ten twój Monte Leburne umrze. To skomplikowane, ale mówiąc w skrócie, przekazanie ci tych informacji stanowiłoby pogwałcenie jego praw, chyba żeby się ich zrzekł albo ty zdobyłabyś nakaz sądowy, bla, bla, bla, sama wiesz. Skoro jednak facet nie żyje...

— Masz listę?

— Owszem.

— Mógłbyś mi ją przefaksować?

— Przefaksować? Mamy tysiąc dziewięćset dziewięćdziesiąty szósty rok? A może prześlę ci teleks? Właśnie puściłem ci ją e-mailem. Poza tym nie ma w niej niczego, co mogłoby ci pomóc.

— Co masz na myśli?

— W dniu, o który pytałaś, odwiedził go tylko jego adwokat, niejaki Alex Khowaylo.

— Tylko on?

— Owszem. No i dwóch federalnych. Mam tutaj ich nazwiska. A także jeden nowojorski gliniarz, Thomas Stagger.

12

Staggera nie było w gabinecie.

Wciąż stojąc przed jego drzwiami, Kat napisała do niego SMS-a, że musi natychmiast z nim porozmawiać. Trzęsły jej się palce, ale zdołała wcisnąć WYŚLIJ. Wpatrywała się w ekran przez całe dwie minuty.

Żadnej odpowiedzi.

To nie miało sensu. Montego Leburne'a zatrzymało FBI, a konkretnie federalni zajmujący się walką z przestępczością zorganizowaną w ramach aktu RICO. Nowojorska policja nie miała nic wspólnego z aresztowaniem. Federalni podejrzewali Leburne'a o zamordowanie dwóch członków konkurencyjnej przestępczej rodziny. Kilka dni później odkryli, że Monte zastrzelił także jej ojca.

Więc dlaczego Stagger odwiedził Leburne'a już następnego dnia po jego aresztowaniu?

Kat musiała zaczerpnąć powietrza. Lekki skurcz żołądka przypomniał jej, że przegapiła lunch. Nie lubiła opuszczać posiłków. Traciła wtedy koncentrację i stawała się marudna. Pospiesznie zeszła po schodach i poprosiła Keitha Inchiercę w recepcji, żeby dał jej znać, gdy tylko Stagger wróci. Inchierca zmarszczył czoło.

— Wyglądam jak twoja sekretarka? — spytał.

— Dobry żart.

— Słucham?

— Proszę, to ważne.

Odprawił ją machnięciem ręki.

Znalazła stoisko z falafelami przy Trzeciej Alei, a potem przypomniała sobie adres Brandona Phelpsa i pomyślała: Czemu nie? Ruszyła na północ. Po pokonaniu siedmiu przecznic znalazła się przed skromnym wieżowcem. Na poziomie ulicy znajdowała się apteka Duane Reade oraz sklep Scoop, który Kat błędnie wzięła za lodziarnię, podczas gdy okazał się modnym butikiem. Wejście do części mieszkalnej znajdowało się od strony Siedemdziesiątej Czwartej Ulicy. Kat pokazała odznakę portierowi.

— Przyszłam w sprawie Dany Phelps z mieszkania osiem J.

Portier przyjrzał się jej odznace.

— To nie ten budynek — stwierdził.

— Nie mieszka tutaj Dana Phelps?

— Nie mieszka. Nie ma także lokalu osiem J. Mieszkania u nas nie są oznaczone literami. Na ósmym piętrze lokale mają numery od osiemset jeden do osiemset szesnaście.

Kat schowała odznakę.

— Czy to Trzecia Aleja numer dwanaście siedemdziesiąt dziewięć?

— Nie, to jest Wschodnia Siedemdziesiąta Czwarta numer dwieście.

— Ale budynek stoi na rogu Trzeciej Alei.

Portier zmierzył ją wzrokiem.

— I co z tego?

— Na budynku widnieje napis Trzecia Aleja numer dwanaście siedemdziesiąt dziewięć.

Portier się skrzywił.

— Uważa pani, że kłamię w sprawie adresu?

— Nie.

— Ależ proszę, pani detektyw. Niech pani idzie do mieszkania osiem J. Ma pani moje błogosławieństwo.

Nowojorczycy.

— Proszę posłuchać, szukam lokalu osiem J przy Trzeciej Alei numer dwanaście siedemdziesiąt dziewięć.

— Nie mogę pani pomóc.

Kat wyszła i skręciła za róg. Na markizie rzeczywiście widniał napis Wschodnia Siedemdziesiąta Czwarta numer dwieście. Kat wróciła na Trzecią Aleję. Numer dwanaście siedemdziesiąt dziewięć widniał ponad wejściem do apteki. Co, u diabła? Weszła do środka i znalazła właściciela.

— Czy nad państwem znajdują się jakieś mieszkania?

— Eee, to jest apteka.

Nowojorczycy.

— Wiem o tym, ale chcę się dostać do mieszkań, które znajdują się na górze.

— Zna pani wielu ludzi, którzy wchodzą do swojego mieszkania przez aptekę? Wejście jest za rogiem przy Siedemdziesiątej Czwartej Ulicy.

Dała sobie spokój z kolejnymi pytaniami. Odpowiedź była jasna. Brandon Phelps, jeśli to było jego prawdziwe nazwisko, podał jej niewłaściwy — a raczej fałszywy — adres.

■ ■ ■

Po powrocie na posterunek Kat znalazła część odpowiedzi w Google, lecz niewiele jej one wyjaśniły.

Rzeczywiście istniała Dana Phelps, która miała syna Brandona, ale nie mieszkali w dzielnicy Upper East Side na Manhattanie, tylko w dosyć szykownej części Greenwich w stanie Connecticut. Ojciec Brandona za życia był grubą rybą na rynku funduszy inwestycyjnych. Spał na forsie. Umarł w wieku czterdziestu jeden lat. W nekrologu nie podano przyczyny śmierci. Kat sprawdziła organizacje charytatywne — ludzie często proszą o wsparcie na leczenie chorób serca albo nowotworów — ale niczego nie znalazła.

Więc dlaczego Brandon chciał rozmawiać z konkretną funkcjonariuszką nowojorskiej policji?

Kat poszukała innych nieruchomości, które mogły należeć do Phelpsów. Oczywiście istniała szansa, że bogata rodzina z Greenwich posiada mieszkanie w Upper East Side, ale nic na to nie wskazywało. Następnie sprawdziła numer komórki Brandona. No proszę. To był telefon na kartę. Bogate dzieciaki z Greenwich rzadko ich używają. Większość ludzi korzystających z podobnych aparatów ma słabą zdolność kredytową albo, cóż, chce uniknąć namierzenia. Oczywiście zazwyczaj nie wiedzą, że taki telefon łatwo wyśledzić. Sąd Apelacyjny w Szóstym Okręgu zawyrokował nawet, że nie jest do tego potrzebny nakaz. Ale Kat nie musiała posuwać się tak daleko. Przynajmniej na razie.

Zamiast tego posłuchała intuicji. Wszystkie sprzedane telefony na kartę są rejestrowane w bazie danych. Kat wpisała numer i dowiedziała się, gdzie dokładnie Brandon nabył aparat. Odpowiedź jej nie zaskoczyła. Dokonał zakupu w Duane Reade przy... oczywiście... Trzeciej Alei numer dwanaście siedemdziesiąt dziewięć.

Może właśnie dlatego podał jej ten adres.

Niewykluczone. Ale to niczego nie tłumaczyło.

Miała jeszcze kilka możliwych tropów, lecz ich sprawdzenie będzie wymagało więcej czasu. Brandon Phelps miał konto na Facebooku, jednak nie było ono ogólnie dostępne. Prawdopodobnie wystarczyłoby kilka telefonów, żeby dowiedzieć się, jak umarł jego ojciec, tylko jakie to miało znaczenie? Chłopak przyszedł do niej, ponieważ jego matka uciekła z jakimś gościem.

I w tym cały szkopuł: co z tego?

Możliwe, że to tylko głupi żart. Po co marnuje czas na te bzdury? Czy nie ma nic lepszego do roboty? Może tak, może nie. Prawdę mówiąc, dzisiaj nie miała zbyt wielu zajęć. Ta sprawa stanowiła miłą odskocznię, skoro i tak musiała czekać na powrót Staggera.

No dobrze, pomyślała. Rozegraj to do końca.

Załóżmy, że chodzi o oszustwo. Po pierwsze, jeśli Brandon tylko sobie zażartował, to żałośnie się zbłaźnił. Taki żart nie był ani zabawny, ani sprytny. Brakowało w nim puenty i nie dawał wyraźnej satysfakcji.

To nie trzymało się kupy.

Policjanci uwielbiają ulegać stworzonemu przez siebie mitowi, że posiadają wrodzoną zdolność „czytania" ludzi, że wszyscy bez wyjątku są żywymi wykrywaczami kłamstw i potrafią odróżnić prawdę od fałszu na podstawie języka ciała czy barwy głosu. Kat wiedziała, że takie butne twierdzenia to brednie. Co gorsza, często prowadzą do katastrofy.

Jednak nie dało się ukryć, że jeśli Brandon nie był czystej wody socjopatą ani absolwentem szkoły aktorskiej Lee Strasberga, to rzeczywiście coś go dręczyło.

Pytanie brzmiało: co?

Odpowiedź: przestań tracić czas i do niego zadzwoń.

Wybrała numer, który podyktował jej Brandon. Spodziewała

się, że nie odbierze, że dał sobie spokój z gierkami i ruszył tyłek z powrotem do UConn czy Greenwich. Ale odpowiedział już po drugim dzwonku.

— Słucham?

— Brandon?

— Detektyw Donovan.

— Zgadza się.

— Z pewnością jeszcze nie odnalazła pani mojej matki.

Kat uznała, że nie ma sensu owijać w bawełnę.

— Nie, ale odwiedziłam Duane Reade przy Trzeciej Alei numer dwanaście siedemdziesiąt dziewięć.

Cisza.

— Brandonie?

— Słucham?

— Jesteś gotów powiedzieć prawdę?

— To niewłaściwe pytanie, pani detektyw.

Jego głos stał się ostrzejszy.

— O czym ty mówisz?

— Pytanie brzmi, czy pani jest na to gotowa? — odparł Brandon.

▪ ▪ ▪

Kat przełożyła telefon z prawej do lewej ręki. Zamierzała robić notatki.

— Co masz na myśli, Brandonie?

— Niech pani znajdzie moją mamę.

— Tę, która mieszka w Greenwich w Connecticut?

— Tak.

— Jestem nowojorską policjantką. Powinieneś się wybrać na komisariat w Greenwich.

— Już to zrobiłem. Rozmawiałem z detektywem Schwartzem.

— I co?

— Nie uwierzył mi.

— A dlaczego uważasz, że ja ci uwierzę? Po co do mnie przyszedłeś? I po co te wszystkie kłamstwa?

— Pani jest Kat, prawda?

— Co takiego?

— Tak panią nazywają. Kat.

— Skąd o tym wiesz?

Brandon się rozłączył.

Kat wpatrywała się w telefon. Skąd chłopak wiedział, że nazywają ją Kat? Czy usłyszał, jak ktoś tak do niej mówi na posterunku? Możliwe. A może Brandon Phelps po prostu dużo o niej wiedział. W końcu przyszedł konkretnie do niej, student z Greenwich szukający swojej mamusi. Jeśli Dana Phelps rzeczywiście była jego mamusią. Jeśli rzeczywiście nazywał się Brandon Phelps. Jeszcze nie znalazła w sieci ich wspólnych zdjęć.

To wszystko nie miało sensu. Co powinna zrobić?

Oddzwonić do niego. Albo lepiej go namierzyć. Zatrzymać.

Za co?

Na przykład za składanie fałszywych zeznań. Okłamanie funkcjonariusza. Może to psychol. Może zrobił coś swojej matce albo...

Rozważała te możliwości, gdy zadzwonił telefon na jej biurku.

— Donovan.

— Mówi twoja sekretarka. — To był sierżant Inchierca. — Chciałaś wiedzieć, kiedy wróci kapitan, tak?

— Owszem.

— A więc odpowiedź brzmi: „teraz".

— Dzięki.

W jednej chwili Kat przestała się martwić Brandonem i jego być-może-zaginioną mamą. Zerwała się z miejsca i zbiegła po schodach. Kiedy dotarła na piętro Staggera, zobaczyła, jak kapitan wchodzi do swojego gabinetu z dwoma innymi policjantami. Jednym z nich był jej bezpośredni przełożony, Stephen Singer, facet tak chudy, że mógłby się schować za rurą striptizerki, drugim zaś David Karp, który nadzorował mundurowych na ulicach.

Stagger właśnie zamierzał zamknąć drzwi, ale Kat zdążyła je przytrzymać dłonią.

Zmusiła się do uśmiechu.

— Panie kapitanie?

Popatrzył na jej dłoń na drzwiach, jakby stanowiła dla niego obrazę.

— Dostał pan moją wiadomość? — spytała Kat.

— Jestem teraz zajęty.

— To nie może czekać.

— Będzie musiało. Mam zebranie z...

— Dotarłam do rejestru odwiedzin u Leburne'a następnego dnia po jego aresztowaniu — oznajmiła, nie spuszczając z niego wzroku, wypatrując jakiegoś znaku. No dobrze, więc nie gardziła czytaniem mowy ciała. Po prostu starała się z tym nie obnosić. — Naprawdę przydałaby mi się pana pomoc.

Reakcja Staggera była wyraźna jak neon w Las Vegas. Zacisnął dłonie. Poczerwieniał na twarzy. Zauważyli to wszyscy, także niezadowolony przełożony Kat.

— Pani detektyw? — wysyczał kapitan przez zaciśnięte zęby.

— Tak?

— Powiedziałem, że jestem zajęty.

Dwaj inspektorzy, zwłaszcza Singer, którego Kat lubiła i szanowała, z zaskoczeniem obserwowali jej niesubordynację. Nieco oszołomiona wycofała się z gabinetu. Stagger zamknął za nią drzwi.

▪ ▪ ▪

SMS przyszedł dziesięć minut później, z telefonu na kartę Brandona.

Przepraszam.

Dosyć. Wybrała jego numer. Odebrał natychmiast. Miał niepewny głos.

— Kat?

— Co się, do cholery, dzieje, Brandonie?

— Jestem przed księgarnią uniwersytecką na rogu. Może się pani ze mną spotkać?

— Nie lubię marnować czasu.

— Wszystko wyjaśnię. Obiecuję.

Westchnęła.

— Już idę.

Brandon siedział na ławce na rogu Park Avenue. Pasował tam, otoczony przez innych zmęczonych nastolatków ubranych w bluzy z kapturem, krążących tam i z powrotem z plecakami. Kulił się, jakby było mu zimno. Wyglądał na młodego, wystraszonego i kruchego.

Usiadła obok. O nic nie pytała, tylko na niego popatrzyła. To był sygnał. Niech on pierwszy się odezwie. Zajęło mu to sporo czasu. Przez dłuższą chwilę wpatrywał się w swoje dłonie, ale przeczekała jego milczenie.

— Mój tata zmarł na raka — zaczął Brandon. — Choroba postępowała powoli. Stopniowo go pochłonęła. Mama nigdy nie opuściła ojca. Byli parą od szkoły średniej. Pasowali do siebie. Wie pani, często odwiedzam znajomych, a ich starzy zawsze są w osobnych pokojach. Moi rodzice tacy nie byli. Kiedy tata umarł, oczywiście byłem zrozpaczony, ale nie tak jak mama. Miałem wrażenie, że razem z nim umarła połowa niej.

Kat otworzyła usta, po czym ponownie je zamknęła. Miała milion pytań, mogły jednak zaczekać.

— Mama zawsze dzwoni. Wiem, jak to brzmi, ale to prawda. Dlatego zacząłem coś podejrzewać. My naprawdę mamy tylko siebie. A ją przeraża myśl, że mogłaby stracić kogoś jeszcze. Dlatego stale się ze mną kontaktuje, pewnie żeby się upewnić, że wciąż żyję.

Odwrócił wzrok.

W końcu Kat przerwała ciszę.

— Czuje się samotna, Brandonie.

— Wiem.

— A teraz wyjechała z innym mężczyzną. Rozumiesz to, prawda?

Nic nie odpowiedział.

— Czy to jej pierwszy znajomy, odkąd...?

— Nie, ale po raz pierwszy z kimś wyjechała.

— Może właśnie o to chodzi — powiedziała Kat.

— To znaczy o co?

— Może obawia się twojej reakcji.

Chłopak pokręcił głową.

— Dobrze wie, że chcę, by sobie kogoś znalazła.

— Naprawdę chcesz? Właśnie powiedziałeś, że macie tylko siebie. Może to prawda. Ale niewykluczone, że to się teraz zmienia. Wyobraź sobie, jakie to dla niej trudne. Może potrzebuje nieco przestrzeni.

— Nie o to chodzi — upierał się Brandon. — Mama zawsze dzwoni.

— Rozumiem. Ale może... cóż, może po prostu nie tym razem. Sądzisz, że jest zakochana?

— Mama? Pewnie tak — rzucił, a po chwili dodał: — Tak, jest w nim zakochana. Nie wyjechałaby z facetem, którego nie kocha.

— Miłość sprawia, że zapominamy o całym świecie, Brandonie, i skupiamy się na sobie.

— To nie tak. Ten facet to ściemniacz, a ona tego nie rozumie.

— Ściemniacz? — Kat się uśmiechnęła. Chyba zaczynała rozumieć. Brandon chciał chronić mamę. To było na swój sposób urocze. — Więc możliwe, że złamie twojej mamie serce. Co z tego? Ona nie jest dzieckiem.

Ponownie pokręcił głową.

— Nic pani nie rozumie.

— Co się stało, kiedy poszedłeś na policję w Greenwich?

— A jak pani myśli? Powiedzieli to samo co pani.

— Więc po co przyszedłeś do mnie? Nadal nie jest to dla mnie jasne.

Wzruszył ramionami.

— Myślałem, że pani zrozumie.

— Ale dlaczego ja? Skąd w ogóle się o mnie dowiedziałeś? I skąd wiesz, że ludzie mówią na mnie Kat? — Usiłowała popatrzeć mu w oczy. — Brandonie? — Nie pozwalał jej na to. — Dlaczego uważasz, że mogę ci pomóc?

Nie odpowiedział.

— Brandonie?

— Naprawdę pani nie wie?

— Oczywiście, że nie wiem.

Przez chwilę milczał.

— Brandonie? Co się dzieje, do diabła?

— Poznali się przez internet.

— Co takiego?

— Moja mama i jej chłopak.

— Wielu ludzi poznaje się w sieci.

— Wiem, ale... — Urwał, a potem wyszeptał: — Urocza i żywiołowa.

Kat otworzyła szeroko oczy.

— Co powiedziałeś?

— Nic.

Przypomniała sobie swój profil na YouAreJustMyType i opis, który Stacy dla niej wybrała: „Urocza i żywiołowa!".

— Czy ty... — Poczuła na plecach lodowaty dreszcz. — Śledzisz mnie w internecie?

— Co takiego? — Brandon się wyprostował. — Nie! Nic pani nie rozumie?

— Czego nie rozumiem?

Sięgnął do kieszeni.

— To jest facet, z którym wyjechała moja mama. Znalazłem go w internecie.

Brandon wyciągnął ku niej zdjęcie. Kiedy Kat zobaczyła tę twarz, jej serce ponownie wpadło w głęboką otchłań.

To był Jeff.

13

Kiedy Titus zaczynał, oto, jak znajdował dziewczyny:

Wkładał garnitur i krawat. Niech konkurenci ubierają się w koszulki i obwisłe dżinsy. Do tego teczka. Okulary w rogowych oprawkach. Krótkie, elegancko ostrzyżone włosy.

Zawsze siadywał na tej samej ławce na piętrze dworca autobusowego Port Authority. Jeśli akurat spał tam jakiś bezdomny, szybko się ulatniał, gdy tylko zobaczył Titusa. Titus nie musiał niczego mówić. Miejscowi wiedzieli, że nie powinni mu wchodzić w drogę. To była jego ławka. Miał z niej idealny widok na bramki od dwieście dwudziestej szóstej do dwieście trzydziestej czwartej w południowym terminalu. Widział pasażerów wysiadających z autobusów, ale sam pozostawał w ukryciu.

Wiedział, że jest drapieżnikiem.

Patrzył na wychodzące dziewczęta jak lew wypatrujący kulejącej gazeli.

Cierpliwość była kluczem.

Nie interesowały go dziewczyny z większych miast. Czekał na autobusy z Tulsy, Topeki albo Des Moines. Boston się nie nadawał. Podobnie Kansas City czy St. Louis. Najlepsze były uciekinierki z tak zwanego Pasa Biblijnego. Przybywały z mieszanką nadziei i buntu w oczach. Im więcej buntu — im bardziej chciały dopiec tatusiowi — tym lepiej. To było wielkie miasto. Tutaj spełniały się marzenia.

Dziewczyny szukały zmiany i emocji — coś musiało się wydarzyć w ich życiu. Jednak tak naprawdę były głodne, wystraszone i wyczerpane. Ciągnęły za ciężką walizkę, a najlepiej, jeśli miały ze sobą także gitarę. Titus nie wiedział dlaczego, ale gdy udało mu się znaleźć dziewczynę z gitarą, jego szanse rosły.

Nic na siłę.

Jeśli okoliczności nie były idealne — dziewczyna nie stanowiła doskonałej ofiary — rezygnował. To było kluczem. Cierpliwość. Jeżeli zarzucisz wystarczająco dużo sieci — będziesz obserwował wystarczająco wiele przyjeżdżających autobusów — w końcu znajdziesz to, czego potrzebujesz.

Dlatego Titus czekał na swojej ławce, a kiedy pojawiała się odpowiednia dziewczyna, zaczynał działać. Przeważnie bez powodzenia. To nic. Miał niezłą gadkę. Jego mentor, brutalny alfons Louis Castman, dobrze go wyszkolił. Należy być grzecznym. Prosić i proponować, nigdy nie wydawać poleceń ani rozkazów. Manipulować dziewczynami, dając im złudzenie, że to one dowodzą.

Oczywiście najlepsze są ładne ofiary, ale to nie jest niezbędny warunek.

Titus najczęściej stosował standardową gadkę. Zamówił efektowne wizytówki na grubym kartonie, nie na tanim, giętkim papierze. Inwestował, żeby osiągnąć zysk. Wizytówki miały wypukłe litery. Widniała na nich elegancko wykaligrafowana nazwa „Agencja Modelek Elitism". Pod spodem znajdowały się jego nazwisko, numer firmowy, domowy oraz komórkowy (wszystkie trzy przekierowywały połączenia na jego komórkę). Do tego adres przy Piątej Alei, a jeśli dziewczyny odczytały Elitism jako Elite, to trudno.

Nigdy się nie narzucał. Mówił dziewczętom, że właśnie przyjechał ze swojego domu w Montclair, bogatego przedmieścia New Jersey, gdy nagle je zauważył i uznał, że dobrze by sobie poradziły jako modelki, „jeśli jeszcze nikt ich nie reprezentuje". Udawał, że nie ma zamiaru wchodzić w paradę konkurencji. Tak naprawdę dziewczyny chciały mu uwierzyć. To pomagało. Wszystkie słyszały opowieści o modelkach i aktorkach, które ktoś odkrył, gdy robiły zakupy w galerii handlowej albo obsługiwały stoliki w knajpce.

Dlaczego nie na dworcu autobusowym na Manhattanie?

Mówił im, że potrzebują portfolio. Zapraszał je na sesję zdjęciową do najlepszego fotografa w branży. To zniechęcało niektóre z nich. Już wcześniej słyszały ten tekst. Pytały, ile to będzie kosztowało. Titus chichotał. „Pozwól, że dam ci wskazówkę — mówił. — Prawdziwej agencji nie musisz płacić, oni płacą tobie".

Jeżeli były zbyt podejrzliwe albo coś je niepokoiło, dawał im spokój i wracał na swoją ławkę. Wiedział, że musi być na to gotowy w każdej chwili. To była tajemnica sukcesu. Jeśli wcale nie wyrwały się z domu, tylko przyjechały na krótkie wakacje, jeśli pozostawały w stałym kontakcie z kimś z rodziny... wtedy zawsze rezygnował.

Cierpliwość.

W wypadku tych, które się kwalifikowały, sytuacja wyglądała różnie.

Louis Castman lubił zadawać ból. Titus nie. Nie chodziło o to, że brzydził się przemocą — była mu obojętna — zawsze jednak starał się znaleźć najbardziej zyskowne rozwiązanie. Mimo wszystko stosował metody Castmana. Zapraszał dziewczynę na sesję fotograficzną, robił jej kilka zdjęć — Castman się na tym znał — a potem ją atakował. Po prostu. Przykładał jej nóż do gardła. Zabierał telefon i portfel. Przykuwał kajdankami do łóżka. Czasami ją gwałcił.

Zawsze odurzał ofiarę narkotykami.

To mogło trwać wiele dni. Kiedyś mieli do czynienia z wyjątkowo piękną i silną psychicznie dziewczyną, więc trzymali ją całe dwa tygodnie.

Narkotyki dużo kosztowały — Titus najbardziej lubił heroinę — ale to była kolejna inwestycja. W końcu dziewczyna się uzależniała. To nigdy nie trwało długo. Heroina tak działa. Kiedy otworzysz puszkę Pandory, już jej nie zamkniesz. Titusowi zazwyczaj to wystarczało. Z kolei Louis lubił nagrywać gwałty, tak manipulować dziewczyną, aby wydawało się, że sama tego chce, a potem, żeby pozbawić ją resztek nadziei, groził, że wyśle taśmy jej zazwyczaj religijnym i konserwatywnym rodzicom.

Pod wieloma względami był to idealny układ. Znajduje się dziewczęta poranione i z dala od domu, skłócone z ojcami, a może uciekające przed przemocą. Innymi słowy, ranne gazele. Przygarnia się je, a następnie odziera ze wszystkiego, co im pozostało. Krzywdzi się je. Napełnia strachem. Uzależnia od narkotyków. A gdy tracą wszelką nadzieję, podsuwa się im zbawcę.

Siebie.

Kiedy Titus umieszczał je na ulicy albo w eleganckich burdelach — działał w obu tych środowiskach — były gotowe zrobić wszystko, żeby go zadowolić. Niektóre uciekały do domu — wkalkulowane ryzyko — ale nie zdarzało się to często. Dwóm dziewczętom udało się nawet dotrzeć na policję, nie miały jednak żadnych dowodów, tylko swoje słowo przeciwko jego słowu, a kto by uwierzył dziwce uzależnionej od cracku albo heroiny i kogo obchodził jej los?

To wszystko miał już za sobą.

Teraz kończył popołudniowy spacer. Polubił samotne wędrówki po lesie za stodołą, pośród bujnej zieleni i pod błękitem nieba. To go zaskoczyło. Urodził się w Bronxie, dziesięć przecznic na północ od stadionu Yankees. Kiedy dorastał, wyjście na zewnątrz oznaczało dla niego schody przeciwpożarowe. Znał tylko pośpiech i gwar miasta, wierzył, że ma go we krwi i nie tylko przyzwyczaił się do cegieł, zaprawy i betonu, ale wręcz nie potrafi bez nich żyć. Titus był jednym z ośmiorga dzieci mieszkających w zaniedbanym trzypokojowym mieszkaniu w budynku bez windy przy Jerome Avenue. Nie pamiętał chwil samotności ani ciszy. W życiu niemal nie zaznał spokoju. Nie chodzi o to, czy go pragnął, czy nie. Nie zdawał sobie sprawy z jego istnienia.

Kiedy po raz pierwszy przyjechał na farmę, myślał, że nie wytrzyma tej ciszy. Z czasem pokochał samotność.

Odnalazł drogę na mniejszą polanę, gdzie stał na straży Reynaldo, nadmiernie muskularny, ale lojalny robotnik. Reynaldo, który bawił się ze swoim psem w aportowanie, skinął głową. Titus odwzajemnił gest. Pierwotny właściciel gospodarstwa, amisz, zbudował proste piwnice — otwory w ziemi zakryte drzwiami, gdzie przechowywano żywność. Praktycznie nie do zauważenia, jeśli ktoś ich nie szukał.

Na terenie posiadłości było takich schowków czternaście.

Minął stertę ubrań. Jaskrawożółta letnia sukienka wciąż leżała na samej górze.

— Jak ona się czuje?

Reynaldo wzruszył ramionami.

— Jak zwykle.

— Myślisz, że jest gotowa?

To było głupie pytanie. Reynaldo nie mógł tego wiedzieć. Nawet nie próbował zastanowić się nad odpowiedzią. Sześć lat wcześniej Titus poznał go w Queens. Reynaldo był chudym nastolatkiem, który sprzedawał się homoseksualistom i dwa razy w tygodniu dostawał od kogoś lanie. Titus widział, że chłopak nie przetrwa kolejnego miesiąca. Jedyną namiastką rodziny albo przyjaciół w życiu Reynalda był Bo, bezpański labrador, którego znalazł nad East River.

Zatem Titus „ocalił" Reynalda, dał mu narkotyki i pewność siebie, uczynił go użytecznym.

Ich relacja zaczęła się jak kolejny podstęp, tak samo jak w wypadku dziewcząt. Reynaldo został najbardziej posłusznym sługusem i gorylem. Jednak przez lata coś się zmieniło. Dokonała się ewolucja. Chociaż to dziwne, nie był Titusowi obojętny. Nie, to nie tak.

Titus uznawał chłopaka za swoją rodzinę.

— Przyprowadź ją do mnie dziś wieczorem — polecił. — O dziesiątej.

— Późno.

— Owszem. To jakiś problem?

— Nie, skądże — odparł Reynaldo.

Titus popatrzył na jaskrawożółtą sukienkę.

— Jeszcze jedno.

Reynaldo cierpliwie czekał.

— Ta sterta ubrań. Spal je.

14

Kat miała wrażenie, że Park Avenue zamarła.

Kątem oka wciąż widziała przechodzących studentów, słyszała śmiechy i dźwięki klaksonów, ale wszystko nagle jakby się oddaliło.

Trzymała fotografię w dłoni. To było tamto ujęcie przedstawiające Jeffa na piasku, przed połamanym ogrodzeniem, z rozbijającymi się falami w tle. Może stało się tak za sprawą widoku z plaży, w każdym razie Kat czuła się tak, jakby ktoś przycisnął jej muszle do uszu. Odpłynęła, zdrętwiałą ręką trzymając zdjęcie swojego dawnego narzeczonego, wpatrując się w nie, jakby mogło nagle wszystko jej wyjaśnić.

Brandon wstał. Przez chwilę obawiała się, że ucieknie, pozostawiając ją z tą przeklętą fotką i zbyt licznymi pytaniami. Chwyciła go za nadgarstek. Chciała się upewnić, że nie zniknie.

— Zna go pani, prawda? — spytał.

— Brandonie, co się tutaj dzieje, do cholery?

— Jest pani policjantką.

— Tak.

— Więc zanim cokolwiek pani powiem, musi mi pani zagwarantować bezkarność albo coś w tym rodzaju.

— Słucham?

— To dlatego wcześniej nic pani nie mówiłem. O tym, co zrobiłem. Chodzi o piątą poprawkę czy coś takiego. Nie chcę sam siebie obciążyć.

— Przyjście do mnie nie było przypadkiem — zauważyła Kat.

— Zgadza się.

— Jak mnie znalazłeś?

— Właśnie tego chyba nie powinienem pani mówić — odparł. — Ze względu na piątą poprawkę i tak dalej.

— Brandonie?

— Słucham?

— Przestań chrzanić. Powiedz mi, co się, u diabła, dzieje. Natychmiast.

— A jeśli sposób, w jaki panią znalazłem, był odrobinę... no... nielegalny? — odezwał się powoli.

— Nie dbam o to.

— Jak to?

Kat przeszyła go spojrzeniem.

— Zaraz wepchnę ci pistolet w usta. Co się dzieje, do cholery?

— Niech mi pani najpierw powie tylko jedno. — Wskazał zdjęcie w jej dłoni. — Zna go pani, prawda?

Opuściła wzrok na zdjęcie.

— Kiedyś go znałam.

— Więc kim on jest?

— Dawnym chłopakiem — odparła cicho.

— Tak, wiem. Ale chodzi mi...

— Jak to „wiesz"? — Zobaczyła dziwny grymas na jego

twarzy. Jak on ją znalazł? Skąd wiedział, że Jeff był jej chłopakiem? Skąd...

Odpowiedź nagle stała się oczywista.

— Włamałeś się do jakiegoś komputera?

Zobaczyła po jego minie, że zgadła. Teraz to wszystko nabrało sensu. Nie chciał się przyznać policjantce, że złamał prawo. Dlatego wymyślił historyjkę o tym, że ktoś mu ją polecił.

— Nie martw się, Brandonie. To mnie nie obchodzi.

— Naprawdę?

Kat pokręciła głową.

— Po prostu powiedz mi, co się dzieje, dobrze?

— Obiecuje pani, że to zostanie między nami?

— Obiecuję.

Chłopak głęboko odetchnął. Jego oczy zaszkliły się łzami.

— W UConn specjalizuję się w informatyce. Razem z przyjaciółmi dobrze się znamy na programowaniu i projektowaniu. Dlatego nie mieliśmy większych trudności. W końcu to zwykły serwis randkowy. Tylko strony naprawdę poważnych instytucji mają solidne firewalle i zabezpieczenia. Z serwisu randkowego można wydobyć najwyżej dane czyjejś karty kredytowej. Dlatego skupiają się na ochronie tych informacji, a o resztę serwisu nie dbają.

— Włamaliście się na YouAreJustMyType.com?

Brandon pokiwał głową.

— Jak już mówiłem, nie chodziło o dane finansowe. Zdobycie ich zajęłoby wieki. Ale do pozostałych stron dobraliśmy się w ciągu dwóch godzin. Zachowują wszystko w bazie danych: w czyj profil klikasz, z kim i o której godzinie się komunikujesz, do kogo piszesz prywatne wiadomości. Nawet rozmowy prowadzone za pomocą komunikatora. Serwis wszystko zapamiętuje.

Kat zrozumiała.

— Znalazłeś rejestr moich kontaktów z Jeffem.

— Tak.

— I stąd znasz moje imię. Z naszej rozmowy na komunikatorze.

Brandon milczał. Ale to wszystko nagle miało sens. Kat oddała mu zdjęcie.

— Powinieneś wrócić do domu — powiedziała.

— Jak to?

— Jeff jest porządnym gościem. A przynajmniej kiedyś był. Znaleźli siebie nawzajem. Twoja mama jest wdową. On też jest wdowcem. Może to coś poważnego. Może się pokochali. Tak czy inaczej, twoja matka jest dorosłą kobietą. Nie powinieneś jej szpiegować.

— Wcale jej nie szpiegowałem — zaczął się bronić. — Przynajmniej nie na początku. Kiedy jednak nie zadzwoniła...

— Wyjechała z mężczyzną. Dlatego do ciebie nie zadzwoniła. Dorośnij.

— Ale on jej nie kocha.

— Skąd wiesz?

— Przedstawił się jako Jack. Po co to zrobił, skoro ma na imię Jeff?

— Wielu ludzi używa pseudonimów w sieci. To jeszcze o niczym nie świadczy.

— Poza tym dużo rozmawiał z innymi kobietami.

— I co z tego? Temu służy ten serwis. Rozmawia się z wieloma potencjalnymi partnerami. Szuka się igły w stogu siana.

Jeff rozmawiał nawet ze mną, pomyślała. Oczywiście zabrakło mu odwagi, by przyznać, że znalazł kogoś nowego. Zamiast tego wcisnął jej kit o ostrożności i potrzebie nowego startu. Tymczasem już się związał z inną kobietą.

Dlaczego po prostu tego nie napisał?

— Niech pani posłucha, chcę tylko poznać jego prawdziwe nazwisko i adres. To wszystko.

— Nie mogę ci pomóc, chłopcze.

— Dlaczego?

— Ponieważ to nie moja sprawa. — Pokręciła głową, a następnie dodała: — Nie masz pojęcia, jak bardzo to nie jest moja sprawa.

Jej komórka zabrzęczała. Kat sprawdziła SMS-y i zobaczyła wiadomość od Staggera:

Fontanna Bethesda. Za dziesięć minut.

Wstała z ławki.

— Muszę iść.

— Dokąd?

— To akurat nie twoja sprawa. Koniec rozmowy, Brandonie. Wracaj do domu.

— Niech pani tylko poda mi jego nazwisko i adres, dobrze? Co pani szkodzi? Wystarczy nazwisko.

Część jej umysłu ostrzegała, że to błąd. Inna część wciąż była urażona po tym, jak Jeff ją odepchnął. A co tam. Dzieciak ma prawo wiedzieć, z kim bzyka się jego mama, prawda?

— Jeff Raynes — rzuciła, po czym przeliterowała nazwisko. — Nie mam pojęcia, gdzie mieszka, i nic mnie to nie obchodzi.

▪ ▪ ▪

Fontanna Bethesda stanowi serce Central Parku. Wieńczy ją wysoki posąg anioła w jednej ręce trzymającego lilię, a drugą błogosławiącego wodę. Jego kamienna twarz jest spokojna aż do znudzenia. Woda, którą bezustannie błogosławi, nazywa się po prostu „the Lake", czyli jezioro. Kat zawsze podobała się ta nazwa. Jezioro. Nic wyszukanego. Nazywajmy rzeczy po imieniu.

Pod aniołem znajdują się cztery cherubiny, które reprezentują Wstrzemięźliwość, Czystość, Zdrowie i Pokój. Fontannę wybudowano w 1873 roku. W latach sześćdziesiątych całymi dniami i nocami przesiadywali przy niej hipisi. Nakręcono tam pierwszą scenę musicalu *Godspell*, a także jedną z kluczowych scen w *Hair*. W latach siedemdziesiątych okolicami fontanny zawładnęli handlarze narkotyków i prostytutki. Ojciec Kat twierdził, że nawet policjanci bali się tam zapuszczać. Dzisiaj trudno sobie wyobrazić, zwłaszcza w taki piękny letni dzień, że to miejsce kiedykolwiek mogło nie być rajem na ziemi.

Stagger siedział na ławce przed jeziorem. Obok przepływały łódki z turystami porozumiewającymi się we wszystkich możliwych językach. Turyści zmagali się z wiosłami, aż w końcu rezygnowali i pozwalali się nieść prawie niewyczuwalnemu prądowi. Po prawej stronie pokaźny tłum otoczył ulicznych (a może parkowych?) artystów nazywanych Afrobatami. Afrobaci byli czarnoskórymi nastolatkami, którzy w swoim pokazie łączyli akrobatykę, taniec i komedię. Inny artysta nosił tabliczkę z napisem: „Żart za dolara. Śmiech gwarantowany". Podest był usiany ludzkimi posągami — czyli ludźmi, którzy stali nieruchomo, udawali posągi i pozowali do zdjęć z turystami; kto jako pierwszy wpadł na taki pomysł? Jakiś swojsko wyglądający facet z entuzjazmem grał na ukulele. Inny, ubrany w znoszony szlafrok, udawał czarodzieja z Hogwartu.

Czarna bejsbolówka na głowie Staggera upodabniała go do małego chłopca. Jego wzrok sunął po wodzie jak płaski kamyk.

Pod wieloma względami była to typowa scena — na Manhattanie ciągle otaczają cię ludzie, a mimo to znajdujesz spokój, odosobnienie pośród ludzkiego tornada. Stagger z oszołomieniem wpatrywał się w wodę, a Kat nie była pewna, co sama czuje.

Nie odwrócił się, kiedy do niego podeszła. Stanęła nad nim, odczekała chwilę, a następnie zagadnęła:

— Hej.

— Co się z tobą dzieje, do cholery? — Mówiąc do niej, nie spuszczał wzroku z jeziora.

— Słucham?

— Nie możesz tak wpadać do mojego gabinetu.

Stagger w końcu odwrócił się w jej stronę. Jeśli nawet patrzył na wodę ze spokojem, to teraz ten spokój ulotnił się z jego oczu.

— Nie chciałam okazać braku szacunku.

— Gówno prawda, Kat.

— Po prostu wreszcie udało mi się dotrzeć do rejestru odwiedzin u Leburne'a.

— I koniecznie chciałaś, żebym się im przyjrzał?

— Tak.

— Nie mogłaś zaczekać, aż skończę zebranie?

— Pomyślałam... — Za nimi tłum ryknął śmiechem, gdy Afrobaci zażartowali, że okradają widownię. — Dobrze wiesz, jak ważna jest dla mnie ta sprawa.

— To twoja obsesja.

— Chodzi o mojego tatę. Jak możesz tego nie rozumieć?

— Ależ rozumiem, Kat. — Ponownie zwrócił się w stronę wody.

— Stagger?

— Słucham?

— Wiesz, co odkryłam, prawda?

— Tak. — Powoli się uśmiechnął. — Wiem.

— Więc?

Odnalazł spojrzeniem jedną z łódek i zatrzymał na niej wzrok.

— Po co odwiedziłeś Leburne'a następnego dnia po jego aresztowaniu? — spytała Kat.

Stagger nic nie odpowiedział.

— Aresztowali go federalni, a nie nowojorska policja. Nie miałeś z tym nic wspólnego. Nawet nie pracowałeś nad sprawą mojego taty, skoro był twoim partnerem i to ty znalazłeś ciało. Więc po co tam poszedłeś?

Sprawiał wrażenie, jakby jej pytanie niemal go rozbawiło.

— A jaką masz teorię, Kat?

— Szczerze?

— W miarę możliwości.

— Nie mam żadnej teorii — odparła.

Stagger odwrócił się w jej stronę.

— Myślisz, że miałem coś wspólnego z tym, co spotkało Henry'ego?

— Nie. Oczywiście, że nie.

— A zatem?

Żałowała, że nie ma lepszej odpowiedzi.

— Nie wiem.

— Myślisz, że wynająłem Leburne'a albo coś w tym rodzaju?

— W ogóle nie sądzę, żeby Leburne miał z tym coś wspólnego. Uważam, że był kozłem ofiarnym.

Stagger zmarszczył czoło.

— Daj spokój, Kat. Znowu to samo.

— Co tam robiłeś?

— Spytam jeszcze raz: jak ci się wydaje? — Na chwilę zamknął oczy, wziął głęboki wdech i odwrócił się z powrotem w stronę jeziora. — Teraz już rozumiem, dlaczego nigdy nie pozwalamy ludziom zajmować się sprawami, które osobiście ich dotyczą.

— To znaczy?

— Brakuje ci nie tylko obiektywności, ale także jasności umysłu.

— Co tam robiłeś?

Pokręcił głową.

— Przecież to oczywiste.

— Nie dla mnie.

— No właśnie. — Skupił wzrok na łódce, w której jacyś nastolatkowie wściekle i nieumiejętnie wymachiwali wiosłami. — Cofnij się na chwilę. Przemyśl to. Kiedy twój ojciec został zamordowany, był bliski aresztowania jednej z czołowych postaci nowojorskiego świata przestępczego.

— Cozone'a.

— Oczywiście, że Cozone'a. Nagle ktoś wykonuje na Henrym egzekucję. Jaką wtedy mieliśmy teorię?

— To nie była moja teoria.

— Bez obrazy, Kat, ale nie byłaś wtedy policjantką, tylko dziarską studentką na Uniwersytecie Columbia. Jaka była nasza oficjalna teoria?

— Doszliście do wniosku, że mój ojciec zagrażał Cozone'owi, więc ten go wyeliminował.

— Właśnie.

— Ale Cozone nie byłby na tyle głupi, żeby zabić gliniarza.

— Nie daj się zwieść, że przestępcy przestrzegają zasad. Robią to, co wydaje im się najlepsze z perspektywy długoterminowego zysku i przetrwania. Twój ojciec zagrażał im na obu tych frontach.

— Więc uważasz, że Cozone wynajął Leburne'a do zabicia mojego ojca. Wiem o tym. To nadal nie tłumaczy, po co go odwiedziłeś.

— Jasne, że tłumaczy. Federalni aresztowali jednego z najbardziej aktywnych zabójców Cozone'a. To oczywiste, że natychmiast podążyliśmy tym tropem. Jak możesz tego nie dostrzegać?

— Dlaczego akurat ty?

— Słucham?

— Tamtą sprawę prowadzili Bobby Suggs i Mike Rinsky. Więc dlaczego to ty pojechałeś?

Stagger ponownie się uśmiechnął, ale tym razem bez cienia radości.

— Ponieważ byłem taki sam jak ty.

— To znaczy?

— Twój ojciec był moim partnerem. Wiesz, jaki był dla mnie ważny.

Cisza.

— Nie miałem ochoty czekać, aż nowojorska policja i FBI skończą się kłócić o terytorium i jurysdykcję. Leburne zdążyłby znaleźć dobrego prawnika. Chciałem wziąć w tym udział. Działałem porywczo. Zadzwoniłem do kumpla w Biurze i poprosiłem o przysługę.

— Więc pojechałeś tam, żeby przesłuchać Leburne'a?

— Mniej więcej. Byłem głupim gliniarzem, który starał się pomścić swojego mentora, zanim będzie za późno.

— Jak to: za późno?

— Martwiłem się, że Leburne znajdzie sobie dobrego prawnika. To raz. Ale przede wszystkim obawiałem się, że Cozone go załatwi, zanim zdążymy porozmawiać.

— I rozmawiałeś z Leburne'em?

— Tak.

— I co?

Stagger wzruszył ramionami. Gdy Kat patrzyła na jego gesty i czapeczkę, potrafiła go sobie wyobrazić w szkole podstawowej. Delikatnie położyła mu dłoń na ramieniu. Nie była pewna dlaczego. Może chciała przypomnieć kapitanowi, że są po tej samej stronie, albo pocieszyć starego przyjaciela. Stagger kochał jej ojca. Oczywiście nie tak bardzo jak ona, gdyż śmierć nie pozostaje na zawsze z przyjaciółmi i współpracownikami. Po pewnym czasie otrząsają się z żałoby i żyją dalej. Śmierć na zawsze zmienia tylko rodzinę. Jednak jego cierpienie było prawdziwe.

— I niczego nie osiągnąłem — odparł Stagger.

— Leburne się wyparł?

— Siedział naprzeciwko mnie i cały czas milczał.

— A jednak później przyznał się do winy.

— Oczywiście. Jego adwokat zawarł układ. Pozbył się widma kary śmierci.

Afrobaci zakończyli w wielkim stylu — jeden z nich przeskoczył nad ochotnikami z widowni. Tłum nagrodził występ gromkimi oklaskami. Kat i Stagger patrzyli, jak ludzie powoli się rozchodzą.

— Więc to wszystko — odezwała się Kat.

— To wszystko.

— Nigdy mi nie powiedziałeś.

— To prawda.

— Dlaczego?

— Co miałem powiedzieć? Że odwiedziłem podejrzanego, ale niczego się nie dowiedziałem?

— Tak.

— Byłaś wtedy studentką i przygotowywałaś się do ślubu.

— Co z tego?

W jej głosie zabrzmiały ostre nuty, choć wcale tego nie planowała. Popatrzyli sobie w oczy i coś między nimi zaiskrzyło. Stagger się odwrócił.

— Nie podoba mi się to, co sugerujesz, Kat.

— Niczego nie sugeruję.

— Owszem. — Kapitan wstał. — Nie radzisz sobie z zachowaniami pasywno-agresywnymi. To nie leży w twojej naturze. Lepiej zagrajmy w otwarte karty.

— Dobrze.

— Leburne do samego końca utrzymywał, że sam podjął decyzję o zabiciu twojego ojca. Oboje wiemy, że to kłamstwo. Oboje wiemy, że Cozone zlecił to morderstwo, a Leburne go chronił.

Kat milczała.

— Przez lata staraliśmy się go skłonić do zmiany zeznań i powiedzenia prawdy. Nie zrobił tego. Umarł, nie zmieniwszy zdania, a teraz nie wiemy, jak sprawić, żeby sprawiedliwości stało się zadość. To frustrujące, więc jesteśmy zdesperowani.

— Jesteśmy?

— Tak.

Kat zmarszczyła czoło.

— I kto jest teraz pasywno-agresywny?

— Myślisz, że mnie to nie dotknęło?

— Ależ na pewno. Chcesz zagrać w otwarte karty? Proszę bardzo. Zgadza się, przez lata nie podważałam teorii, że Cozone zlecił zabójstwo, a Leburne je wykonał. Ale tak naprawdę nigdy w to nie wierzyłam. Zawsze coś mi tutaj nie pasowało. A kiedy Leburne, nie mając żadnego powodu, żeby kłamać, powiedział tamtej pielęgniarce, że nie miał nic wspólnego z morderstwem mojego ojca, uwierzyłam mu. Można twierdzić, że był odurzony lub kłamał, ale byłam przy tym obecna. Jego słowa wreszcie zabrzmiały prawdziwie. Dlatego owszem, chcę wiedzieć, po co go odwiedziłeś jako pierwszy. Ponieważ, jeśli mamy być szczerzy, wcale ci nie wierzę.

Coś wybuchło za jego oczami. Z trudem panował nad głosem.

— Więc powiedz mi, Kat. Po co tam pojechałem?

— Nie wiem. Chciałabym, żebyś sam mi to powiedział.

— Nazywasz mnie kłamcą?

— Pytam, co się wydarzyło.

— Już ci powiedziałem — odparł, przepychając się obok niej. Odwrócił się. W jego oczach czaił się gniew, choć nie tylko. Także cierpienie. Może nawet lęk. — Zostało ci kilka dni urlopu. Już to sprawdziłem. Wykorzystaj je, Kat. Nie chcę cię widzieć na moim posterunku, dopóki nie złożę wniosku o twoje przeniesienie.

15

Kat chwyciła swój laptop i ruszyła do pubu O'Malley's. Usiadła na dawnym stołku ojca. Barman Pete podszedł do niej wolnym krokiem. Kat przyglądała się spodom swoich zakurzonych butów.

— Co jest? — spytał.

— Wysypaliście więcej trocin niż zazwyczaj?

— Nowy pracownik. Przesadził z elegancją. Co ci podać?

— Średnio wysmażonego cheeseburgera, frytki i piwo Bud.

— Chcesz do tego angiograf?

— Dobre, Pete. Następnym razem spróbuję jednej z twoich bezglutenowych wegańskich przystawek.

W lokalu zasiadało mieszane towarzystwo. Przy stolikach w kącie kilku panów wszechświata raczyło się koktajlami po pracy. Przy barze znalazło się miejsce dla paru samotników, jakich potrzebuje każdy bar, zgarbionych facetów w milczeniu wpatrujących się w swoje szklanki i pragnących jedynie odrętwienia, jakie może im dać bursztynowy trunek.

Kat za mocno przycisnęła Staggera, ale wiedziała, że subtelnością niczego nie zwojuje. Mimo wszystko nie wiedziała, co myśleć o kapitanie. Nie wiedziała, co myśleć o Brandonie. Nie wiedziała, co myśleć o Jeffie.

Co teraz?

Zwyciężyła w niej ciekawość. Otworzyła laptop i zaczęła szukać informacji o mamie Brandona i zarazem nowej kochance Jeffa, Danie Phelps — głównie w zdjęciach i serwisach społecznościowych. Przekonywała siebie, że tylko stara się zamknąć sprawę, upewnić, że chłopak, którego poznała, to rzeczywiście Brandon Phelps, a nie jakiś były skazaniec albo ktoś jeszcze gorszy.

Chociaż w pubie było przynajmniej dziesięć wolnych stolików, facet z kępką zarostu pod dolną wargą i sterczącymi rozjaśnianymi włosami usiadł tuż obok niej. Odchrząknął, po czym zagadnął:

— Witaj, maleńka.

— Tak, cześć.

Znalazła pierwsze zdjęcie Dany na stronie, na której relacjonowano „Wydarzenia towarzyskie w Connecticut". Był to jeden z serwisów zamieszczających zdjęcia bogatych ludzi bawiących się na przyjęciach tak eleganckich, że nazywają je balami. Potem bogacze, w których życiu tak wiele się dzieje, nie mogą się doczekać, by wejść na stronę i sprawdzić, czy już pojawiło się ich zdjęcie.

W minionym roku Dana Phelps zorganizowała galę charytatywną na rzecz schroniska dla zwierząt. Wkrótce stało się jasne, dlaczego Jeff się nią zainteresował.

Dana Phelps wyglądała oszałamiająco.

Miała na sobie długą srebrną suknię, tkanina owijała jej ciało i przylegała do niego w sposób, którego Kat nigdy nie doświadczy. Dana Phelps promieniowała klasą. Była wysoką i śliczną blondynką, czyli wszystkim tym, czym nie była Kat.

Suka.

Kat głośno zachichotała. Ten ze sterczącymi włosami potraktował to jako zachętę.

— Co cię tak rozbawiło?

— Twoja twarz.

Barman skrzywił się, słysząc tak nędzną ripostę. Kat wzruszyła ramionami. Miał rację, ale odpowiedź podziałała. Facet z tlenionymi włosami się zmył. Kat jeszcze się napiła, próbując dać do zrozumienia otoczeniu, że chce, aby zostawiono ją w spokoju. Zazwyczaj to działało. Poszukała zdjęć Brandona Phelpsa i okazało się, że rzeczywiście jest to ten chudy chłopak o strąkowatych włosach, który ją odwiedził. Cholera. Byłoby łatwiej, gdyby skłamał co do swojej tożsamości.

Kat czuła się już lekko podchmielona. Osiągnęła ten etap, kiedy po pijaku esemesuje się do byłego chłopaka, tylko że, oczywiście, nie znała numeru telefonu Jeffa. Zamiast tego postanowiła zrobić inną rzecz, do której uciekają się byli kochankowie — poszukać go w sieci. Wpisała jego nazwisko do kilku wyszukiwarek, niczego jednak nie znalazła. Absolutnie niczego. Wiedziała, że tak się stanie — nie po raz pierwszy szukała go w internecie po alkoholu — ale i tak była zaskoczona. Pojawiło się kilka reklam, proponujących poszukanie Jeffa albo, co ciekawsze, sprawdzenie, czy jest notowany.

Pas.

Postanowiła wrócić do profilu Jeffa na YouAreJustMyType.com. Pewnie go usunął, skoro poleciał w jakieś egzotyczne miejsce z posągową blondynką. Prawdopodobnie właśnie spacerowali po plaży, trzymając się za ręce, Dana miała na sobie srebrne bikini, a księżyc odbijał się w wodzie.

Suka.

Kat kliknęła na profil Jeffa. Wciąż tam był. Sprawdziła

status. Nadal głosił: „Aktywnie poszukujący". Hm. To nic wielkiego. Pewnie zapomniał go wyłączyć. Zapewne był tak podekscytowany tym, że zaciągnął do wyrka Blondynę z Wyższych Sfer, że nie pamiętał o takich duperelach jak kliknięcie w jedną ikonę, żeby dać znać innym potencjalnym kandydatkom, że jest zajęty. A może przystojniak Jeff miał zapasowy plan, Plan B, na wypadek gdyby z Daną mu nie wyszło (albo za mało mu dawała). Tak jest, nasz drogi Jeff może mieć na podorędziu tłumek kobiet, które czekają z zapartym tchem, żeby stać się zastępstwem albo...

Dzwonek komórki litościwie wyrwał ją z otępienia. Odebrała, nie sprawdzając, kto dzwoni.

— Niczego nie ma.

To brzmiało jak głos Brandona.

— Co?

— Na temat Jeffa Raynesa. Niczego nie ma.

— Sama mogłam ci to powiedzieć.

— Sprawdzała go pani?

— Po pijaku.

— Słucham?

Mówiła bełkotliwie.

— Czego chcesz, Brandonie?

— Nie znalazłem żadnych informacji na temat Jeffa Raynesa.

— Tak, wiem. Chyba już o tym mówiliśmy.

— Jak to możliwe? O każdym da się coś znaleźć.

— A jeśli stara się nie wychylać?

— Sprawdziłem wszystkie bazy danych. W Stanach Zjednoczonych mieszka trzech Jeffów Raynesów. Jeden w Karolinie Północnej. Jeden w Teksasie. Jeden w Kalifornii. Żaden z nich to nie nasz Jeff.

— Co mam powiedzieć? Wielu ludzi nie rzuca się w oczy.

— To już przeszłość. Mówię poważnie. Nikt nie jest w stanie tak się ukrywać. Nie widzi pani, że coś tu śmierdzi?

Szafa grająca zaczęła odtwarzać *Oh Very Young* Cata Stevensa. Ta piosenka ją przygnębiała. Cat — poniekąd jej imiennik — śpiewał o tym, że chcesz, aby twój ojciec żył wiecznie, ale „wiesz, że tak nie będzie", że ten człowiek, którego kochasz, kiedyś wyblaknie jak jego najlepsze niebieskie dżinsy. Rany, ten tekst zawsze mocno ją poruszał.

— Nie wiem, co mogę na to poradzić, Brandonie.

— Potrzebuję jeszcze jednej przysługi.

Westchnęła.

— Sprawdziłem karty kredytowe mamy. W ciągu ostatnich czterech dni tylko raz z nich korzystała. Wypłaciła pieniądze z bankomatu w dniu, w którym zniknęła.

— Nie zniknęła, tylko...

— Nieważne, ale to był bankomat w Parkchester.

— No i co?

— Na lotnisko jedzie się od nas przez most Whitestone. Do Parkchester trzeba zjechać wcześniej. Dlaczego zboczyła z drogi?

— Kto wie? Może przegapiła skręt. Może chciała wstąpić do jakiegoś eleganckiego butiku z bielizną, którego nie znasz, i kupić coś seksownego na wycieczkę.

— Butiku z bielizną?

Kat pokręciła głową, próbując odzyskać jasność umysłu.

— Posłuchaj, Brandonie. I tak nie mam tam jurysdykcji. Powinieneś zgłosić się do policjanta, z którym rozmawiałeś w Greenwich. Jak on się nazywał...?

— Detektyw Schwartz.

— O właśnie.

— Proszę. Czy pani nie może tego zrobić?

— Czego?

— Sprawdzić tamtej wypłaty z bankomatu.

— Jak myślisz, co wtedy odkryję, Brandonie?

— Mama nigdy nie używa swojej karty bankomatowej. Dosłownie nigdy. Nawet nie wiem, czy potrafi. Zawsze wypłacam dla niej pieniądze. Czy nie mogłaby pani... nie wiem, sprawdzić nagrania z monitoringu albo coś?

— Już jest późno — odparła Kat, przypominając sobie własną zasadę, żeby nie myśleć zbyt wiele podczas picia. — Porozmawiamy rano, dobrze?

Przerwała połączenie, zanim zdążył odpowiedzieć. Skinęła głową do Pete'a, prosząc, żeby dopisał należność do jej rachunku, a następnie wyszła na świeże powietrze. Uwielbiała Nowy Jork. Znajomi próbowali ją wyciągać na wycieczki do lasu albo na plażę, a ona, owszem, lubiła tam jeździć, ale najwyżej na kilka dni. Przebywanie na łonie natury ją nudziło. Rośliny, drzewa, fauna bywają interesujące, ale cóż jest ciekawszego od twarzy, strojów, nakryć głowy, butów, witryn sklepowych czy ulicznych straganów?

Na niebie lśnił półksiężyc. Kiedy Kat była małą dziewczynką, księżyc ją fascynował. Zatrzymała się, wpatrzyła się w niego i poczuła, że łzy napływają jej do oczu. Niespodziewanie powróciło do niej pewne wspomnienie. Gdy miała sześć lat, ojciec postawił drabinę na podwórku. Wypuścił Kat z domu, wskazał drabinę i powiedział, że właśnie zawiesił księżyc, specjalnie dla niej. Uwierzyła mu. Wierzyła, że właśnie w ten sposób księżyc pojawia się na niebie — dopóki nie była zbyt duża, żeby wierzyć w takie rzeczy.

Miała dwadzieścia dwa lata, kiedy ojciec zginął — z pewnością była za młoda. Jednak Brandon Phelps stracił ojca, gdy miał zaledwie szesnaście lat.

Czy może dziwić, że tak mocno trzyma się matki?

Było już późno, kiedy Kat dotarła do swojego mieszkania, ale posterunki policji pracują przez całą dobę. Znalazła numer telefonu posterunku w Greenwich i zadzwoniła, przedstawiając się jako funkcjonariuszka nowojorskiej policji. Zamierzała zostawić wiadomość dla detektywa Schwartza, ale dyspozytor ją zaskoczył.

— Proszę zaczekać. Joe jest tutaj. Połączę panią.

Dwa sygnały później usłyszała głos w słuchawce:

— Mówi detektyw Joseph Schwartz. Czym mogę służyć?

Grzecznie.

Kat podała swoje nazwisko i stopień.

— Dzisiaj przyszedł do mnie młody człowiek, który przedstawił się jako Brandon Phelps.

— Chwileczkę, mówiła pani, że pracuje w nowojorskiej policji?

— Tak.

— Czyli Brandon odwiedził panią w Nowym Jorku?

— Zgadza się.

— Jest pani przyjaciółką jego rodziny albo kimś w tym rodzaju?

— Nie.

— Nie rozumiem.

— Chłopak twierdzi, że zaginęła jego matka — wyjaśniła Kat.

— Tak, wiem.

— Chciał, żebym to sprawdziła.

Schwartz westchnął.

— Po cholerę on do pani pojechał?

— Pan go zna?

— Oczywiście, że go znam. Mówiła pani, że pracuje w Nowym Jorku, tak? Dlaczego zwrócił się do pani?

Kat nie miała ochoty rozwodzić się na temat nielegalnych hakerskich praktyk Brandona ani swoich odwiedzin w serwisie randkowym.

— Nie jestem pewna, ale powiedział, że to pana najpierw poprosił o pomoc. To prawda?

— Owszem.

— Wiem, że jego twierdzenie wygląda na absurdalne, zastanawiam się tylko, czy możemy jakoś go uspokoić — ciągnęła Kat.

— Detektyw Donovan?

— Mów mi Kat.

— W porządku, mów mi Joe. Nie wiem, jak to ująć... — Przez chwilę milczał. — Obawiam się, że nie usłyszałaś całej historii.

— Zamieniam się w słuch.

— Mam lepszy pomysł. Może rano przyjedziesz do Greenwich?

— To trochę daleko.

— Tylko czterdzieści minut ze śródmieścia. Sądzę, że oboje na tym zyskamy. Będę tutaj do południa.

▪ ▪ ▪

Kat przyjechałaby od razu, ale za dużo wypiła. Spała niespokojnie, a potem postanowiła zaczekać, aż zmaleje ruch na drogach, i poszła na trening jogi. Aqua, który zawsze był na miejscu przed pierwszym uczniem, tym razem się nie pojawił. Adepci szeptali zaniepokojeni. Jakaś chuda staruszka postanowiła poprowadzić zajęcia, ale nie było chętnych, by się do niej przyłączyć. Uczniowie zaczęli się powoli rozchodzić. Kat zaczekała jeszcze kilka minut, licząc na to, że Aqua się pojawi. Tak się jednak nie stało.

Kwadrans po dziewiątej uznała, że ulice są już wystarczająco przejezdne, i wypożyczyła samochód. Droga, zgodnie z zapowiedzią, zajęła jej czterdzieści minut.

Kiedy ktoś przywołuje ze swojego słownika wyraz „szykowny", przed oczami ma wykwintne i bogate Greenwich w stanie Connecticut. Jeśli ktoś zarządza funduszem hedgingowym o wartości ponad miliarda dolarów, to jego obowiązkiem jest osiedlenie się w Greenwich. Miasteczko szczyci się najbogatszymi mieszkańcami w całych Stanach Zjednoczonych i to widać.

Detektyw Schwartz poczęstował Kat colą. Przyjęła napój i usiadła po drugiej stronie biurka pokrytego laminatem. Wszystko na posterunku wyglądało na eleganckie, drogie i nieużywane. Schwartz nosił podkręcone do góry wąsy o nawoskowanych końcówkach, koszulę i szelki.

— Opowiedz mi, w jaki sposób zaangażowałaś się w tę sprawę — zaczął.

— Brandon do mnie przyszedł. Poprosił o pomoc.

— Nadal nie rozumiem dlaczego.

Kat nie była gotowa, żeby ujawnić wszystkie szczegóły.

— Twierdził, że mu nie uwierzyliście.

Schwartz posłał jej sceptyczne zawodowe spojrzenie.

— Więc pomyślał, że będzie miał więcej szczęścia u przypadkowego gliniarza w Nowym Jorku?

Kat uznała, że najlepiej skierować rozmowę na inne tory.

— Przyszedł do was, prawda?

— Tak.

— Wspomniałeś przez telefon, że wcześniej go znałeś?

— Mniej więcej. — Joe Schwartz pochylił się w jej stronę. — To niewielkie miasteczko, rozumiesz? Może nie pod względem powierzchni, ale mieszka tutaj niewielu ludzi.

— Prosisz mnie o dyskrecję.

— Tak.

— Zgoda.

Odchylił się do tyłu i położył dłonie na biurku.

— Na naszym posterunku aż za dobrze znamy Brandona Phelpsa.

— To znaczy?

— A jak ci się wydaje?

— Sprawdzałam, nie był notowany — odparła Kat.

Schwartz rozczapierzył dłoń.

— Chyba nie słuchałaś, kiedy mówiłem, że to niewielkie miasteczko.

— Aha.

— Oglądałaś film *Chinatown*? — spytał.

— Jasne.

Schwartz odchrząknął i spróbował naśladować Joego Mantella.

— „Zapomnij, Jake. To Greenwich". Nie zrozum mnie źle. Był aresztowany tylko za duperele. Kilka włamań do budynku szkoły średniej, przekroczenie dozwolonej prędkości, wandalizm, sprzedaż trawki i tak dalej. Zresztą trzeba uczciwie przyznać, że to wydarzyło się dopiero po śmierci ojca. Wszyscy znaliśmy i lubiliśmy jego staruszka, a matka, Dana Phelps, to dobra kobieta. Sól tej ziemi. Można na niej polegać w każdych okolicznościach. Ale dzieciak... sam nie wiem. Zawsze coś było z nim nie tak.

— W jakim sensie?

— To nic poważnego, naprawdę. Mam syna w jego wieku. Brandon nie potrafił się przystosować, choć przyznam, że to nie jest łatwe miasto.

— Jednak przyszedł do was kilka dni temu. Powiedział, że martwi się o swoją matkę.

— Tak. — Na biurku leżał spinacz do papieru. Schwartz go podniósł i zaczął wyginać na wszystkie strony. — Ale również nas okłamał.

— Jak?

— Co ci powiedział o rzekomym zniknięciu swojej matki?

— Twierdził, że poznała jakiegoś faceta w internecie i wyjechali gdzieś razem, a teraz nie daje znaku życia, chociaż zawsze się z nim kontaktowała.

— Tak, nam też to powiedział — mruknął Schwartz. — Ale to nie jest prawda. — Upuścił spinacz i otworzył szufladę. Wyjął batonik proteinowy. — Poczęstujesz się? Mam ich mnóstwo.

— Nie, dzięki. Więc jaka jest prawda?

Zaczął przeglądać stertę papierów.

— Położyłem je tutaj, ponieważ wiedziałem, że będziesz... zaczekaj, już mam. Rejestr połączeń telefonicznych Brandona. — Wręczył jej kartki. — Widzisz te zaznaczone na żółto?

Zobaczyła dwa podkreślone SMS-y. Oba wysłano z tego samego numeru.

— Brandon dostał dwa SMS-y od matki. Pierwszy dwa dni temu wieczorem, drugi wczoraj wcześnie rano.

— To komórka jego matki?

— Tak.

Kat poczuła, że się czerwieni.

— Wiecie, jaka była ich treść?

— Kiedy ostatnio tutaj był, wiedziałem tylko o pierwszej wiadomości. Zapytałem go o nią, a on mi ją pokazał To było coś w rodzaju: „Dojechałam, świetnie się bawię, tęsknię".

Kat nie odrywała wzroku od kartki.

— Jak to wytłumaczył?

— Upierał się, że to nie matka wysłała tę wiadomość. Ale to jej numer. Widać to czarno na białym.

— Dzwoniliście pod ten numer?

— Dzwoniliśmy. Nikt nie odebrał.

— Nie wydaje wam się to podejrzane?

— Nie. Powiem wprost, uważamy, że jest na jakiejś wyspie i bzyka się po raz pierwszy od trzech lat. Myślisz, że jest inaczej?

— Nie — odparła Kat. — Tylko bawiłam się w adwokata diabła.

— Oczywiście to niejedyne wyjaśnienie.

— Co masz na myśli?

Schwartz wzruszył ramionami.

— Niewykluczone, że Dana Phelps rzeczywiście zaginęła.

Kat czekała, aż detektyw powie więcej, ale Schwartz milczał. W końcu spytała:

— Brandon mówił wam o wypłacie z bankomatu?

— Co ciekawe, nie.

— Może o niej nie wiedział, kiedy z wami rozmawiał.

— To jedna z teorii.

— Masz inną?

— Owszem. A raczej miałem. Właśnie dlatego poprosiłem, żebyś tutaj przyjechała.

— Naprawdę?

— Postaw się na moim miejscu. Przychodzi do mnie zaniepokojony nastolatek. Utrzymuje, że jego matka zaginęła. Na podstawie SMS-ów wiemy, że kłamie. Dowiadujemy się o wypłacie z bankomatu. Jeśli rzeczywiście doszło tutaj do nieczystej gry, to kto jest głównym podejrzanym?

Kat pokiwała głową.

— Zaniepokojony nastolatek.

— Bingo.

Kat rozważała taką ewentualność, lecz szybko ją odrzuciła. Oczywiście nie znała przeszłości Brandona, ale Schwartz z kolei nie miał pojęcia ani o tym, że chłopak włamał się na YouAreJustMyType, ani o jej związku z tą sprawą. Z drugiej strony Brandon okłamał ją w kwestii SMS-ów. Teraz to wiedziała. Więc co tak naprawdę kombinował?

— Pomyślałeś, że Brandon mógł skrzywdzić własną matkę?

— Nie byłem gotowy na tak daleko idące wnioski. Nie sądziłem jednak, żeby Dana Phelps zaginęła. Dlatego wykonałem kolejny krok.

— Czyli?

— Poprosiłem o nagranie z monitoringu przy bankomacie. Pomyślałem, że też zechcesz je obejrzeć. — Odwrócił monitor na biurku w stronę Kat i nacisnął kilka klawiszy. Pojawił się obraz z dwóch kamer na podzielonym ekranie. To była najnowsza technologia. Zbyt wielu ludzi wie o kamerze z przodu bankomatu, więc mogą ją zakryć dłonią. Obraz po lewej przedstawiał właśnie to ujęcie: szerokokątny obraz z perspektywy bankomatu. Drugie ujęcie, po prawej stronie ekranu, ukazywało widok z góry, jak w typowych nagraniach ze sklepowych kradzieży. Kat orientowała się, że zainstalowanie kamery przy suficie jest łatwiejsze, ale prawie zawsze takie nagrania okazywały się bezużyteczne. Przestępcy noszą bejsbolówki i chowają podbródki. Należy nagrywać z dołu, a nie z góry.

Obraz — co stawało się coraz częstsze — był kolorowy, a nie czarno-biały. Schwartz położył dłoń na myszy.

— Gotowa?

Pokiwała głową, a wtedy wcisnął przycisk PLAY.

Przez kilka sekund nic się nie działo. Potem na ekranie pojawiła się kobieta. Nie było wątpliwości, że to Dana Phelps.

— Wygląda na niespokojną?

Kat pokręciła głową. Nawet na nagraniu z monitoringu Dana prezentowała się olśniewająco. Co więcej, miało się wrażenie, że jest gotowa na wakacje z nowym kochankiem. Kat wbrew sobie poczuła ukłucie zazdrości. Włosy Dany wyglądały, jakby właśnie wyszła od fryzjera. Paznokcie — Kat zobaczyła je z bliska, gdy kobieta wciskała guziki — ze starannym manikiurem. Ubranie także wydawało się idealne na romantyczną wycieczkę na Karaiby.

Jaskrawożółta letnia sukienka.

16

Aqua przechadzał się przed apartamentowcem Kat.

Poruszał się według ustalonego systemu: dwa kroki — zwrot o sto osiemdziesiąt stopni — dwa kroki — zwrot o sto osiemdziesiąt stopni. Kat zatrzymała się na rogu ulicy i przez chwilę na niego patrzyła. Ściskał coś w dłoni — czy to była kartka? — i przemawiał do tego przedmiotu. Nie, raczej się z nim kłócił, a nawet go o coś prosił.

Ludzie omijali Aquę szerokim łukiem, ale to był Nowy Jork. Nikt nie reagował nerwowo. Kat ruszyła w jego stronę. Przyjaciel nie odwiedzał jej od ponad dziesięciu lat, co więc tutaj robił? Kiedy dzieliło ją od niego około trzech metrów, zobaczyła, co znajduje się na kartce, którą ściskał w prawej dłoni.

To było zdjęcie Jeffa, które dała mu ponad dwa tygodnie wcześniej.

— Aqua?

Zatrzymał się w pół kroku i odwrócił w jej stronę. Miał szeroko otwarte oczy, w których czaiło się szaleństwo. Kat już wcześniej była świadkiem, jak Aqua mówi do siebie, obsesyjnie krąży albo miewa napady złości, ale nigdy nie widziała go tak... pobudzonego? Nie. To było coś więcej. Raczej cierpiącego.

— Dlaczego?! — wykrzyknął, podnosząc zdjęcie Jeffa.

— Dlaczego co, Aqua?

— Kochałem go — jęknął boleśnie. — Ty go kochałaś.

— Wiem, że tak było.

— Dlaczego?

Zaczął szlochać. Przechodnie omijali go coraz szerszym łukiem. Kat się zbliżyła. Rozpostarła ramiona, a on przytulił się do niej, nie przestając płakać.

— Już dobrze — powiedziała cicho.

Aqua się nie uspokajał, co jakiś czas jego ciałem wstrząsał szloch. Nie powinna była pokazywać mu tego zdjęcia. Jest zbyt delikatny. Potrzebuje rutyny. Potrzebuje niezmienności, a ona wręczyła mu zdjęcie kogoś, na kim bardzo mu zależało, a z kim już nie ma kontaktu.

Zaraz. A skąd ona może wiedzieć, że Aqua nie widuje się z Jeffem?

Osiemnaście lat wcześniej Jeff z nią zerwał. To nie musi jednak oznaczać, że odciął się od wszystkich wspólnych znajomych, prawda? Być może wciąż spotykają się z Aquą, jak na przyjaciół przystało, chodzą na piwo, wspólnie oglądają mecze. Tylko że Aqua nie ma komputera, telefonu ani nawet adresu.

Ale czy to możliwe, że nie stracili ze sobą kontaktu?

Wydawało się to mało prawdopodobne. Kat pozwoliła, żeby Aqua wypłakał się na ulicy. W końcu się pozbierał, choć zajęło to trochę czasu. Klepała go po plecach i szeptała kojące słowa. Już kiedyś to dla niego robiła, zwłaszcza po odejściu Jeffa, lecz od tego czasu minęło wiele, wiele lat. Wtedy użalała się nad nim, choć zarazem czuła złość. To ona została porzucona, a nie on. Czy to nie Aqua powinien ją pocieszać?

Jednak bardzo jej brakowało tej relacji. Już dawno opłakała stratę przyjaciela, godząc się z myślą, że może na niego liczyć tylko jako na instruktora jogi. Teraz, trzymając go w objęciach, wróciła myślą do dawnych czasów i ponownie poczuła tęsknotę za wszystkim, co utraciła przed osiemnastu laty.

— Jesteś głodny? — spytała.

Aqua wyprostował się i pokiwał głową. Po jego twarzy spływały łzy i smarki. Podobnie jak po bluzce Kat. Nie dbała o to. Jej też zbierało się na płacz — nie tylko na myśl o Jeffie oraz o tym, co kiedyś łączyło ją z Aquą, ale także pod wpływem fizycznej bliskości z kimś, kto był jej drogi. Minęło tak dużo czasu. Zdecydowanie za dużo.

— Trochę jestem głodny — powiedział Aqua. — Tak mi się wydaje.

— Pójdziemy coś zjeść?

— Powinienem się zbierać.

— Nie, nie, chodźmy coś zjeść, dobrze?

— Chyba nie, Kat.

— Nie rozumiem. Po co w ogóle tutaj przyszedłeś?

— Jutrzejsze zajęcia — zmienił temat. — Muszę się przygotować.

— Chodź — poprosiła, trzymając go za rękę i starając się, żeby jej głos nie zabrzmiał błagalnie. — Zostań ze mną na chwilę, dobrze?

Nie odpowiedział.

— Mówiłeś, że jesteś głodny, tak?

— No, jestem.

— Więc chodźmy coś przekąsić, dobrze?

Aqua otarł twarz rękawem.

— W porządku.

Ruszyli ulicą ramię w ramię. Pomyślała, że stanowią dosyć dziwaczną parę, lecz w końcu to był Nowy Jork. Przez jakiś czas szli w milczeniu. Aqua przestał płakać. Kat nie chciała go naciskać, ale nie mogła tego tak zostawić.

— Tęsknisz za nim — zagadnęła.

Zacisnął powieki, jakby chciał odpędzić te słowa.

— W porządku, rozumiem.

— Niczego nie rozumiesz — odparł.

Nie była pewna, jak na to odpowiedzieć, więc zaproponowała:

— No to wyjaśnij.

— Tęsknię za nim — przyznał. Potem zatrzymał się i odwrócił w jej stronę. Kiedy na nią popatrzył, w jego oczach dostrzegła coś na kształt współczucia. — Ale nie tak jak ty, Kat.

Zaczął się oddalać. Przyspieszyła kroku, żeby go dogonić.

— Nic mi nie jest — zapewniła.

— Powinno było się udać.

— O czym mówisz?

— Powinno było się udać tobie i Jeffowi.

— Tak, cóż, ale się nie udało.

— Zupełnie jakbyście przez całe życie podróżowali oddzielnymi drogami, choć wasze ścieżki powinny się połączyć. Musicie to dostrzec. Oboje.

— Z pewnością nie oboje — odparła.

— Wędrujemy życiowymi drogami. Sami wybieramy podróż, ale czasami jesteśmy zmuszeni zmienić trasę.

Naprawdę nie była w nastroju na jogińskie mądrości.

— Aqua?

— Tak?

— Widziałeś się z Jeffem?

Ponownie się zatrzymał.

— Po tym, jak mnie zostawił. Czy się z nim widziałeś?

Mocniej zacisnął dłoń na jej ramieniu i znów ruszył przed siebie. Kat trzymała się blisko. Skręcili w prawo w Columbus Avenue i powędrowali na północ.

— Dwa razy — odparł.

— Widziałeś się z nim dwa razy?

Aqua podniósł wzrok ku niebu, a potem zamknął oczy. Kat go nie popędzała. W szkole też się tak zachowywał. Opowiadał, że promienie słońca na twarzy odprężają go i pozwalają mu się skupić. Przez chwilę wydawało się nawet, że to działa. Ale teraz jego twarz była wyniszczona. Ze zmarszczek wokół oczu i ust dało się wyczytać wszystkie złe lata. Skóra w kolorze „mocha latte" popękała, jak u ludzi, którzy zbyt długo żyją na ulicy.

— Wrócił do pokoju po tym, jak z tobą zerwał — wyjaśnił Aqua.

— Och. — Nie takiej odpowiedzi oczekiwała.

Ze względu na swój sposób bycia Aqua mieszkał w kampusie w jednoosobowym pokoju. Uczelnia próbowała przydzielać mu współlokatorów, ale nic z tego nie wyszło. Niektórych odstręczało to, że nosił kobiece stroje, ale prawdziwy problem stanowił fakt, że Aqua nigdy nie sypiał. Uczył się. Czytał. Pracował w laboratorium i szkolnej kawiarni, miał także wieczorną pracę w klubie dla fetyszystów w Jersey City. Na trzecim roku stracił swój pokój i został przydzielony do trójki innych studentów. To się nie mogło dobrze skończyć. Wtedy Jeff znalazł trzypokojowe mieszkanie przy Sto Siedemdziesiątej Ósmej Ulicy. Nazywał je Szczęśliwym Trafem.

Aqua znów się rozkleił.

— Jeff był zdruzgotany.

— Dzięki. Po osiemnastu latach to wiele znaczy.

— Nie bądź taka, Kat. — Był oszołomiony, ale nie przegapił sarkazmu w jej głosie.

— Więc kiedy widziałeś się z nim po raz drugi? — spytała.

— Dwudziestego pierwszego marca.

— Którego roku?

— Jak to którego? Tego.

Kat się zatrzymała.

— Zaraz. Chcesz mi powiedzieć, że spotkałeś się z Jeffem pół roku temu, po raz pierwszy od czasu naszego rozstania?

Zaczął się nerwowo wiercić.

— Aqua?

— Nauczam jogi.

— Tak, wiem.

— Jestem dobrym nauczycielem.

— Najlepszym. Gdzie dokładnie widziałeś się z Jeffem?

— Byłaś tam.

— O czym ty mówisz?

— Uczestniczyłaś w moich zajęciach. Dwudziestego pierwszego marca. Nie jesteś moją najlepszą uczennicą, ale się starasz. Jesteś sumienna.

— Aqua, gdzie widziałeś się z Jeffem?

— Podczas zajęć, dwudziestego pierwszego marca.

— W tym roku?

— Tak.

— Chcesz mi powiedzieć, że pół roku temu Jeff brał udział w twoich zajęciach?

— Nie brał w nich udziału — odparł. — Stał za drzewem. Obserwował cię. Bardzo cierpiał.

— Rozmawiałeś z nim?

Pokręcił głową.

— Prowadziłem zajęcia. Myślałem, że może z tobą rozmawiał.

— Nie — zaprzeczyła, a potem przypomniała sobie, że ma do czynienia z niezbyt wiarygodnym umysłem, i postanowiła dać temu spokój. Niemożliwe, żeby Jeff był w Central Parku przed sześcioma miesiącami i obserwował ich zajęcia zza drzewa. To nie miało sensu.

— Tak mi przykro, Kat.

— Nie przejmuj się.

— To wszystko zmieniło. Nie wiedziałem, że tak będzie.

— Już w porządku.

Byli oddaleni o pół przecznicy od O'Malley's. W dawnych czasach przesiadywali tam razem — Kat, Jeff, Aqua i kilkoro innych znajomych. Można by pomyśleć, że O'Malley's nie było przyjaznym miejscem dla transwestyty, do tego przedstawiciela dwóch ras. Rzeczywiście. Początkowo Aqua ubierał się do pubu w męskie stroje, nie chroniło go to jednak przed kpinami. Tata tylko kręcił głową. Nie był tak nieprzyjemny jak większość ludzi z okolicy, ale też nie miał cierpliwości do „pedziów".

— Nie powinnaś się obracać w towarzystwie takich ludzi — tłumaczył Kat. — Nie są w porządku.

Kręciła głową i przewracała oczami. Traktowała tak ich wszystkich. Ludzie często nazywają tamtych gliniarzy przedstawicielami „starej szkoły". To prawda, choć nie zawsze jest to komplement. Mieli wąskie horyzonty i zamknięte umysły. Można ich było usprawiedliwiać (i tak robiono), lecz nie da się ukryć, że byli bigotami. Być może uroczymi, ale jednak bigotami. Szydzili z gejów, a do pewnego stopnia także z każdej innej grupy i narodowości. To przenikało do ich słownika. Jeśli ktoś czegoś im żałował, mówili, że jest „skąpy jak Żyd". Każde zachowanie, które nie pasowało do stereotypu macho, było „pedalskie". Jeśli zawodnik nie radził sobie na boisku, grał „jak czarnuch". Kat tego nie usprawiedliwiała, lecz kiedy była młodsza, nie pozwalała, żeby wyprowadzało ją to z równowagi.

Aqua był na tyle mądry (albo cierpliwy), że się tym nie przejmował. „Jak inaczej ma się dokonać ewolucja poglądów?" — mawiał. Czasami traktował to jako wyzwanie. Wpadał do pubu, puszczając mimo uszu — albo raczej świadomie ignorując — kpiące śmiechy i chichoty. Po jakimś czasie większość policjantów zmieniła obiekt zainteresowania, znudziła się i przestała zwracać uwagę na Aquę. Tata i jego koledzy trzymali się na dystans.

Te zachowania wkurzały Kat — zwłaszcza gdy dopuszczał się ich jej ojciec — lecz Aqua tylko wzruszał ramionami. „To postęp".

Kiedy dotarli do drzwi pubu, Aqua się zatrzymał. Ponownie szerzej otworzył oczy.

— Co się stało? — spytała Kat.

— Mam zajęcia.

— Tak, wiem. Ale dopiero jutro.

Pokręcił głową.

— Muszę się przygotować. Jestem joginem. Nauczycielem. Instruktorem.

— I to dobrym.

Nadal kręcił głową. Miał łzy w oczach.

— Nie mogę wrócić.

— Nie musisz nigdzie iść.

— Tak bardzo cię kochał.

Nawet nie spytała, kogo miał na myśli.

— W porządku, Aqua. Zamówimy tylko coś do jedzenia, okay?

— Jestem dobrym nauczycielem, prawda?

— Najlepszym.

— Więc pozwól mi robić to, na czym się znam. Właśnie tak pomagam innym. W ten sposób zachowuję skupienie. Daję coś od siebie społeczeństwu.

— Musisz jeść.

Nad wejściem do pubu umocowany był neon reklamujący budweisera. Kat widziała, jak czerwone światło odbija się w oczach Aquy. Sięgnęła do klamki i otworzyła drzwi.

— Nie mogę wrócić! — wrzasnął Aqua.

Kat puściła klamkę.

— Wszystko w porządku. Rozumiem. Chodźmy gdzie indziej.

— Nie! Zostaw mnie w spokoju! Zostaw go w spokoju!

— Aqua?

Wyciągnęła do niego ręce, ale się odsunął.

— Zostaw go w spokoju — powtórzył, a jego głos tym razem zabrzmiał bardziej jak syk. Potem odbiegł ulicą w stronę parku.

17

Godzinę później w O'Malley's zjawiła się Stacy.

Kat wszystko jej opowiedziała. Przyjaciółka pokręciła głową.

— Rany, chciałam tylko pomóc ci znaleźć kogoś do bzykania.

— Przecież wiem.

— Każdy dobry uczynek spotyka się z karą. — Stacy nieco zbyt intensywnie wpatrywała się w swoje piwo. Zaczęła odrywać etykietę.

— Co się stało? — spytała Kat.

— Cóż... pozwoliłam sobie na własne śledztwo w tej sprawie.

— To znaczy?

— Dokładnie sprawdziłam twojego byłego narzeczonego, Jeffa Raynesa.

Kat przełknęła niewielki łyk.

— Co znalazłaś?

— Niewiele.

— Czyli?

— Wiesz, dokąd wyjechał, kiedy się rozstaliście?

— Nie.

— Nie byłaś ciekawa?

— Byłam — przyznała Kat. — Ale facet mnie rzucił.

— No tak, rozumiem.

— Więc dokąd wyjechał?

— Do Cincinnati.

Kat zapatrzyła się w dal.

— To ma sens. Stamtąd pochodził.

— No tak. A więc mniej więcej trzy miesiące po waszym rozstaniu wdał się w bójkę w barze.

— Jeff?

— Tak.

— W Cincinnati?

Stacy pokiwała głową.

— Nie znam szczegółów. Przyjechała policja. Zatrzymali go za wykroczenie. Zapłacił grzywnę i na tym się skończyło.

— Okay. A potem?

— Potem nic.

— Jak to?

— Nie ma żadnych innych informacji na temat Jeffa Raynesa. Żadnych płatności kartą, paszportu, kont bankowych. Zero.

— Zaraz, to wstępne ustalenia, tak?

Stacy pokręciła głową.

— Sprawdziłam wszystko. Rozpłynął się w powietrzu.

— Niemożliwe. Jest na YouAreJustMyType.

— Ale czy twój znajomy Brandon nie mówił, że Jeff używał innego imienia?

— Jack. I wiesz co? — Kat uderzyła dłońmi o blat. — Już mnie to nie obchodzi. To przeszłość.

Stacy się uśmiechnęła.

— Dobre podejście.

— Mam dosyć duchów na jeden wieczór.

— Słusznie.

Stuknęły się butelkami z piwem.

— W swoim profilu napisał, że jest wdowcem — odezwała się po chwili Kat, starając się, by jej głos brzmiał nonszalancko. — No i że ma dziecko.

— Tak, wiem.

— Jednak o tym się nie dowiedziałaś.

— Nie dowiedziałam się o niczym poza tamtą bójką w barze osiemnaście lat temu.

Kat pokręciła głową.

— Nic z tego nie rozumiem.

— Ale cię to nie obchodzi, prawda?

Kat zdecydowanie przytaknęła.

— Prawda.

Stacy rozejrzała się po barze.

— Czy mi się wydaje, czy dzisiaj mamy tutaj wyjątkowo dużo palantów?

Próbuje odwrócić moją uwagę, pomyślała Kat, ale to dobrze. No i rzeczywiście się nie myliła. Tego pięknego wieczoru O'Malley's zmienił się w siedzibę Organizacji Palantów Zjednoczonych. Jakiś gość uchylił kowbojskiego kapelusza i rzucił z brooklińskim akcentem: „Siemasz". Tańczący facet — w każdym barze musi się znaleźć ktoś, kto, podpuszczany przez kumpli, porusza się jak robot albo udaje Michaela Jacksona — popisywał się obok szafy grającej. Jeden koleś miał na sobie bluzę piłkarską, czego Kat nie lubiła u mężczyzn, ale jeszcze bardziej u kobiet, zwłaszcza tych, które zbyt głośno dopingują swoją drużynę, próbując za wszelką cenę udowodnić, że są prawdziwymi fankami. Zawsze wyglądają na zdesperowane. Dwóch nadmuchanych sterydami, nadmiernie rozdętych mięśniaków prężyło się na środku baru — ci goście nigdy nie siadają w ciemnych kątach. Chcą, żeby ich widziano. Zawsze noszą koszule w tym samym rozmiarze: za małym. W pubie pojawili się także hipsterzy śmierdzący trawką, faceci z wytatuowanymi rękami, niechlujny pijaczyna, który obejmował ramieniem nieznajomego i opowiadał mu, że go kocha i chociaż dopiero się spotkali, zostaną najlepszymi przyjaciółmi.

Jakiś niespełniony harleyowiec w czarnej skórze i czerwonej bandanie — co samo w sobie dyskwalifikuje faceta — postanowił do nich podejść.

— Hej, mała — odezwał się, patrząc dokładnie pomiędzy obie kobiety. Kat uznała, że próbuje poderwać dwie ofiary na jeden tekst. — Nie wiesz, gdzie mogę dostać najlepszego loda?

Stacy popatrzyła na Kat.

— Musimy znaleźć nowy lokal.

Kat przytaknęła.

— Zresztą już pora kolacji. Zjemy w jakimś miejscu z klasą.

— Może w Telepan?

— Mniam.

— Weźmiemy menu z opcją degustacji.

— I kartę win.

— Pospieszmy się.

Wyszły z pubu i ruszyły chodnikiem, gdy nagle odezwała się komórka Kat. Dzwonił Brandon ze swojego normalnego telefonu, już nie musiał korzystać z aparatu na kartę. Kat zastanawiała się, czy go nie zignorować — w tej chwili pragnęła tylko menu z opcją degustacji oraz karty win w Telepan — ale mimo wszystko odebrała.

— Halo?

— Gdzie pani jest? — spytał Brandon. — Musimy porozmawiać.

— Nie, Brandonie, nie musimy. Zgadnij, dokąd się dzisiaj wybrałam?

— Dokąd?

— Na posterunek policji w Greenwich. Porozmawiałam sobie z naszym przyjacielem detektywem Schwartzem. Opowiedział mi o SMS-ie, który dostałeś.

— To nie jest tak, jak pani myśli.

— Skłamałeś.

— Nie skłamałem. Po prostu nie wspomniałem o SMS-ach. Ale mogę to wyjaśnić.

— Nie musisz. Wycofuję się, Brandonie. Miło było cię poznać. Powodzenia na przyszłość.

Właśnie miała się rozłączyć, gdy usłyszała kolejne słowa chłopaka:

— Dowiedziałem się czegoś o Jeffie.

Ponownie przyłożyła telefon do ucha.

— Że wdał się w bójkę w barze osiemnaście lat temu?

— Co? Nie. To coś nowszego.

— Posłuchaj, naprawdę mnie to nie obchodzi — rzuciła, a po chwili dodała: — Jest z twoją matką?

— To nie jest tak, jak myśleliśmy.

— Co nie jest tak?

— Wszystko.

— A konkretnie?

— Na przykład Jeff.

— Co z nim?

— Nie jest taki, jak się pani wydawało. Powinniśmy porozmawiać. Muszę to pani pokazać.

▪ ▪ ▪

Reynaldo upewnił się, że blondynka — nie musiał znać ich imion — nie ucieknie, po czym ruszył w stronę ścieżki prowadzącej do domu. Zapadła noc. Przyświecał sobie latarką. Dopiero tutaj odkrył, w wieku dziewiętnastu lat, że boi się ciemności. Tej prawdziwej. W mieście jej nie ma. Na zewnątrz zawsze towarzyszą człowiekowi latarnie, światła z okien albo witryn sklepowych. Nie sposób doświadczyć całkowitego mroku. Tymczasem w lesie nie widać dłoni trzymanej przed oczami. W takiej ciemności może się kryć wszystko. Wszystko może czaić.

Kiedy dotarł na polanę, zobaczył światła na werandzie. Przystanął i popatrzył na tę spokojną scenę. Nigdy nie widział czegoś takiego jak to gospodarstwo, dopóki tutaj nie przyjechali. Może w filmach, ale nie wierzył, że takie miejsca naprawdę istnieją, tak jak nie wierzył w Gwiazdę Śmierci z *Gwiezdnych wojen*. Sądził, że farmy, gdzie dzieciaki mogły wędrować bez końca, bawić się na świeżym powietrzu, a potem wracać do mamy i taty, żeby zajmować się domowymi obowiązkami, były fikcją. Teraz już wiedział, że takie miejsca są prawdziwe. Jednak rozgrywające się w nich wesołe historie nadal uważał za wytwór wyobraźni.

Miał swoje rozkazy, najpierw jednak skierował się do stodoły, żeby zajrzeć do swojego czekoladowego labradora, Bo. Zwierzak jak zwykle wybiegł do niego i przywitał go, jakby nie widzieli się od roku. Reynaldo uśmiechnął się, podrapał Bo za uszami i upewnił się, że miska z wodą jest pełna.

Kiedy skończył się zajmować psem, udał się do domu. Otworzył drzwi. Titus był w środku razem z Dymitrem, swoim młodocianym specem od komputerów, jak zwykle ubranym w kolorową koszulę i wełnianą czapkę. Titus postanowił urządzić wnętrze na modłę amiszów. Reynaldo nie wiedział dlaczego. Wszystkie meble stanowiły przykład solidnej stolarki — wytrzymałe, masywne, proste, pozbawione zdobień. Nie było tutaj niczego wyszukanego. Wszystko otaczała aura spokojnej siły.

W jednym z pokoi na piętrze znajdowały się ławeczka do ćwiczeń i ciężarki. Pierwotnie umieszczono je w piwnicy, ale wkrótce nikt nie miał ochoty schodzić pod ziemię, dlatego zostały przeniesione na górę.

Reynaldo ćwiczył codziennie, niezależnie od okoliczności. Ponadto trzymał w lodówce i szafce zestaw środków zwiększających wydolność organizmu. Większość z nich wstrzykiwał sobie samodzielnie w udo. Dostawcą był Titus.

Sześć lat wcześniej Titus znalazł Reynalda na śmietniku. Dosłownie. Reynaldo pracował na rogu ulicy w Queens, gdzie podbierał klientów innym męskim prostytutkom, żądając jedynie piętnaście dolarów za numerek. Tamtego dnia nie pobił go klient, tylko konkurencja. Mieli dosyć, że panoszy się na ich terytorium. Kiedy więc Reynaldo wysiadł z samochodu — szóstego w ciągu kilku godzin — dwaj mężczyźni rzucili się na niego i skatowali do nieprzytomności. Titus znalazł go zakrwawionego na ziemi. Reynaldo czuł tylko język Bo na swojej twarzy. Titus doprowadził go do porządku. Zabrał na siłownię, gdzie opowiedział mu o kulturystyce i sterydach, oraz nauczył, jak nie być niczyim popychadłem.

Nie tylko go uratował, ale i dał mu prawdziwe życie.

Reynaldo ruszył w kierunku schodów.

— Jeszcze nie — rzucił Titus.

Reynaldo odwrócił się i popatrzył na obu mężczyzn. Dymitr nie spuszczał wzroku z komputera, nieco za bardzo skupiając się na ekranie.

— Jakiś problem? — spytał Reynaldo.

— Nic, czego nie dałoby się rozwiązać — odparł Titus.

Chłopak czekał. Titus podszedł do niego i wręczył mu pistolet.

— Czekaj na mój sygnał.

— W porządku.

Reynaldo zatknął broń za pasek i zakrył ją koszulą. Titus przyglądał mu się przez chwilę, po czym pokiwał głową z uznaniem.

— Dymitr?

Chłopak zerknął ponad zabarwionymi na różowo szkłami okularów.

— Tak?

— Idź coś przegryźć.

Titus nie musiał mu tego powtarzać. Dymitr błyskawicznie opuścił pomieszczenie. Reynaldo i Titus zostali sami. Titus stanął w drzwiach. Reynaldo zobaczył podskakujące światło latarki w lesie. Ktoś pojawił się na polanie i wspiął po schodkach.

— Cześć, chłopaki.

Claude, w eleganckim czarnym garniturze, był jednym z dwóch facetów zajmujących się transportem, których zatrudniał Titus.

— Co słychać? — spytał Claude z szerokim uśmiechem. — Mam odebrać kolejną przesyłkę?

— Jeszcze nie — odparł Titus spokojnym głosem, od którego włoski na karku Reynalda stanęły dęba. — Najpierw musimy porozmawiać.

Uśmiech na twarzy Claude'a nieco przybladł.

— Coś się stało?

— Zdejmij marynarkę.

— Słucham?

— To piękny garnitur, ale mamy ciepły wieczór. Nie musisz być tak ubrany. Proszę, zdejmij marynarkę.

Nie było to łatwe, ale Claude zdołał nonszalancko wzruszyć ramionami.

— Jasne, czemu nie? — Zdjął marynarkę.

— Spodnie też.

— Co takiego?

— Zdejmij je, Claude.

— Co się dzieje? Nie rozumiem.

— Spełnij mój kaprys, Claude. Zdejmij spodnie.

Claude zerknął na Reynalda, jednak ten tylko się w niego wpatrywał.

— Dobrze, czemu nie? — mruknął, wciąż udając, że nic się nie stało. — W końcu obaj jesteście w szortach, więc mogę się dostosować, prawda?

— Prawda, Claude.

Claude zdjął spodnie. Titus powiesił je starannie na oparciu krzesła w kącie, a potem odwrócił się w stronę Claude'a, który stał, ubrany tylko w koszulę, krawat, bokserki i skarpety.

— Chciałbym, żebyś mi opowiedział o ostatniej dostawie.

Uśmiech Claude'a na chwilę zadrżał, ale nie zniknął.

— A co tu jest do opowiadania? Wszystko poszło gładko. Dziewczyna jest na farmie, prawda? — Claude zachichotał w wymuszony sposób. Rozłożył ręce, ponownie spoglądając na

Reynalda w poszukiwaniu wsparcia, ale ten trwał nieruchomo jak posąg. Wiedział, dokąd zmierza ta rozmowa, tylko jeszcze nie był pewien trasy.

Titus zbliżył się i zatrzymał kilkanaście centymetrów od Claude'a.

— Opowiedz mi o bankomacie.

— O czym? — spytał Claude, a potem widząc, że to nie zadziała, dodał: — Ach, o tym.

— Słucham.

— No tak... Wiem, że masz zasady, i nigdy bym ich nie złamał, chyba że byłoby to absolutnie konieczne.

Titus cierpliwie słuchał. Nigdzie mu się nie spieszyło.

— A więc dobrze. Ruszyłem z miejsca, ale zaraz uświadomiłem sobie jak jakiś idiota... choć w sumie nie „jak" idiota, bo rzeczywiście byłem zapominalskim idiotą. Okazało się, że zostawiłem portfel w domu. Głupota, co nie? Przecież nie mogłem pojechać bez gotówki. W końcu to daleka droga. Rozumiesz to, prawda, Titusie?

Przerwał, czekając na odpowiedź, Titus jednak milczał.

— Tak więc zatrzymaliśmy się przy bankomacie. Ale nie martw się, nie opuściliśmy stanu. Byliśmy niecałe trzydzieści kilometrów od jej domu. Nie wysiadłem z auta, więc monitoring nie mógł mnie uchwycić. Po prostu trzymałem ją na muszce. Ostrzegłem, że jeśli spróbuje jakichś sztuczek, znajdę jej dzieciaka. Wypłaciła pieniądze...

— Ile?

— Co?

Titus się uśmiechnął.

— Ile pieniędzy kazałeś jej wypłacić?

— Eee, tyle, ile się dało.

— To znaczy ile, Claude?

Uśmiech ponownie zadrżał, a następnie zniknął.
— Tysiąc dolarów.
— To dużo gotówki jak na podróż — zauważył Titus.
— Daj spokój, skoro i tak wypłacała forsę, dlaczego nie miałbym zgarnąć całej puli, co nie?
Titus tylko zmierzył go wzrokiem.
— Ach tak, co za głupek ze mnie. Zastanawiasz się, czemu wcześniej nic nie mówiłem. Zamierzałem, przysięgam. Po prostu wypadło mi to z głowy.
— Masz słabą pamięć, Claude.
— Słuchaj, w ogólnym rozrachunku to bardzo mała suma.
— Właśnie. Naraziłeś nas wszystkich dla drobniaków.
— Przepraszam. Naprawdę. Mam pieniądze w kieszeni spodni. Sprawdź. Weź wszystko, okay? Nie powinienem był tego zrobić. To się nie powtórzy.
Titus cofnął się do krzesła, na którym powiesił spodnie. Sięgnął do kieszeni i wyjął banknoty. Sprawiał wrażenie zadowolonego. Pokiwał głową — dając sygnał — po czym schował pieniądze do swojej kieszeni.
— Jesteśmy kwita? — spytał Claude.
— Tak.
— Świetnie. Mogę się ubrać?
— Nie — odparł Titus. — To drogi garnitur. Nie chcę, żeby został poplamiony krwią.
— Krwią?
Reynaldo stał tuż za Claude'em. Bez słowa ostrzeżenia przycisnął mu lufę pistoletu do głowy i pociągnął za spust.

18

Brandon czekał na ławce przy Strawberry Fields niedaleko Siedemdziesiątej Drugiej Ulicy. Dwóch chłopaków zabiegało o względy (oraz datki) przechodniów, grając na gitarach i śpiewając piosenki Beatlesów. Jeden sięgnął po oczywisty utwór, czyli *Strawberry Fields Forever*, ale radził sobie dużo gorzej od gościa w T-shircie z Eggmanem śpiewającego *I Am the Walrus*.

— Zaraz wyjaśnię, o co chodziło z SMS-em — powiedział Brandon. — Tym, który według detektywa Schwartza wysłała moja mama.

Kat popatrzyła na niego wyczekująco. Zabrała ze sobą Stacy, ponieważ miała wrażenie, że za bardzo się angażuje w tę sprawę. Potrzebowała perspektywy kogoś, kto potrafi zachować dystans.

— Pokażę pani. — Zgarbił się i zaczął manipulować przy swoim telefonie. — Proszę, niech pani sama przeczyta.

Kat wzięła telefon i odczytała wiadomość:

Cześć. Dojechałam bezpiecznie. Jestem taka podekscytowana. Tęsknię!

Kat podała aparat Stacy, a ta przeczytała SMS i oddała telefon Brandonowi.

— Wysłano go z telefonu twojej matki — zauważyła Kat.

— Zgadza się, ale to nie ona go napisała.

— Dlaczego tak uważasz?

Brandon wyglądał, jakby obraziła go tym pytaniem.

— Mama nigdy nie pisze „tęsknię". Naprawdę nigdy. Zawsze kończy wiadomości słowami „kocham cię".

— Żartujesz, prawda?

— Mówię śmiertelnie poważnie.

— Brandonie, jak często twoja matka wyjeżdża tak daleko?

— To pierwszy raz.

— Właśnie, zatem nic dziwnego, że napisała: „tęsknię".

— Nie rozumie pani. Mama zawsze podpisywała swoje SMS-y znaczkami „x" i „o" oraz słowem „Mama". Często się z tego śmialiśmy. Za każdym razem się przedstawiała. Kiedy do mnie dzwoniła, wiedziała, że telefon wyświetli mi tę informację na ekranie, nie mówiąc już nawet o tym, że znam jej głos lepiej niż własny, ale i tak zaczynała rozmowę od: „Brandonie, tutaj mama".

Kat popatrzyła na Stacy, która lekko wzruszyła ramionami. Ten dzieciak na wszystko miał odpowiedź.

— Widziałam także nagranie z monitoringu — dodała Kat.

— Jakie nagranie?

— Z bankomatu.

Brandon szerzej otworzył oczy.

— Tak? Widziała je pani? Jakim cudem?

— Detektyw Schwartz jest bardziej skrupulatny ode mnie. Zdobył taśmę.

— Co na niej było?

— A jak ci się wydaje, Brandonie?

— Nie wiem. Moja matka?

— Właśnie.

— Nie wierzę.

— Uważasz, że kłamię?

— Co miała na sobie?

— Żółtą sukienkę na ramiączkach.

Zobaczyła, że spochmurniał. Facet w koszulce z Eggmanem skończył śpiewać *I Am the Walrus*. Dostał zdawkowe oklaski. Ukłonił się nisko, a następnie ponownie zaczął śpiewać tę samą piosenkę.

— Zresztą świetnie wyglądała — ciągnęła Kat. — Twoja matka to bardzo piękna kobieta.

Brandon zbył ten komplement machnięciem ręki.

— Jest pani pewna, że była sama?

— Jak najbardziej. Kamery pokazywały widok z dołu i od góry. Nikt jej nie towarzyszył.

Brandon odchylił się na ławce.

— Nie rozumiem — bąknął, a potem dodał nieco głośniej: — Nie wierzę pani. Chce pani, żebym dał sobie spokój. Mogła się pani dowiedzieć o żółtej sukience z innego źródła.

Stacy zmarszczyła brwi.

— Daj spokój, dzieciaku.

Brandon kręcił głową.

— To niemożliwe.

Stacy poklepała go po plecach.

— Ciesz się, młody. Twoja matka żyje i ma się dobrze.

Jeszcze przez chwilę kręcił głową. Potem wstał i zaczął krążyć po płytkach tworzących mozaikę *Imagine*. Jakiś turysta z aparatem głośno zaprotestował, gdy Brandon popsuł mu ujęcie. Kat podeszła do chłopaka.

— Brandonie?

Przestał krążyć.

— Mówiłeś, że dowiedziałeś się czegoś na temat Jeffa.

— Nie nazywa się Jeff — odparł Brandon.

— Racja. Wspominałeś, że w internecie przedstawiał się jako Jack?

— To także nie jest jego prawdziwe imię.

Kat zerknęła na Stacy.

— Nie nadążam.

Brandon sięgnął do plecaka i wyjął laptop. Gdy go otworzył, ekran zbudził się do życia.

— Tak jak mówiłem, szukałem go przez Google i niczego nie znalazłem. Ale sam nie wiem, dlaczego wcześniej na to nie wpadłem. Od razu powinno było mi to przyjść do głowy.

— Co takiego?

— Wie pani, na czym polega wyszukiwanie obrazów? — spytał.

W ten sposób znalazła jego matkę, ale nie było potrzeby mu o tym mówić.

— Na szukaniu czyjegoś zdjęcia?

— Nie, nie o to chodzi — rzucił z nutą zniecierpliwienia w głosie. — Zwykłe wyszukiwanie jest dziecinnie łatwe. Jeśli chce pani znaleźć na przykład swoje zdjęcie w internecie, klika pani w „Grafika" w wyszukiwarce i wpisuje swoje nazwisko. Mówię o czymś nieco bardziej skomplikowanym.

— A więc nie wiem, o co chodzi — przyznała Kat.

— Zamiast szukać tekstu, szuka się konkretnego obrazu — wyjaśnił Brandon. — Na przykład wgrywa się zdjęcie na stronę internetową, która wyszukuje wszystkie miejsca, gdzie to zdjęcie się pojawia. Bardziej zaawansowane oprogramowanie może nawet znaleźć twarz danej osoby na innych fotografiach. To miałem na myśli.

— Więc wgrałeś zdjęcie Jeffa?

— Otóż to. Zapisałem jego zdjęcia profilowe z YouAreJustMyType, a następnie wprowadziłem je do wyszukiwarki obrazów Google.

— Czyli jeśli którekolwiek z tych zdjęć pojawiło się w innych miejscach w sieci... — zaczęła Kat.

— Wyszukiwarka je znajdzie.

— I tak się stało?

— Nie od razu. Początkowo nie uzyskałem żadnych wyników. Ale tak się składa, że większość wyszukiwarek sprawdza tylko aktualną zawartość sieci. Wie pani, że rodzice zawsze straszą swoje dzieci, że wszystko, co trafi do internetu, pozostanie tam na zawsze?

— Tak.

— Cóż, mają rację. Wszystko zostaje zapisane jako plik pamięci podręcznej. Nie chcę wchodzić w techniczne szczegóły, ale kiedy coś kasujemy, tak naprawdę nie pozbywamy się tego na dobre. To przypomina malowanie domu. Zamalowujemy dawny kolor. Jednak wciąż będzie pod spodem, jeśli zadamy sobie trud, żeby zdrapać nową farbę. — Przez chwilę o tym myślał. — To niezbyt dobra analogia, ale rozumie pani, o co mi chodzi.

— Więc zdrapałeś nową farbę?

— Coś w tym rodzaju. Znalazłem sposób na przeszukanie usuniętych stron. Mój kumpel, który prowadzi zajęcia z informatyki w UConn, napisał program. To wciąż wersja beta.

— Co znalazłeś?

Brandon odwrócił komputer w jej stronę.

— To.

To była strona z Facebooka. Użyto na niej tego samego zdjęcia profilowego co na YouAreJustMyType.

Jednak na górze widniało nazwisko Ron Kochman.

Strona była prawie pusta. Zamieszczono na niej te same zdjęcia co na portalu randkowym. Nie było za to żadnych wpisów ani innych oznak działalności od dnia założenia profilu przed czterema laty. Zatem zdjęcia pochodziły sprzed czterech lat. Może to tłumaczy, dlaczego Jeff alias Jack alias Ron wyglądał na nich tak cholernie młodo i przystojnie. Przez ostatnie cztery lata zapewne bardzo się postarzał.

Tak, jasne.

Jednak pozostawało ważniejsze pytanie: kim, u diabła, jest Ron Kochman?

— Czy mogę strzelić w ciemno? — odezwała się Stacy.

— Proszę.

— Jesteś pewna, że to twój były narzeczony, a nie jakiś facet, który go przypomina?

Kat pokiwała głową.

— Możliwe, że to nie Jeff.

— Wcale nie — sprzeciwił się Brandon. — Przecież rozmawiała z nim pani przez komunikator i panią poznał. Powiedział, że chce zacząć od nowa.

— Tak, wiem — odparła Kat. — Poza tym Stacy też na pewno w to nie wierzy, prawda?

— Zgadza się — potwierdziła Stacy.

— Dlaczego? — dopytywał Brandon.

Kat na razie go zignorowała, starając się poskładać w całość uzyskane informacje.

— A więc osiemnaście lat temu Jeff przeprowadza się do Cincinnati. Wdaje się w bójkę w barze. Zmienia nazwisko na Ron Kochman...

— Nie — przerwała jej Stacy.

— Dlaczego nie?

— Pewnie uważasz, że jestem najgorszym prywatnym detektywem na całym bożym świecie. Sprawdziłam w bazach danych. Jeśli Jeff zmienił nazwisko na Ron Kochman, nie zrobił tego legalnie.

— Przecież nie trzeba tego robić legalnie — zaoponowała Kat. — Każdy może zmienić nazwisko.

— Ale jeśli chcesz uzyskać kartę kredytową albo założyć konto w banku...

— Może ich nie potrzebuje.

— To się nie trzyma kupy. Sądzisz, że Jeff zmienił imię na Ron. Ożenił się. Urodziło mu się dziecko. Jego żona umarła. A potem zarejestrował się na YouAreJustMyType, żeby umawiać się na randki?

— Nie wiem. Być może.

Stacy przez chwilę się nad tym zastanawiała.

— Sprawdzę Rona Kochmana. Jeśli był żonaty albo ma dziecko, coś znajdę.

— To świetny pomysł — włączył się Brandon. — Zacząłem szukać informacji o nim na Google, ale niewiele znalazłem. Tylko kilka artykułów, które napisał.

Kat poczuła, że serce mocniej jej zabiło.

— Artykułów?

— Tak — odparł Brandon. — Wygląda na to, że Ron Kochman jest dziennikarzem.

■ ■ ■

Kat spędziła kolejną godzinę, czytając jego artykuły.

Nie miała najmniejszych wątpliwości. Ron Kochman był Jeffem Raynesem. Ten sam styl. Słownictwo. „Ron" zawsze pisał świetne pierwsze zdanie. Wciągał czytelnika powoli, ale nieubłaganie. Nawet pustosłowie przeistaczał w barwną narrację. Jego artykuły opierały się na skrupulatnych badaniach i niezależnych, dokładnie sprawdzonych źródłach. Ron był wolnym strzelcem. Publikował teksty w niemal wszystkich najważniejszych magazynach informacyjnych, zarówno drukowanych, jak i internetowych.

Niektóre z tych wydawnictw umieszczały zdjęcia autorów na stronie redakcyjnej. Nigdzie nie było zdjęcia Rona Kochmana. Prawdę mówiąc, chociaż Kat bardzo się starała, nie zdołała znaleźć ani jednego artykułu na jego temat. W notce biograficznej zamieszczano wyłącznie informacje o jego dziennikarskim dorobku — żadnej wzmianki dotyczącej rodziny, miejsca zamieszkania, wykształcenia, pochodzenia czy nawet kwalifikacji. Ron nie miał aktywnego konta na Facebooku ani Twitterze, nie używał żadnego ze standardowych narzędzi promocyjnych, które wykorzystują dziennikarze.

Jeff zmienił nazwisko na Ron Kochman.

Dlaczego?

Brandon był w jej mieszkaniu i gorączkowo pracował na swoim laptopie. Kiedy wstała, spytał:

— Czy Ron to pani dawny narzeczony, Jeff?

— Tak.

— Sprawdziłem w kilku bazach danych. Jak dotąd nie udało mi się ustalić, kiedy ani jak zmienił nazwisko.

— Trudno będzie się tego dowiedzieć, Brandonie. Pozostaw to Stacy, dobrze?

Pokiwał głową, a długie włosy opadły mu na twarz.

— Pani detektyw Donovan?

— Mów mi Kat, dobrze?

Nie przestawał wpatrywać się w swoje buty.

— Chciałbym, żebyś zrozumiała.

— Co zrozumiała?

— Moją mamę. To wojowniczka. Nie wiem, jak inaczej to nazwać. Kiedy tata zachorował, od razu się poddał. Ale mama... ona jest jak żywioł. Przez cały czas robiła wszystko, żeby z tego wyszedł. To leży w jej naturze.

W końcu podniósł wzrok.

— W zeszłym roku wybraliśmy się z mamą na wycieczkę na Maui. — Łzy napłynęły mu do oczu. — Wypłynąłem za daleko pomimo ostrzeżeń o prądzie odpływowym. Zalecali trzymać się blisko brzegu, ale nie usłuchałem. Taki już ze mnie twardziel. — Posłał jej półuśmiech i pokręcił głową. — A więc porwał mnie prąd. Próbowałem się wyrwać, nie miałem jednak szans. Było po mnie. Wyciągało mnie coraz dalej na otwarty ocean. Wiedziałem, że to tylko kwestia czasu. Nagle pojawiła się mama. Cały czas płynęła obok i obserwowała mnie, tak na wszelki wypadek. Nie odzywała się. Taka już jest. Chwyciła mnie i kazała mi się trzymać. „Właśnie tak", powiedziała. „Po prostu się trzymaj". Prąd zaczął ciągnąć nas oboje. Wpadłem w panikę i chciałem ją odepchnąć, ale mama tylko zamknęła oczy i mocno mnie trzymała. Nie zamierzała zwolnić uścisku. W końcu skierowała nas w stronę jakiejś wysepki.

Łza wypłynęła z oka Brandona i przecięła policzek.

— Uratowała mi życie. Właśnie tak postępuje. Jest silna. Nigdy by mnie nie wypuściła z objęć. Zostałaby niezależnie od wszystkiego, nawet gdyby miała pójść ze mną na dno. A teraz przyszła moja kolej, żeby przy niej trwać. Rozumiesz?

Kat powoli pokiwała głową.

— Rozumiem.

— Przepraszam, Kat. Powinienem był pokazać ci te SMS-y. Ale gdybym to zrobił, nigdy byś mnie nie wysłuchała.

— A skoro już o tym mowa...

— Tak?

— Pokazałeś mi tylko jedną wiadomość. Były dwie.

Wcisnął kilka guzików na swoim telefonie i go jej podał. Na ekranie widniał tekst:

Świetnie się bawię. Nie mogę się doczekać, kiedy ci wszystko opowiem. Mam też dużą niespodziankę. Fatalny zasięg. Tęsknię.

Kat oddała mu telefon.

— „Duża niespodzianka". Podejrzewasz, co to może znaczyć?

— Nie.

Zadzwoniła komórka Kat. Cóż za idealny przypadek — zobaczyła, że telefonuje jej matka.

— Zaraz wrócę — powiedziała.

Przeszła do sypialni, zastanawiając się, jak długo jej matka walczyłaby z prądem odpływowym.

— Cześć, mamo.

— Och, nienawidzę tego — żachnęła się jej matka.

— Czego nienawidzisz?

Głos matki Kat stał się chrapliwy od wieloletniego palenia.

— Tego, że wiesz, kto dzwoni, zanim odbierzesz telefon.

— Wyświetla mi się to na ekranie. Już ci kiedyś tłumaczyłam.

— Wiem, wiem, ale czy naprawdę niektóre rzeczy nie mogłyby pozostać tajemnicą? Musimy wiedzieć wszystko?

Kat powstrzymała westchnienie, choć pozwoliła sobie na przewrócenie oczami. W myślach widziała matkę stojącą w wiekowej kuchni na podłodze pokrytej linoleum i trzymającą pod brodą słuchawkę staroświeckiego wiszącego telefonu, który wiele lat temu pożółkł, tracąc kolor kości słoniowej. W dłoni ściska pół kieliszka taniego chablis; reszta wina chłodzi się w lodówce. Winylowy obrus udający dzianinę szydełkową zakrywa kuchenny stół. Kat była pewna, że stoi na nim szklana popielniczka. Odłażącą tapetę zdobi kwiecisty wzór, ale wiele z kwiatów również wyblakło i pożółkło przez lata.

Kiedy mieszka się z palaczem, wszystko nabiera żółtawego odcienia.

— Wybierasz się czy nie? — spytała mama.

Kat słyszała alkohol w jej głosie. To był znajomy dźwięk.

— Dokąd, mamo?

Hazel Donovan — razem z mężem podpisywali korespondencję H&H, czyli Hazel i Henry, jakby to była najsprytniejsza rzecz pod słońcem — nie starała się ukryć westchnienia.

— Na przyjęcie do Steve'a Schradera. Przechodzi na emeryturę.

— No tak.

— Dostaniesz wolne w pracy. Posterunek ma taki obowiązek.

Hazel się myliła — miała w głowie wiele dziwacznych pomysłów dotyczących rozluźnienia zasad wśród policjantów z czasów służby jej ojca oraz męża — ale Kat nie miała ochoty wyprowadzać matki z błędu.

— Jestem bardzo zajęta, mamo.

— Wszyscy tam będą. Cała dzielnica. Idę z Flo i Tessie.

Trójca Policyjnych Wdów.

— Pracuję nad ważną sprawą.

— Tim McNamara przyprowadzi swojego syna. Jest lekarzem.

— Raczej kręgarzem.

— I co z tego? Mówią do niego „panie doktorze". Zresztą kręgarz bardzo pomógł twojemu wujkowi Alowi. Pamiętasz?

— Tak.

— Wujek prawie nie mógł się ruszać. Pamiętasz?

Pamiętała. Wujek Al otrzymał odszkodowanie za wypadek w fabryce materacy. Dwa tygodnie później uzdrowił go kręgarz. To był prawdziwy cud.

— A syn Tima jest taki przystojny. Wygląda jak prowadzący z teleturnieju *Właściwa cena*.

— Dziękuję za zaproszenie, mamo, ale muszę odmówić, dobrze?

Cisza.

— Mamo?

Kat miała wrażenie, że słyszy ciche łkanie. Czekała. Matka dzwoniła tylko późnym wieczorem — bełkocząc po pijaku. Czasami pojawiał się sarkazm. Czasami gorycz lub złość. Nie mogło się obyć bez próby wzbudzenia poczucia winy.

Jednak Kat jeszcze nigdy nie miała do czynienia z płaczem.

— Mamo? — odezwała się ponownie, tym razem ciszej.

— Umarł, prawda?

— Kto?

— Mężczyzna, który zrujnował nam życie.

Monte Leburne.

— Skąd wiesz?

— Bobby Suggs mi powiedział.

Suggs. Jeden z dwóch detektywów, którzy zajmowali się tą sprawą. Emeryt mieszkający niedaleko mamy. Mike Rinsky, drugi z detektywów, zmarł przed trzema laty na zawał.

— Mam nadzieję, że cierpiał — dodała matka.

— Chyba tak. Miał raka.

— Kat?

— Tak, mamo?

— To ty powinnaś była mnie powiadomić.

Słuszna uwaga.

— Masz rację. Przepraszam.

— Powinnyśmy były się spotkać. Usiąść przy kuchennym stole jak dawniej, jak wtedy, gdy się dowiedziałyśmy. Twój ojciec by tego chciał.

— Wiem. Przepraszam. Niedługo wpadnę.

Wtedy Hazel Donovan się rozłączyła. Zawsze tak to wyglądało. Nigdy nie było pożegnania. Tylko odłożenie słuchawki.

Dana Phelps nie dawała znaku życia przez jeden albo dwa dni, a jej syn to zauważył i zaczął się niepokoić. Kat zastanawiała się, na jak długo mogłaby zaginąć jej matka. Może na kilka tygodni. I to nie Kat zauważyłaby jej zniknięcie, ale Flo albo Tessie.

Zadzwoniła do Joego Schwartza w Greenwich i poprosiła, żeby przesłał jej e-mailem nagranie z bankomatu.

— Cholera, nie chcę się w to angażować — burknął. — Dostałem ochrzan od mojego kapitana za to, że doprowadziłem tę sprawę tak daleko.

— Potrzebuję tylko tego nagrania. To wszystko. Kiedy Brandon zobaczy matkę, pewnie się uspokoi.

Schwartz wahał się przez chwilę.

— No dobrze, ale nic więcej, jasne? Poza tym nie mogę ci tego przesłać e-mailem. Wyślę ci bezpiecznego linka. Będzie aktywny przez godzinę.

— Dzięki.

— Nie ma o czym mówić.

Kat wróciła do salonu.

— Przepraszam, musiałam odebrać ten telefon.

— Kto dzwonił? — spytał Brandon.

Już miała odpowiedzieć, że to nie jego sprawa, ale uznała, że lepiej będzie po prostu zmienić temat.

— Chcę ci coś pokazać.

— Co?

Przywołała go do komputera i sprawdziła pocztę. Dwie minuty później nadeszła wiadomość od Joego Schwartza. W temacie Kat przeczytała: „W odpowiedzi na prośbę". W treści znajdował się tylko link.

— Co to jest? — spytał Brandon.

— Nagranie twojej mamy spod bankomatu.

Kliknęła w link, a następnie na przycisk odtwarzania. Tym razem większą uwagę zwracała na reakcję chłopaka niż na film. Kiedy kobieta pojawiła się przy bankomacie, twarz Brandona zamarła. Ani na sekundę nie oderwał wzroku od ekranu. Nawet nie mrugnął.

Kat widziała psycholi, którzy okłamując policję, potrafili grać jak Daniel Day-Lewis. Jednak ten dzieciak w żadnym razie nie skrzywdził swojej matki.

— Co o tym myślisz? — spytała.

Pokręcił głową.

— Co?

— Wygląda na przestraszoną. Jest blada.

Kat odwróciła się i popatrzyła na ekran. Przestraszona, blada? Trudno powiedzieć. Wszyscy wyglądają niekorzystnie na nagraniach sprzed bankomatów, czasem jeszcze gorzej niż na zdjęciach z fotoradarów. Ludzie skupiają się na małym ekranie i próbują wciskać guziki, czekają na pieniądze i stoją twarzą do ściany. Żadna kobieta nie wygląda kwitnąco w takich okolicznościach.

Oglądali dalej. Kat teraz skupiła się na nagraniu. Dana potrzebowała aż trzech prób, żeby poprawnie wpisać PIN, ale to jeszcze o niczym nie świadczyło. Kiedy bankomat wydał pieniądze, początkowo nie potrafiła ich wyjąć ze szczeliny, tyle że te urządzenia czasami zbyt mocno przytrzymują banknoty.

Dopiero kiedy Dana skończyła i zbierała się do odejścia, Kat coś zauważyła. Zatrzymała nagranie.

Brandon popatrzył na nią pytająco.

— Co jest?

Zapewne nie miało to większego znaczenia, ale nikt dokładnie nie przeanalizował filmu. Nie było takiej potrzeby. Policjanci chcieli tylko potwierdzić, że to Dana Phelps wypłaciła pieniądze. Kat włączyła przewijanie wstecz w zwolnionym tempie. Kobieta cofnęła się do bankomatu.

Tutaj.

Kat zauważyła jakiś ruch w prawym górnym rogu ekranu. Coś znajdowało się w oddali i poruszyło w tej samej chwili co Dana. Albo ktoś.

Rozdzielczość nagrania pozwoliła Kat wykonać zbliżenie tajemniczej postaci, aż ciemna kropka zmieniła się w sylwetkę.

To był mężczyzna w czarnym garniturze i czarnej czapce.

— Jak twoja matka miała się dostać na lotnisko? — spytała Kat.

Brandon wskazał faceta w czarnym garniturze.

— Na pewno nie on miał ją tam zawieźć.

— Nie o to pytałam.

— Zawsze korzystamy z usług Bristol Car Service.

— Masz ich numer?

— Tak, zaczekaj. — Brandon zaczął stukać palcem w ekran telefonu. — Kilka razy odebrali mnie z college'u, gdy chciałem wrócić do domu na weekend. Czasami to łatwiejsze niż proszenie mamy, żeby mnie przywiozła. Mam.

Odczytał numer. Kat wpisała go do swojego telefonu i wcisnęła guzik połączenia. Odezwał się głos, który dał jej dwie możliwości. Wciśnij jeden, żeby dokonać rezerwacji. Wciśnij dwa, żeby połączyć się z asystentem. Wybrała to drugie. Kiedy zgłosił się pracownik, przedstawiła się i powiedziała, że jest policjantką. Czasami taka deklaracja powoduje, że ludzie zamykają się w sobie i żądają dowodu, ale zazwyczaj stanowi przepustkę.

Gdy ktoś jest zarazem ostrożny i zaciekawiony, ciekawość zazwyczaj wygrywa.

— Chciałabym się dowiedzieć, czy niejaka Dana Phelps ostatnio zamawiała kurs na lokalne lotnisko.

— Och, jasne, znam panią Phelps. To nasza stała klientka. Bardzo miła kobieta.

— Czy ostatnio zamawiała samochód?

— Tak, mniej więcej przed tygodniem. Na lotnisko Kennedy'ego.

— Mogłabym porozmawiać z jej kierowcą?

— Och.

— Och?

— Tak, proszę chwilę zaczekać. Pytała pani, czy Dana Phelps rezerwowała kurs na JFK.

— Zgadza się.

— Owszem, dokonała rezerwacji, ale jej nie zrealizowała.

Kat przełożyła telefon z lewej do prawej ręki.

— Co pan przez to rozumie?

— Pani Phelps odwołała rezerwację mniej więcej dwie godziny przed kursem. Sam odebrałem telefon. Prawdę mówiąc, to była dziwna sytuacja.

— Jak to dziwna?

— Przepraszała, że dzwoni w ostatniej chwili, ale jednocześnie sprawiała wrażenie, czy ja wiem, rozbawionej.

— Rozbawionej?

— Śmiała się.

— Wyjaśniła powód tak późnej rezygnacji?

— W pewnym sensie. Właśnie dlatego była taka wesoła. Powiedziała, że jej chłopak wysyła po nią czarną limuzynę. To miała być niespodzianka.

19

Wiedziona nadzieją, że rozsądek zwycięży — oraz potrzebą złożenia oficjalnego wniosku — następnego dnia Kat pojawiła się na posterunku. Jej partner (ech!) Chaz, ubrany w garnitur tak olśniewający, że sięgnęła po okulary przeciwsłoneczne, stał przy biurku, opierając pięści na biodrach. Wydawał się zaskoczony, gdy ją zobaczył.

— Hej, Kat, potrzebujesz czegoś?

— Nie — odparła.

— Szef powiedział, że jesteś na urlopie.

— Cóż, zmieniłam zdanie. Muszę załatwić jeden drobiazg, a potem chcę się dowiedzieć, co się dzieje.

Usiadła przy swoim komputerze. Poprzedniego wieczoru za pomocą Google Earth starała się ustalić, jakie pobliskie kamery monitoringu dałyby jej pełniejszy widok na ulicę z bankomatem, z którego korzystała Dana. Liczyła, że zobaczy, do jakiego samochodu wsiadła, może odczyta tablicę rejestracyjną albo zdobędzie inną wskazówkę.

Chaz zerknął jej przez ramię.

— Chodzi o dzieciaka, który kiedyś tutaj przyszedł?

Zignorowała go i wysłała zapytanie o potrzebne informacje, a wtedy system poprosił o jej nazwę użytkownika i hasło. Wpisała je i wcisnęła ENTER.

ODMOWA DOSTĘPU

Spróbowała ponownie, z tym samym skutkiem. Odwróciła się w stronę Chaza, który przypatrywał się jej z rękami skrzyżowanymi na piersi.

— Co się dzieje, Chaz?

— Szef powiedział, że jesteś na urlopie.

— Nie ograniczamy komuś dostępu do bazy danych tylko dlatego, że jest na urlopie.

— Cóż, sama się o to prosiłaś — odparł Chaz, wzruszając ramionami.

— O co się prosiłam?

— Chciałaś, żeby cię przeniesiono, i się doczekałaś.

— Nigdy nie prosiłam o przeniesienie.

— Tak mi powiedział kapitan. Podobno złożyłaś wniosek o przydzielenie nowego partnera.

— Owszem, o nowego partnera, ale nie o przeniesienie.

Chaz sprawiał wrażenie dotkniętego.

— Nadal nie rozumiem, dlaczego to zrobiłaś.

— Ponieważ cię nie lubię, Chaz. Jesteś prymitywny, leniwy i nie obchodzi cię robienie tego, co słuszne...

— Hej, mam własny sposób działania.

Nie miała ochoty teraz o tym dyskutować.

— Detektyw Donovan?

Kat się obejrzała. To był Stephen Singer, jej bezpośredni przełożony.

— Jest pani na dobrowolnym urlopie.

— Nie, nie jestem.

Singer podszedł bliżej.

— Nikt nie ma pani tego za złe. Taki urlop nie zostanie odnotowany w aktach, tak jak, przykładowo, niesubordynacja wobec przełożonego.

— Przecież ja nie...

Singer przerwał jej, unosząc dłoń i zamykając oczy.

— Proszę korzystać z wypoczynku. Zasłużyła pani na niego.

Kiedy się oddalił, Kat popatrzyła na Chaza. Nic nie powiedział. Rozumiała przesłanie: siedź cicho, daj się skarcić, wszystko pójdzie w zapomnienie. Zapewne było to rozsądne wyjście. Może nawet jedyne. Wstała i wyciągnęła rękę, żeby wyłączyć komputer.

— Nie rób tego — odezwał się Chaz.

— Słucham?

— Singer kazał ci się wynosić, więc znikaj. Natychmiast.

Popatrzyli sobie w oczy. Możliwe, że Chaz lekko skinął głową — nie była pewna — ale nie wyłączyła komputera. Schodząc po schodach, zerknęła w stronę gabinetu Staggera. Na czym polega jego problem, do diabła? Wiedziała, że kapitan jest służbistą i zapewne powinna była mu okazać więcej szacunku, odniosła jednak wrażenie, że zareagował przesadnie.

Popatrzyła na zegarek. Miała wolną resztę dnia. Trzy razy przesiadała się w metrze, aż w końcu dotarła linią siedem na stację Main Street we Flushing. Siedzibę zakonu Rycerzy Kolumba zdobiły drewniane panele, amerykańskie flagi, orły, gwiazdy i wszystkie inne symbole, jakie można utożsamiać z patriotyzmem. W sali, jak podczas każdej uroczystości, panowała atmosfera wzburzenia. Siedziby zakonu Rycerzy Kolumba powinny być gwarne, tak jak szkolne sale gimnastyczne. Steve Schrader, który przechodził na emeryturę w wieku zaledwie pięćdziesięciu trzech lat, stał obok beczki z piwem i witał gości jak pan młody.

Kat zauważyła emerytowanego detektywa Bobby'ego Suggsa w kącie przy stoliku zastawionym butelkami budweisera. Miał na sobie kraciastą marynarkę i szare spodnie, tak poliestrowe, że Kat aż zaswędziały nogi. Ruszyła w jego stronę, zerkając na twarze gości. Znała wielu z nich. Zatrzymywali ją, obejmowali i życzyli jej wszystkiego najlepszego. Mówili — jak zawsze — że jest niezwykle podobna do swojego kochanego ojca, świeć Panie nad jego duszą, oraz pytali, kiedy znajdzie sobie męża i założy rodzinę. Próbowała przytakiwać i uśmiechać się do wszystkich. To nie było łatwe. Nachylali się, żeby ich lepiej słyszała, zbyt blisko, tak że czuła się przytłoczona i miała wrażenie, że połkną ją ich blizny po trądziku i pęknięte naczynka. Zabrzmiała muzyka wykonywana przez czteroosobowy zespół grający polki pod kierownictwem tubisty. W pomieszczeniu cuchnęło starym piwem i potem tancerzy.

— Kat? Kochanie, jesteśmy tutaj.

Zwróciła się w stronę znajomego chrapliwego głosu. Twarz mamy już była zaczerwieniona od alkoholu. Hazel gestem przywołała córkę do stołu, przy którym siedziała z Flo i Tessie. Obie kobiety również pomachały do Kat, na wypadek gdyby nie wiedziała, że gest mamy oznacza, iż powinna do nich dołączyć.

Usidlona Kat ruszyła w ich stronę. Pocałowała matkę w policzek oraz przywitała się z jej przyjaciółkami.

— Jak to? — odezwała się Flo. — Nie będzie całusów dla ciotek Flo i Tessie?

Kobiety nie były jej ciotkami, tylko bliskimi przyjaciółkami rodziny, lecz Kat i tak je ucałowała. Flo miała nieudolnie ufarbowane włosy, które czasami przybierały fioletowy odcień. Fryzura Tessie była siwa, ale również wpadała w fiolet. Obie pachniały jak potpourri na starej kanapie. „Ciotki" ujęły twarz Kat, po czym ucałowały ją w policzek. Flo miała mocno umalowane, rubinowe usta. Kat zastanawiała się, jak dyskretnie zetrzeć ślad szminki.

Trzy wdowy otwarcie się jej przyglądały.

— Jesteś za chuda — orzekła Flo.

— Daj jej spokój — zganiła przyjaciółkę Tessie. — Wyglądasz dobrze, moja droga.

— No co? Tak tylko mówię. Mężczyznom podobają się kobiety, które mają trochę ciała. — Żeby podkreślić swoje słowa, Flo bez cienia zażenowania podrzuciła swój pokaźny biust. Zawsze to robiła: poprawiała swoje piersi, jakby były niegrzecznymi dziećmi.

Mama dalej wpatrywała się w Kat z niezbyt subtelną naganą.

— Myślisz, że ta fryzura podkreśla urodę twojej twarzy?

Kat tylko na nią spojrzała.

— No wiesz, masz taką ładną buzię.

— Jesteś piękna — wtrąciła się Tessie, jak zawsze buntowniczka, choć najbardziej zwyczajna z całej grupy. — I bardzo mi się podobają twoje włosy.

— Dziękuję, ciociu Tessie.

— Przyszłaś zobaczyć syna Tima, tego lekarza? — spytała Flo.

— Nie.

— Jeszcze go nie ma. Ale przyjdzie.

— Spodoba ci się — dodała Tessie. — Jest bardzo przystojny.

— Przypomina prowadzącego z teleturnieju *Właściwa cena* — powiedziała Flo. — Mam rację?

Mama i Tessie z entuzjazmem pokiwały głowami.

— Którego? — spytała Kat.

— Słucham?

— Obecnego prowadzącego czy dawnego?

— Którego — powtórzyła Flo. — Już ty się nie kłopocz którego, panno Wybredna. Któryś z nich jest dla ciebie za mało przystojny? — Flo ponownie poprawiła biust. — Który?

— Przestań — żachnęła się Tessie.

— O co ci chodzi?

— Przestań się bawić cyckami. Wybijesz komuś oczy.

Flo mrugnęła.

— Tylko jeśli będzie szczęściarzem.

Flo była potężna, sprężysta i wciąż chciała zdobyć mężczyznę. Zdecydowanie zbyt często wpadała im w oko, ale jej związki nigdy nie trwały długo. Pomimo wielu rozczarowań nadal była beznadziejną romantyczką. Zakochiwała się szybko i na zabój i jako jedyna nie dostrzegała nadchodzącej katastrofy. Przyjaźniła się z mamą Kat od czasów, gdy wspólnie uczęszczały do szkoły podstawowej St. Mary's. Kiedy Kat była w szkole średniej, obie kobiety nie odzywały się do siebie przez pół roku albo rok — po tym, jak pokłóciły się o kogoś przebywającego u nich z wizytą — ale poza tym były nierozłączne.

Flo miała sześcioro dorosłych dzieci i szesnaścioro wnucząt. Tessie z kolei wychowała ośmioro dzieci i doczekała się dziewięciorga wnucząt. Życie ciężko je doświadczyło — rodziły kolejne dzieci, ograniczane przez zbyt mało zaangażowanych mężów i nadmiernie zaangażowany Kościół. Kiedy Kat miała dziewięć lat, pewnego dnia wcześniej wróciła ze szkoły i zastała w kuchni płaczącą Tessie. Mama siedziała razem z nią w ciszy, trzymała przyjaciółkę za rękę i powtarzała, że bardzo jej przykro i wszystko będzie dobrze. Tessie tylko szlochała i kręciła głową. Dziewięcioletnia Kat zastanawiała się, jaka tragedia spadła na rodzinę Tessie — może coś się stało jej córce Mary, która miała toczeń, albo mąż Tessie, wujek Ed, stracił pracę, a może jej nieznośnego syna Pata wyrzucono ze szkoły.

Ale chodziło o coś innego.

Tessie płakała, ponieważ właśnie się dowiedziała, że znów jest w ciąży. Szlochała, gniotła chusteczkę i raz za razem powtarzała, że sobie nie poradzi, a mama Kat słuchała i trzymała ją za rękę, aż w końcu przyszła Flo, wysłuchała wieści i wszystkie trzy się popłakały.

Teraz dzieci Tessie były już dorosłe. Gdy sześć lat temu zmarł Ed, Tessie, która nigdy w życiu nie wybrała się dalej niż do kasyna w Atlantic City, zaczęła intensywnie podróżować. Najpierw, trzy miesiące po śmierci męża, wybrała się do Paryża. Przez lata pożyczała taśmy do nauki francuskiego z biblioteki w Queens i w końcu postanowiła wykorzystać zdobytą wiedzę. W domu trzymała osobiste dzienniki z podróży oprawione w skórę. Nigdy na siłę ich nikomu nie pokazywała — rzadko przyznawała, co zawierają — ale Kat uwielbiała je czytać.

Ojciec Kat wcześnie to dostrzegł. „Takie życie to pułapka dla dziewczyny", powiedział jej, spoglądając na swoją żonę stojącą przy kuchence. Spośród koleżanek Kat w tej okolicy pozostały tylko te, które wcześnie zaszły w ciążę. Pozostałe uciekły, z różnym skutkiem.

Kat odwróciła się, ponownie spoglądając w stronę stolika Suggsa. Patrzył wprost na nią. Nie umknął wzrokiem, gdy go zauważyła, tylko uniósł butelkę w ponurym toaście. Kat w odpowiedzi skinęła głową. Suggs pociągnął długi łyk, odchylając głowę do tyłu, a jego gardło poruszyło się w górę i w dół.

— Zaraz wrócę — powiedziała Kat, ruszając w jego stronę.

Suggs wstał i spotkał się z nią w połowie drogi. Był niskim, krępym mężczyzną, który chodził tak, jakby właśnie zsiadł z konia. W pomieszczeniu zrobiło się ciepło, słaba klimatyzacja nie mogła zrównoważyć temperatury tłumu. Wszystkich, wliczając Suggsa i Kat, pokrywała cienka lśniąca warstwa potu. Uściskali się bez słowa.

— Pewnie już słyszałaś — rzucił, wypuszczając Kat z objęć.

— O Leburnie? Tak.

— Nie jestem pewien, co powiedzieć, Kat. „Przykro mi" wydaje się nieodpowiednie.

— Wiem, co masz na myśli.

— Po prostu chcę, byś wiedziała, że o tobie myślałem. Cieszę się, że przyszłaś.

— Dzięki.

Suggs uniósł butelkę.

— Piwo dobrze ci zrobi.

— Racja — przyznała Kat.

W sali nie było baru, tylko kilka chłodziarek i beczek w kącie. Jak na dżentelmena przystało, Suggs otworzył butelkę swoją obrączką. Stuknęli się butelkami i napili. Z całym szacunkiem dla sobowtóra faceta z teleturnieju, Kat przyjechała na przyjęcie, żeby porozmawiać z Suggsem. Po prostu nie była pewna, jak zacząć.

Emerytowany detektyw sam jej pomógł.

— Słyszałem, ze odwiedziłaś Leburne'a, zanim umarł.

— Tak.

— Jak się udała wizyta?

— Powiedział, że tego nie zrobił.

Uśmiechnął się, jakby Kat opowiedziała kawał, a on udawał rozbawienie.

— Czyżby?

— Był nafaszerowany lekami.

— Więc pewnie powiedział swoje ostatnie kłamstwo.

— Wręcz przeciwnie. To było coś w rodzaju serum prawdy. Przyznał się do zabicia innych, ale oświadczył, że wziął na siebie winę za morderstwo taty, ponieważ i tak czekało go dożywocie.

Suggs pociągnął długi łyk piwa. Miał zapewne niewiele ponad sześćdziesiąt lat i siwą głowę bez śladów łysiny, lecz Kat — podobnie jak większość ludzi — zawsze najbardziej w nim uderzała niezwykle serdeczna twarz. Nie przystojna ani nawet nie efektowna. Po prostu serdeczna. Nie dało się nie lubić człowieka o takim obliczu. Niektórzy wyglądają jak dupki, mimo że są najmilszymi ludźmi pod słońcem. Z Suggsem było odwrotnie — nie sposób było uwierzyć, że człowiek z taką twarzą może nie być godzien zaufania.

Trzeba jednak pamiętać, że to tylko twarz.

— Znalazłem pistolet, Kat.

— Wiem.

— Był ukryty w jego domu. Za fałszywym panelem pod łóżkiem.

— To także wiem. Ale czy nigdy nie wydawało ci się to dziwne? Facet zawsze był taki ostrożny. Wyrzucał broń po użyciu. Aż tu nagle znajdujemy narzędzie zbrodni schowane razem z nieużywanymi pistoletami.

Niby-rozbawiony uśmiech nie opuszczał ust Suggsa.

— Przypominasz swojego staruszka, wiesz?

— Tak mi mówią.

— Nie mieliśmy innych podejrzanych ani nawet żadnej teorii.

— To nie znaczy, że ich nie było.

— Cozone zlecił zabójstwo. Znaleźliśmy narzędzie zbrodni. Podejrzany przyznał się do winy. Leburne miał możliwości i okazję. To była modelowa sprawa.

— Nie twierdzę, że nie wykonaliście solidnej roboty.

— Ale tak zabrzmiało.

— Po prostu niektóre elementy nie pasują.

— Daj spokój, Kat. Przecież wiesz, jak to wygląda. Nigdy nie da się idealnie wszystkiego dopasować. Po to mamy procesy i adwokatów, którzy, nawet gdy sprawa wydaje się niepodważalna, powtarzają nam, że są w niej luki lub niekonsekwencje albo że strategia oskarżenia „nie trzyma się kupy" — zakończył, zaznaczając cudzysłowy palcami w powietrzu.

Zespół przestał grać. Ktoś wziął mikrofon i rozpoczął długi toast. Suggs odwrócił się, żeby popatrzeć. Kat nachyliła się bliżej.

— Mogę ci zadać jeszcze jedno pytanie?

Nie spuszczał wzroku z przemawiającej osoby.

— Nie mógłbym cię powstrzymać, nawet gdybym wciąż nosił spluwę.

— Po co Stagger odwiedził Leburne'a dzień po jego aresztowaniu?

Suggs kilkakrotnie zamrugał i zwrócił się w jej stronę.

— Słucham?

— Widziałam rejestr odwiedzin — wyjaśniła Kat. — Następnego dnia po tym, jak federalni aresztowali Leburne'a, Stagger go przesłuchał.

Suggs zastanawiał się nad tym przez chwilę.

— Powiedziałbym „Pewnie się mylisz", ale zgaduję, że już to potwierdziłaś.

— Wiedziałeś o tym?

— Nie.

— Stagger ci nie powiedział?

— Nie — powtórzył Suggs. — Pytałaś go?

— Twierdził, że pojechał tam sam, ponieważ miał obsesję na punkcie tej sprawy. Że zadziałał pod wpływem impulsu.

— Impulsu — mruknął Suggs. — Dobre słowo.

— Powiedział także, że Leburne nie chciał z nim rozmawiać.

Suggs zaczął odklejać etykietę z butelki piwa.

— Więc o co tyle hałasu, Kat?

— Może o nic.

Oboje stali, udając, że słuchają toastu.

W końcu Suggs spytał:

— Kiedy dokładnie Stagger odwiedził Leburne'a?

— Dzień po jego aresztowaniu.

— Ciekawe.

— Dlaczego?

— Zainteresowaliśmy się Leburne'em dopiero jakiś tydzień później.

— A jednak Stagger pojawił się u niego jako pierwszy.

— Może miał dobre przeczucie.

— Którego nie podzielaliście ty i Rinsky.

Suggs zmarszczył czoło.

— Naprawdę uważasz, że połknę tę przynętę? — spytał.

— Tak tylko mówię. Ale to dziwne, prawda?

Rozłożył ręce.

— Stagger był nadgorliwy, choć jednocześnie nie miał problemu z tym, żeby dać nam wolną rękę. Szanował to, że

Rinsky i ja prowadzimy dochodzenie. Pozwoliliśmy mu tylko sprawdzić tamten odcisk palca, ale wtedy już mieliśmy Leburne'a na widelcu.

Kat poczuła mrowienie u podstawy kręgosłupa.

— Zaraz, jaki odcisk palca?

— To nic ważnego. Ślepy trop.

Położyła dłoń na jego rękawie.

— Masz na myśli odcisk znaleziony na miejscu zabójstwa?

— Tak.

Kat nie wierzyła własnym uszom.

— Myślałam, że nigdy go nie zidentyfikowaliście.

— Nie w czasie trwania dochodzenia. To nic ważnego, Kat. Został zidentyfikowany kilka miesięcy po przyznaniu się Leburne'a do winy, ale sprawa była już zamknięta.

— Więc po prostu odpuściliście?

Suggs sprawiał wrażenie oszołomionego jej pytaniem.

— Przecież znasz Rinsky'ego i mnie. Zaglądamy pod każdy kamień.

— No tak.

— Jak mówiłem, Stagger sprawdził to dla nas. Okazało się, że odcisk należał do jakiegoś bezdomnego, który ze sobą skończył. Ślepy trop.

Kat stała nieruchomo.

— Nie podoba mi się twoja mina, Kat.

— Czy odciski palców wciąż znajdują się w aktach? — spytała.

— Myślę, że tak. Na pewno. Teraz akta są już w magazynie, ale może...

— Musimy sprawdzić je ponownie — przerwała mu Kat.

— Mówię ci, że to nic ważnego.

— Więc zrób to dla mnie, dobrze? Jako przysługę. Chociażby po to, żeby mnie uciszyć.

Po drugiej stronie sali przemawiająca osoba zakończyła wygłaszać toast. Tłum nagrodził ją oklaskami. Zagrała tuba. Po chwili dołączyła reszta zespołu.

— Suggs?

Nie odpowiedział. Zostawił ją samą, przeciskając się przez tłum. Zawołali go znajomi, ale zignorował ich i ruszył w stronę wyjścia.

20

Brandon musiał się przespacerować.

Mama byłaby z niego dumna. Jak każdy rodzic, ubolewała nad tym, jak wiele czasu jej dziecko spędza przed ekranem — komputera, telewizora, smartfona, konsoli do gier i tak dalej. To była nieustająca bitwa. Tata lepiej go rozumiał. „Każde pokolenie ma coś takiego", powtarzał żonie, a ona wyrzucała ręce w górę. „Więc mamy się poddać? Pozwolić mu całymi dniami przesiadywać w tej mrocznej jaskini?" „Nie — ripostował — ale nie wyolbrzymiajmy problemu".

Tata był w tym dobry. Nie wyolbrzymiał problemów. Wywierał łagodzący wpływ na znajomych i rodzinę. W tym wypadku tak to tłumaczył Brandonowi: Kiedyś rodzice martwili się, że ich leniwe dziecko tkwi z nosem w książkach, zamiast częściej wychodzić z domu, i powtarzali mu, że powinno doświadczać życia, a nie o nim czytać.

„Brzmi znajomo?" — pytał syna.

Brandon kiwał głową.

Później, gdy tata Brandona dorastał, jego rodzice ciągle na niego krzyczeli, żeby wyłączył telewizor i wyszedł z domu albo — co było dosyć zabawne, jeśli pamiętało się dawniejsze czasy — poczytał książkę.

Chłopak pamiętał, że tata uśmiechał się, gdy mu to opowiadał.

„Ale czy wiesz, Brandonie, co jest w tym wszystkim najważniejsze?"

„Nie, co?"

„Równowaga".

Wtedy Brandon go nie rozumiał. Miał dopiero trzynaście lat. Może podrążyłby temat, gdyby wiedział, że ojciec umrze trzy lata później. Ale nieważne. Teraz już wiedział, o co chodzi. Zbyt długie robienie jednej rzeczy — nawet przyjemnej — nie jest dla nas dobre.

Problem z długimi spacerami i w ogóle z przebywaniem na łonie natury polega na tym, że to wydaje się, no cóż, nudne. Świat w internecie może jest wirtualny, ale wciąż się przekształca i zapewnia stały dopływ bodźców. Widzisz go, doświadczasz, reagujesz. Nigdy cię nie nudzi, ponieważ cały czas się zmienia. Bezustannie absorbuje cały twój umysł.

Tymczasem takie spacerowanie — po zalesionej części Central Parku zwanej Ramble — to flaki z olejem. Brandon wypatrywał ptaków — w sieci przeczytał, że Ramble chlubi się (takiego słowa użyto na stronie) mniej więcej dwustu trzydziestoma gatunkami ptaków. Nie widział ani jednego. Były tutaj platany, dęby oraz mnóstwo kwiatów, a także różne inne zwierzęta, ale ani jednego ptaka. Więc co jest takiego świetnego w chodzeniu między drzewami?

Nieco lepiej rozumiał, po co ludzie spacerują ulicami miast. W końcu można tam coś zobaczyć — sklepy, innych ludzi i samochody, może kłótnię o taksówkę albo o miejsce parkingowe. Coś się tam dzieje. A w lesie? Zielone liście i trochę kwiatów? Miły widok przez minutę albo dwie, a potem, cóż, nudy na pudy.

Zatem Brandon nie wędrował przez lasek na Manhattanie dlatego, że nagle docenił łono natury lub świeże powietrze. Robił to, ponieważ takie spacery go nudziły. Niemiłosiernie nudziły.

Równoważyły stały napływ bodźców.

Co więcej, nuda była niczym sztab ekspertów. Podsuwała pomysły. Brandon nie spacerował po lesie, żeby się uspokoić albo zestroić z naturą. Robił to, ponieważ nuda zmuszała go do spojrzenia w głąb siebie, poważnego zastanowienia i skupienia się wyłącznie na własnych myślach, dopóki wszystko wokół niego nie stanie się niegodne uwagi.

Niektórych problemów nie da się rozwiązać, gdy człowieka stale coś bawi i rozprasza.

Jednak Brandon nie potrafił się powstrzymać. Zabrał ze sobą smartfona. Zadzwonił do Kat, lecz połączył się tylko z jej pocztą głosową. Nigdy nie nagrywał wiadomości na poczcie — tylko starzy ludzie tak robią — więc wysłał jej SMS-a z prośbą o kontakt. Nie ma pośpiechu. Przynajmniej na razie. Chciał przetrawić to, czego się właśnie dowiedział.

Trzymał się krętych ścieżek. Zaskoczyło go, jak niewielu ludzi spotyka. Przechadzał się w sercu Manhattanu, pomiędzy ulicami Siedemdziesiątą Trzecią a Siedemdziesiątą Ósmą (przynajmniej według strony internetowej, bo tak naprawdę nie miał pojęcia, gdzie zawędrował), a jednak odnosił wrażenie, że jest sam. Opuścił zajęcia na uczelni, ale nie mógł nic na to poradzić. Dał znać Jayme Ratner, swojej partnerce w laboratorium, że zachorował. Nie robiła mu wyrzutów. Jej ostatni partner w poprzednim semestrze doznał załamania nerwowego, więc była zadowolona, że przynajmniej Brandon nie jest chory psychicznie jak najwyraźniej połowa ich znajomych.

Zadzwoniła jego komórka. Na ekranie wyświetliła się nazwa Bork Investments. Odebrał.

— Halo?

— Czy to Brandon Phelps? — spytała jakaś kobieta.

— Tak.

— Proszę poczekać, zaraz połączę pana z Martinem Borkiem.

Usłyszał kilka taktów instrumentalnej wersji piosenki *Blurred Lines*.

— Witaj, Brandonie.

— Witaj, wujku Marty.

— Miło usłyszeć twój głos, synu. Co w szkole?

— W porządku.

— Cudownie. Masz jakieś plany na lato?

— Jeszcze nie.

— Nie ma pośpiechu, prawda? Ciesz się wolnością, dobrze ci radzę. Wkrótce wkroczysz do prawdziwego świata. Rozumiesz?

Martin Bork był sympatyczny, ale każdy dorosły, gdy zaczyna udzielać życiowych rad, brzmi jak nadęty bubek.

— Jasne, rozumiem.

— A więc dostałem twoją wiadomość, Brandonie. — Martin przeszedł do sedna. — Co mogę dla ciebie zrobić?

Ścieżka obniżała się w stronę jeziora. Brandon zszedł ze szlaku i zbliżył się do brzegu.

— Chodzi o konto mojej matki. — W słuchawce zapadła cisza. Brandon brnął dalej. — Widziałem, że dokonała bardzo dużej wypłaty.

— W jaki sposób się o tym dowiedziałeś? — spytał Bork.

Brandonowi nie podobała się zmiana tonu głosu wujka.

— Słucham?

— Nie potwierdzam ani nie zaprzeczam, ale skąd wiesz o tej rzekomej wypłacie?

— Sprawdziłem w internecie.

Znów dłuższe milczenie.

— Mam jej hasło, jeśli właśnie to cię niepokoi — powiedział chłopak.

— Brandonie, czy masz jakieś pytania odnośnie do swojego konta?

Brandon oddalił się od jeziora i wszedł na mostek prowadzący na drugą stronę strumyka.

— Nie.

— Więc obawiam się, że muszę zakończyć naszą rozmowę.

— Z konta mojej matki zniknęło prawie ćwierć miliona dolarów.

— Zapewniam cię, że nic nie zniknęło. Jeśli masz jakieś wątpliwości dotyczące konta matki, najlepiej będzie, jeśli ją o to spytasz.

— Rozmawiałeś z nią? Zatwierdziła tę transakcję?

— Nie mogę powiedzieć nic więcej, Brandonie. Mam nadzieję, że rozumiesz. Porozmawiaj z matką. Do widzenia.

Martin Bork się rozłączył.

Brandon jak w transie przeszedł chwiejnie po kamiennym mostku i znalazł się w bardziej odludnej okolicy. Tutaj roślinność była bujniejsza. Wreszcie zauważył ptaka — kardynała. Kiedyś czytał o tym, że Czirokezi wierzyli, iż kardynały są dziećmi słońca. Jeśli ptak wzlatywał ku słońcu, przynosił szczęście. Jeśli leciał w dół, było wręcz przeciwnie.

Brandon jak zahipnotyzowany czekał na ruch kardynała. Dlatego nie usłyszał czającego się za nim mężczyzny, dopóki nie było za późno.

▪ ▪ ▪

Chaz, jej wkrótce-były-partner, zadzwonił do Kat na komórkę.

— Mam.

— Co masz?

Kat właśnie wysiadła z metra na stacji Lincoln Center, gdzie cuchnęło moczem, po czym wyszła na Sześćdziesiątą Szóstą Ulicę, gdzie równie mocno pachniało kwiatami wiśni. Kat ♥ Nowy Jork. Czekał na nią SMS od Brandona. Zadzwoniła do niego, ale nie odebrał, więc zostawiła krótką wiadomość na poczcie głosowej.

— Próbowałaś złożyć wniosek o nagranie z monitoringu — powiedział Chaz. — Właśnie je dostałaś.

— Chwileczkę, jak to możliwe?

— Przecież wiesz, Kat.

Dziwne, ale wiedziała. Chaz złożył wniosek za nią. Jedyną pewną rzeczą w kontaktach z ludźmi jest to, że niczego nie można być pewnym.

— Możesz wpaść w kłopoty — zauważyła.

— Kłopoty to moje drugie imię — odparł. — Chociaż tak naprawdę na drugie imię mam Ogier. Mówiłaś swojej seksownej koleżance, że jestem bogaty?

No tak. Tego zawsze mogła być pewna.

— Chaz.

— Jasne, przepraszam. Mam ci przesłać plik e-mailem?

— Byłoby świetnie, dzięki.

— Chciałaś zobaczyć, do jakiego samochodu wsiadła tamta kobieta?

— Oglądałeś nagranie?

— To chyba nic złego, prawda? Wciąż jestem twoim partnerem.

Racja, przyznała Kat.

— Kim ona jest?

— Nazywa się Dana Phelps. To jej syn wtedy do mnie przyszedł. Uważa, że zaginęła, ale nikt mu nie wierzy.

— Ty też?

— Jestem nieco bardziej otwarta.

— Powiesz mi dlaczego?

— To długa historia — odparła Kat. — Może kiedy indziej?

— Niech będzie.

— Więc Dana Phelps wsiadła do samochodu?

— Owszem — potwierdził Chaz. — A dokładniej do czarnej limuzyny marki Lincoln.

— Kierowca miał czarną czapkę i garnitur?

— Tak.

— Numer rejestracyjny?

— Widzisz, w tym problem. Na nagraniu z banku nie widać tablic. Facet zaparkował na ulicy. Trudno było rozpoznać nawet markę samochodu.

— Cholera.

— Ale nie wszystko stracone — dodał Chaz.

— Jak to?

Odchrząknął, bardziej dla efektu niż z prawdziwej potrzeby.

— Użyłem Google Earth i zobaczyłem, że dwa budynki dalej w kierunku, w którym odjechali, znajduje się stacja benzynowa Exxon. Wykonałem kilka telefonów. Kamera monitoringu ze stacji filmuje ulicę.

Większość ludzi niejasno zdaje sobie sprawę, że wokół nich jest mnóstwo kamer, jednak mało kto w pełni to rozumie. W samych Stanach Zjednoczonych znajduje się czterdzieści milionów kamer monitoringu, a ta liczba stale się zwiększa. Każdego dnia jesteśmy nagrywani.

— Będziemy musieli poczekać jeszcze godzinę albo dwie, ale kiedy wreszcie dostaniemy nagranie, zapewne zdołamy odczytać tablicę rejestracyjną.

— Świetnie.

— Zadzwonię do ciebie, gdy dostanę odpowiedź. Daj mi znać, jeśli będziesz jeszcze czegoś potrzebowała.

— Dobrze — odparła Kat. — Chaz?

— Tak?

— Doceniam to. To znaczy, no wiesz... dziękuję.

— Mogę dostać numer do twojej seksownej koleżanki?

Rozłączyła się. Po chwili jej telefon znów zadzwonił. Na ekranie wyświetliło się nazwisko Brandona Phelpsa.

— Cześć, Brandonie.

Jednak głos po drugiej stronie nie należał do Brandona.

— Czy mogę spytać, z kim rozmawiam?

— To pan do mnie zatelefonował — przypomniała Kat. — Zaraz, kto mówi? Co się dzieje?

— Tutaj funkcjonariusz John Glass — odezwał się mężczyzna na linii. — Dzwonię w sprawie Brandona Phelpsa.

▪ ▪ ▪

Trzystu czterdziestu jeden hektarów, które składają się na Central Park, pilnują policjanci z dwudziestego drugiego posterunku, najstarszego w mieście. W latach siedemdziesiątych ojciec Kat przepracował tam osiem lat. Wtedy funkcjonariusze z „dwudziestkidwójki" stacjonowali w dawnej stajni. W pewnym sensie nadal tak było, chociaż za sprawą sześćdziesięciu jeden milionów dolarów wydanych na renowację budynek zyskał aż nazbyt wiele blasku. Posterunek obecnie bardziej przypominał muzeum sztuki współczesnej niż siedzibę stróżów prawa. Zgodnie z nowojorskim zwyczajem — a więc nie wiadomo, czy na poważnie, czy dla żartu — imponujące oszklone atrium zbudowano z kuloodpornych szyb. Pierwotne plany zakładały wydatki na remont niższe o prawie dwadzieścia milionów, jednak, jak to na Manhattanie bywa, budowniczowie niespodziewanie natrafili na dawne tory tramwajowe.

Duchy przeszłości nigdy nie opuszczają tego miasta.

Kat pospiesznie podeszła do recepcji i spytała o funkcjonariusza Glassa. Sierżant wskazał smukłego czarnoskórego mężczyznę, który stał za jej plecami. Glass miał na sobie mundur. Możliwe, że Kat go znała — posterunek przy Central Parku znajdował się blisko jej własnego, dziewiętnastego posterunku — ale nie była pewna.

Glass rozmawiał z dwoma starszymi panami, którzy wyglądali, jakby właśnie wrócili z turnieju remika w Miami Beach. Jeden nosił fedorę i podpierał się laską. Drugi miał na sobie błękitną marynarkę oraz spodnie w kolorze mango. Glass robił notatki. Gdy Kat się zbliżyła, mówił dwóm staruszkom, że już mogą odejść.

— Ma pan nasze numery, tak? — dopytywał Fedora.

— Mam, dziękuję.

— Proszę dzwonić, jeśli będziemy potrzebni — dodał Mango.

— Nie omieszkam. Jeszcze raz dziękuję za pomoc.

Kiedy się oddalili, Glass ją zauważył.

— Cześć, Kat.

— My się znamy?

— Nie, ale nasi ojcowie pracowali tutaj razem. Twój tata był legendą.

Kat wiedziała, że policjant staje się legendą, gdy ginie na służbie.

— Co z Brandonem?

— Jest na zapleczu z lekarzem. Nie pozwolił się zawieźć do szpitala.

— Mogę go zobaczyć?

— Jasne, chodź za mną.

— Jak poważnie jest ranny?

Glass wzruszył ramionami.

— Skończyłoby się znacznie gorzej, gdyby tych dwóch nie przeżywało drugiej młodości. — Wskazał na Fedorę i Mango, którzy powoli wychodzili z atrium.

— Jak to?

— Wiesz o barwnej przeszłości Ramble, prawda?

Pokiwała głową. Nawet na oficjalnej stronie internetowej Central Parku określano Ramble jako „kultowy zakątek gejów" oraz „znane miejsce homoseksualnych schadzek przez cały dwudziesty wiek". Gęsta roślinność i wszechobecny półmrok sprawiały, że geje uwielbiali się tam spotykać. Ostatnio Ramble stał się nie tylko najważniejszym terenem leśnym Central Parku, ale także historycznym miejscem dla środowisk LGBT.

— Wygląda na to, że ci dwaj poznali się w Ramble pięćdziesiąt lat temu — wyjaśnił Glass. — Postanowili uczcić tę rocznicę, chowając się w krzakach i oddając... nostalgii.

— W środku dnia?

— Tak.

— Nieźle.

— Powiedzieli, że w tym wieku trudno zachować energię wieczorem. A w zasadzie o każdej porze. Zatem robili swoje, gdy nagle usłyszeli jakieś zamieszanie. Wybiegli z krzaków... nie wiem, w jakim stroju... i zobaczyli, jak jakiś „bezdomny" atakuje twojego młodzieńca.

— Skąd wiedzieli, że to bezdomny?

— To oni go tak opisali, nie ja. Najwyraźniej napastnik podkradł się do Brandona i wymierzył mu cios pięścią w twarz. Bez żadnego ostrzeżenia. Jeden z naszych świadków widział nóż. Drugi zaprzeczył, więc nie wiem, jak było naprawdę. Napastnik niczego nie ukradł, zapewne nie zdążył, ale podejrzewam, że to była próba rabunku albo psychol, który odstawił leki. A może jakiś homofob, choć wątpię. Pomimo tego, co robili tam Romeo i... Romeo, Ramble już nie słynie z takich rzeczy, zwłaszcza w środku dnia.

Glass otworzył drzwi. Brandon siedział na stole i rozmawiał z lekarzem. Miał plaster na nosie. Był blady i chudy, ale zawsze tak wyglądał.

Lekarz odwrócił się w stronę Kat.

— Pani jest jego matką?

Brandon wyszczerzył zęby w uśmiechu. Kat przez chwilę czuła się urażona, ale potem zdała sobie sprawę, że, po pierwsze, rzeczywiście jest w takim wieku, że może mieć nastoletniego syna — jejku, to dopiero przygnębiająca myśl — a po drugie, prawdziwa matka Brandona zapewne wyglądała młodziej niż ona. Podwójnie przygnębiające.

— Nie. Tylko znajomą.

— Wolałbym, żeby zgłosił się do szpitala — oznajmił lekarz.

— Nic mi nie jest — zaprotestował chłopak.

— Ma złamany nos. Poza tym sądzę, że na skutek napaści doznał wstrząśnienia mózgu.

Kat popatrzyła na Brandona, który tylko pokręcił głową.

— Ja się nim zaopiekuję — odparła.

Lekarz z rezygnacją wzruszył ramionami i wyszedł z pomieszczenia. Glass pomógł im wypełnić resztę dokumentów. Brandon nie widział napastnika. Zresztą nie wyglądał na przejętego. Szybko wypełniał formularze.

— Muszę ci coś powiedzieć — wyszeptał, gdy Glass się oddalił.

— Najpierw skupmy się na tym, co się właśnie wydarzyło, dobrze?

— Słyszałaś, co powiedział funkcjonariusz Glass. To była przypadkowa napaść.

Kat w to nie uwierzyła. Przypadkowa? Niemożliwe, skoro byli w samym środku...

Czego?

Wciąż nie mieli żadnych dowodów, że doszło do przestępstwa. Poza tym, jakie były inne teorie? Czy szofer przebrał się w łachmany i śledził Brandona w Central Parku? To także nie miało sensu.

Kiedy Glass odprowadził ich do kuloodpornego atrium, Kat poprosiła, żeby dał jej znać, gdy tylko czegoś się dowie.

— Nie ma sprawy — obiecał.

Uścisnął im obojgu dłonie. Brandon podziękował, ale widać było, że chce jak najszybciej wyjść. Dosłownie wybiegł przez frontowe drzwi. Kat podążyła za nim do olbrzymiego stawu — zajmującego jedną ósmą powierzchni parku — nazywanego Zbiornikiem Jacqueline Kennedy Onassis. Poważnie.

Chłopak zerknął na zegarek.

— Wciąż mamy czas.

— Na co?

— Żeby dotrzeć na Wall Street.

— Po co?

— Ktoś kradnie pieniądze mojej matki.

21

Kat nie chciała jechać.

Siedziba Bork Investments mieściła się w smukłym wieżowcu przy Vesey Street nad rzeką Hudson w dzielnicy finansowej Manhattanu, rzut kamieniem od nowego World Trade Center. Tamtego jasnego, słonecznego poranka Kat była młodą funkcjonariuszką, jednak to nie stanowiło wymówki. Kiedy o ósmej czterdzieści sześć samolot uderzył w pierwszą wieżę, spała zaledwie osiem przecznic dalej. Zanim się rozbudziła, pokonała kaca i dotarła na miejsce, obie wieże się zawaliły i nie dało się już pomóc ofiarom, zwłaszcza innym funkcjonariuszom. Wielu z tych, którzy zginęli, przyjechało samodzielnie ze znacznie dalszych zakątków miasta. Ona nie zdążyła.

Oczywiście i tak nie mogłaby nic poradzić.

Nikt nie mógł niczego zrobić. Jednak wciąż dręczyło ją poczucie winy. Chodziła na wszystkie pogrzeby policjantów, ale gdy stała na cmentarzu ubrana w mundur, czuła się jak oszustka. Gnębiły ją koszmary, które stały się udziałem niemal każdego, kto był na miejscu tamtego dnia. W życiu można sobie wiele wybaczyć, lecz z powodów, które mają niewiele wspólnego z logiką, bardzo trudno jest wybaczyć sobie, że się przeżyło.

To było dawno temu. Rzadko o tym myślała, przeważnie w okolicach rocznic. Doprowadzało ją do szału, że czas rzeczywiście leczy rany. Jednak od tamtej pory starała się trzymać z daleka od tego miejsca, mimo że i tak nie miała powodu, by tam się pojawiać. To była kraina umarłych, duchów i elegantów z dużymi pieniędzmi. Nie miała tutaj czego szukać. Wielu chłopców z jej dawnej dzielnicy — także niektóre dziewczęta, ale tych znacznie mniej — trafiło do tego świata. Jako dzieci podziwiali swoich ojców i zarazem się ich obawiali — policjantów i strażaków — lecz dorastając, starali się iść jak najbardziej odmienną drogą. Szli do prywatnej katolickiej szkoły St. Francis Prep, a następnie do Notre Dame albo Holy Cross i kończyli jako sprzedawcy obligacji śmieciowych lub instrumentów pochodnych, zarabiając mnóstwo pieniędzy i starając się jak najbardziej oddalić od swojego wychowania i korzeni — tak jak ich ojcowie uciekali od swoich ojców, którzy harowali w fabrykach albo głodowali w dalekich krajach.

Postęp.

W Ameryce mamy poczucie ciągłości i nostalgii, lecz tak naprawdę każde pokolenie ucieka przed swoimi poprzednikami. Co ciekawe, zazwyczaj uciekają do czegoś lepszego.

Sądząc po eleganckim biurze, Martin Bork uciekł do czegoś lepszego. Kat i Brandon czekali w sali konferencyjnej z mahoniowym stołem wielkości pasa startowego. Przygotowano dla nich przekąski: babeczki, pączki, sałatkę owocową. Brandon umierał z głodu, więc zaczął się objadać.

— Skąd go znasz? — spytała Kat.

— Jest doradcą finansowym naszej rodziny. Pracował z moim tatą w funduszu hedgingowym.

Kat nie była pewna, czym jest fundusz hedgingowy, ale na dźwięk tej nazwy zawsze lekko się wzdrygała. Zerknęła na rzekę Hudson i New Jersey widoczne w oddali. Jeden z olbrzymich statków wycieczkowych płynął na północ w stronę mola przy Dwunastej Alei. Pasażerowie na pokładzie machali. Chociaż nie mogli jej zobaczyć wewnątrz budynku, Kat także im pomachała.

Martin Bork wszedł do pomieszczenia i rzucił rzeczowe:

— Dzień dobry.

Kat oczekiwała rumianego spaślaka o pulchnych palcach i w przyciasnym kołnierzyku. Błąd. Bork był niski i żylasty, niemal jak bokser wagi koguciej, i miał oliwkową karnację. Wyglądał na zadbanego pięćdziesięciolatka. Nosił ekstrawaganckie markowe okulary, które zapewne lepiej wyglądałyby na kimś młodszym. Gładkość jego twarzy wskazywała na jakieś kosmetyczne zabiegi, a w lewym uchu miał wkrętkę z brylantem, która balansowała na granicy mody i desperacji.

Gdy zobaczył Brandona, otworzył szeroko usta.

— Mój Boże, co się stało z twoją twarzą?

— Nic mi nie jest — odparł chłopak.

— Nie wygląda na to. — Bork podszedł bliżej. — Ktoś cię uderzył?

— Nic mu nie jest — zapewniła go Kat, nie chcąc zbaczać z tematu. — Miał mały wypadek.

Bork nie sprawiał wrażenia przekonanego, ale nie wiedział, co jeszcze może powiedzieć.

— Usiądźmy.

Zajął miejsce u szczytu stołu. Kat i Brandon skorzystali z dwóch najbliższych krzeseł. Dziwnie się czuli przy stole, który mógł pomieścić trzydzieści osób.

Bork najpierw zwrócił się do Kat.

— Nie jestem pewien, co pani tutaj robi, pani...?

— Donovan. Detektyw Donovan. Nowojorska policja.

— Proszę wybaczyć. Jednak nie do końca rozumiem, dlaczego zaangażowała się pani w tę sprawę. Czy pani wizyta ma charakter oficjalny?

— Jeszcze nie — odparła Kat. — Raczej nieformalny.

— Rozumiem. — Bork złożył ręce jak do modlitwy. Nawet nie spojrzał na Brandona. — Zakładam, że to ma coś wspólnego z dzisiejszym telefonem Brandona do mnie.

— Z naszych informacji wynika, że z rachunku jego matki zniknęło ćwierć miliona dolarów.

— Czy ma pani nakaz, pani detektyw?

— Nie mam.

— Zatem czuję się zwolniony z obowiązku dalszej rozmowy. Co więcej, udzielenie pani jakichkolwiek informacji byłoby nieetyczne.

Kat tego nie przemyślała. Przyjechała poruszona entuzjazmem Brandona, który odkrył zniknięcie pieniędzy. Od czasu wypłaty w bankomacie nikt nie korzystał z kart kredytowych ani rachunków bieżących jego matki. Jednak wczoraj Dana Phelps wykonała „przelew" — taka informacja widniała na internetowym wyciągu z konta — na sumę około dwustu pięćdziesięciu tysięcy dolarów.

— Zna pan rodzinę Phelpsów, prawda?

Bork trwał w modlitewnej pozie. Dotknął złożonymi dłońmi nosa, jakby pytanie sprawiło mu kłopot.

— Bardzo dobrze.

— Przyjaźnił się pan z ojcem Brandona.

Po jego twarzy przemknął cień.

— Tak — odparł znacznie ciszej.

— Prawdę mówiąc — ciągnęła Kat, starannie dobierając słowa — ze wszystkich ludzi, którym Phelpsowie mogli powierzyć swoje sprawy, wybrali właśnie pana. To świadczy nie tylko o pańskiej biegłości w prowadzeniu interesów, bo nie oszukujmy się, na rynku nie brakuje geniuszy, ale także o zaufaniu, jakim pana darzyli. Troszczył się pan o ich dobro.

Martin Bork przeniósł wzrok na Brandona. Chłopak odwzajemnił spojrzenie, lecz nic nie powiedział.

— Owszem, bardzo mi na nich zależy.

— I wie pan, że Brandon jest bardzo związany z matką.

— Wiem. Ale to nie znaczy, że ona dzieli się z nim wszystkimi informacjami dotyczącymi funduszu powierniczego.

— Jasne, że się dzieli — włączył się Brandon, starając się nie zabrzmieć płaczliwie. — Właśnie dlatego dała mi hasła i numery kont. Nie mamy przed sobą tajemnic.

— To sensowny argument — rzuciła Kat. — Gdyby pani Phelps chciała przelać pieniądze bez jego wiedzy, czy nie skorzystałaby z innego rachunku?

— Nie wiem — odparł Bork. — Może Brandon powinien do niej zadzwonić.

— A pan to zrobił? — spytała Kat.

— Słucham?

— Zanim pan wykonał transakcję. Czy dzwonił pan do pani Phelps?

— Ona zadzwoniła do mnie.

— Kiedy?

— Nie jestem upoważniony do omawiania...

— Czy mógłby pan do niej zadzwonić teraz? — przerwała mu Kat. — Żeby się ostatecznie upewnić.

— Co tu się dzieje?

— Po prostu niech pan do niej zadzwoni, dobrze?

— Czego to ma dowieść?

— Wujku Marty? — Kat i finansista popatrzyli na Brandona. — Nie mam z nią kontaktu od pięciu dni. Zupełnie jakby zniknęła.

Bork posłał chłopakowi spojrzenie, które miało wyrażać współczucie, ale wypadło protekcjonalnie.

— Nie uważasz, że czas przeciąć pępowinę, Brandonie? Twoja matka długo była samotna.

— Wiem o tym — odparował Brandon. — Myślisz, że nie wiem?

— Przepraszam. — Bork zaczął się podnosić. — Ze względów zarówno prawnych, jak i etycznych nie mogę wam pomóc.

A więc koniec z uprzejmością.

— Niech pan siada, panie Bork.

Znieruchomiał w połowie ruchu i popatrzył na Kat z oszołomieniem.

— Co takiego?

— Brandonie, zaczekaj na korytarzu.

— Ale...

— Idź — poleciła Kat.

Nie musiała powtarzać. Brandon wyszedł, zostawiając ją samą z Martinem Borkiem, który wciąż trwał nieruchomo z szeroko otwartymi ustami.

— Kazałam panu usiąść.

— Czy pani oszalała? — spytał. — Postaram się, żeby pani straciła odznakę.

— Dobre. Groźba odebrania odznaki. Zadzwoni pan do burmistrza czy do mojego bezpośredniego przełożonego? Uwielbiam oba te teksty. — Wskazała telefon. — Proszę zadzwonić do Dany Phelps.

— Nie będzie mi pani rozkazywała.

— Naprawdę pan uważa, że jestem tutaj, żeby wyświadczyć przysługę jej synowi? To część dochodzenia w sprawie serii niebezpiecznych przestępstw.

— Więc proszę pokazać nakaz.

— Nie chciałby pan tego, może mi pan wierzyć. Wystawienie nakazu wymaga udziału sędziego, a potem musielibyśmy dokładnie sprawdzić wszystkie dokumenty w pańskim biurze, każde konto...

— Nie możecie tego zrobić.

Prawda. Kat blefowała, ale co tam. Lepiej wyjść na wariatkę. Podniosła słuchawkę.

— Proszę, żeby pan wykonał jeden telefon.

Bork przez chwilę się wahał. Potem wyjął smartfon, znalazł numer komórki Dany Phelps i go wybrał. Kat usłyszała jeden sygnał, a potem powitanie poczty głosowej. Dana Phelps wesołym głosem poprosiła dzwoniącego o zostawienie krótkiej wiadomości. Bork się rozłączył.

— Pewnie jest na plaży — stwierdził.

— Gdzie?

— Nie jestem upoważniony, żeby o tym rozmawiać.

— Pańska klientka zleciła zagraniczny przelew na ćwierć miliona dolarów.

— Ma do tego prawo.

Zdając sobie sprawę, że ujawnił za dużo, Bork pobladł, gdy tylko wypowiedział te słowa. Kat pokiwała głową, uznając jego błąd. Zatem pieniądze opuściły kraj. Tego nie wiedziała.

— Wszystko odbyło się legalnie — pospiesznie wyjaśnił finansista. — W naszej firmie tak znaczne przelewy wykonuje się zgodnie ze ściśle określonym protokołem. Być może w filmach da się to zrobić kilkoma kliknięciami. Ale nie tutaj.

Dana Phelps osobiście poprosiła o przelew, a ja rozmawiałem z nią o tym przez telefon.

— Kiedy?

— Wczoraj.

— Wie pan, skąd dzwoniła?

— Nie. Ale dzwoniła ze swojego telefonu. Nie rozumiem. Co według pani się wydarzyło?

Kat nie była pewna, co odpowiedzieć.

— Nie mogę zdradzać szczegółów dochodzenia.

— A ja nie mogę nic pani powiedzieć bez zgody Dany. Wyraźnie prosiła o dyskrecję.

Kat przekrzywiła głowę.

— Nie wydało się to panu dziwne?

— Co? Poufność transakcji? — Bork przez chwilę się zastanawiał. — Nie w tym wypadku.

— Jak to?

— Ocenianie klientów nie jest moją domeną. Mam spełniać ich prośby. A teraz przepraszam, ale...

Jednak Kat miała jeszcze jednego asa w rękawie.

— Zakładam, że zgłosił pan tę transakcję do FinCEN?

Bork zesztywniał. Trafiony, zatopiony, pomyślała Kat. FinCEN to przerażająca część Departamentu Skarbu zajmująca się przestępstwami finansowymi. Analizuje podejrzane transakcje w ramach walki z praniem brudnych pieniędzy, terroryzmem, oszustwami, unikaniem płacenia podatków i tak dalej.

— Taka duża transakcja — ciągnęła Kat — na pewno wzbudziła podejrzenia, nie sądzi pan?

Bork próbował zachować spokój.

— Nie mam powodów przypuszczać, że Dana Phelps zrobiła cokolwiek nielegalnego.

— W porządku, zatem nie będzie pan miał nic przeciwko, jeśli zadzwonię do Maxa.

— Maxa?

— To mój kumpel w FinCEN. Skoro wszystko odbyło się w pełni legalnie...

— Owszem.

— Świetnie. — Kat wyjęła komórkę. To był kolejny blef, lecz skuteczny. Nie znała żadnego Maxa w FinCEN, ale przecież zgłoszenie takiej sprawy do Departamentu Skarbu nie stanowiłoby żadnego problemu. Uśmiechnęła się, ponownie usiłując sprawiać wrażenie nieco niezrównoważonej. — Nie mam więcej pytań, więc mogę...

— Nie ma takiej potrzeby.

— Czyżby?

— Dana... — Bork popatrzył na drzwi. — Zdradzam jej zaufanie.

— Może pan to wyjaśnić mnie albo Maxowi i jego ludziom. Pański wybór.

Bork zaczął gryźć wypielęgnowany paznokieć kciuka.

— Dana zastrzegła sobie poufność.

— Żeby ukryć przestępstwo?

— Co takiego? Nie. — Bork nachylił się i odezwał cichym głosem: — Mogę coś powiedzieć nieoficjalnie?

— Jasne.

Nieoficjalnie. Bierze ją za dziennikarkę?

— Przyznaję, że to dosyć niekonwencjonalna transakcja. Być może rzeczywiście ją zgłosimy, chociaż mam na to trzydzieści dni.

Zgodnie z prawem tak znaczny zagraniczny przelew wymagał, żeby dokonująca go instytucja albo osoba prywatna powiadomiła Departament Skarbu. Nie jest to wymóg prawny, ale większość uczciwych instytucji by to zrobiła.

— Dana poprosiła, żeby dać jej trochę czasu.

— Co pan ma na myśli?

— Nic nielegalnego.

— A więc?

Popatrzył w stronę korytarza.

— Nie może pani tego powiedzieć Brandonowi.

— W porządku.

— Nie żartuję. Dana Phelps poprosiła, żeby nikt, a zwłaszcza jej syn, nie dowiedział się o jej planach.

Kat nachyliła się w stronę Borka.

— Będę milczała jak grób.

— W ogóle bym pani o tym nie wspominał, prawdę mówiąc, nie powinienem, ale muszę chronić swoich klientów i firmę. Nie wiem, co Dana miałaby na ten temat do powiedzenia, podejrzewam jednak, że nie chciałaby, żeby jej przelew, o którym chłopak nigdy nie powinien się dowiedzieć, został wzięty pod lupę przez Departament Skarbu. Nie dlatego, że był nielegalny, ale dlatego, że zwróciłoby to na nią niepotrzebną i kłopotliwą uwagę.

Kat czekała. Bork nie zwracał się do niej. Mówił do siebie, starając się znaleźć usprawiedliwienie dla przekazania jej informacji.

— Dana Phelps kupuje dom.

Kat nie była pewna, czego się spodziewała, z pewnością jednak nie tego.

— Dom?

— W Kostaryce. Willę z pięcioma sypialniami przy plaży na przylądku Papagayo. Oszałamiająca nieruchomość. Tuż nad Oceanem Spokojnym. Mężczyzna, z którym podróżuje, poprosił ją o rękę.

Kat siedziała nieruchomo. Słowa „poprosił ją o rękę" zmieniły się w kamień i spadły w głąb kopalnianego szybu w jej wnętrzu. Zobaczyła to wszystko — cudowna plaża, palmy kokosowe (czy w Kostaryce rosną kokosy? Kat nie wiedziała), Jeff i Dana trzymający się za ręce, delikatny pocałunek, wspólne leżenie na hamaku w promieniach zachodzącego słońca.

— Musi pani zrozumieć — kontynuował Bork. — Dana nie miała łatwego życia po śmierci męża. Samotnie wychowała Brandona, który nie był aniołkiem. Śmierć ojca... bardzo go dotknęła. Nie będę wchodził w szczegóły, ale teraz, gdy chłopak poszedł do college'u, Dana jest gotowa rozpocząć nowe życie. Z pewnością pani to rozumie.

Kat zakręciło się w głowie. Usiłowała odepchnąć od siebie myśli o życiu w willi przy plaży i skupić się na wykonywanym zadaniu. Co Dana napisała w ostatnim SMS-ie do syna? Coś o świetnej zabawie i dużej niespodziance...

— W każdym razie Dana wychodzi za mąż. Być może nawet przeprowadzi się tam na stałe z mężem. Oczywiście nie chce przekazać Brandonowi takiej wiadomości przez telefon. Dlatego się z nim nie kontaktuje.

Kat nic nie odpowiedziała, starając się to wszystko przyswoić. Oświadczyny. Willa przy plaży. Niechęć do rozmowy telefonicznej z synem. Czy to miało ręce i nogi?

Owszem.

— Zatem Dana Phelps przelała pieniądze na konto właściciela domu?

— Nie, na własne konto. Kupno nieruchomości w Kostaryce wiąże się ze skomplikowanymi procedurami i wymaga dyskrecji. Dopytywanie o szczegóły nie należy do moich obowiązków. Dana założyła legalne konto w Szwajcarii i przelała na nie pieniądze.

— Założyła konto w Szwajcarii na własne nazwisko?

— To całkowicie legalne — zaznaczył Bork. — Ale nie, nie na swoje nazwisko.

— Więc na czyje?

Bork znów gryzł wypielęgnowany paznokieć. To niezwykłe, że wszyscy mężczyźni, niezależnie od tego, jak wielki odnieśli sukces, wciąż bywają niepewni niczym mali chłopcy.

— Bez nazwiska — odezwał się w końcu.

Kat zrozumiała.

— Konto numeryczne?

— To nie jest aż tak szokujące, jak mogłoby się wydawać. Większość rachunków bankowych w Szwajcarii to konta numeryczne. Wie pani, na czym to polega?

Kat rozparła się na krześle.

— Udajmy, że nie.

— Z kontem numerycznym, jak sama nazwa wskazuje, powiązany jest numer, a nie nazwisko. To zapewnia dużą dozę prywatności, nie tylko przestępcom, ale także uczciwym ludziom, którzy nie chcą wystawiać swoich finansów na widok publiczny. Pieniądze na takim koncie są bezpieczne.

— Oraz ukryte.

— Do pewnego stopnia. Mniej niż kiedyś. Rząd Stanów Zjednoczonych obecnie może, i korzysta z tej możliwości, poznać szczegóły dotyczące takiego rachunku. Wszyscy zwracają uwagę na przestępcze praktyki i je zgłaszają. A anonimowość ma swoje granice. Wielu ludzi głupio wierzy, że nikt nie wie, do kogo należą poszczególne konta numeryczne. Oczywiście to absurd. Wybrani pracownicy banku mają wgląd w te dane.

— Panie Bork?

— Tak.

— Proszę mi podać nazwę banku i numer.

— Nic to pani nie da. Nawet ja nie jestem pewien, jakie nazwisko przypisano do tego numeru. Zdobędzie pani nakaz, a wtedy szwajcarski bank wciągnie panią w wieloletnie procedury. Więc jeśli chce pani ścigać Danę Phelps w związku z jakimś drobnym przestępstwem...

— Nie mam zamiaru ścigać Dany Phelps. Ma pan moje słowo.

— Więc o co w tym wszystkim chodzi?

— Proszę mi podać ten numer, panie Bork.

— A jeśli odmówię?

Podniosła telefon.

— Wciąż mogę zadzwonić do Maxa.

22

Wychodząc, Kat zadzwoniła do Chaza i podała mu nazwę szwajcarskiego banku oraz numer konta. Niemal usłyszała, jak zmarszczył czoło.

— Co mam z tym zrobić, u diabła? — spytał.

— Nie wiem. To nowy rachunek. Może uda nam się sprawdzić, czy ostatnio wykonywano na nim jakieś transakcje.

— Żartujesz, prawda? Policjant z Nowego Jorku ma prosić o informacje szwajcarski bank?

Miał rację. To rzeczywiście był wątpliwy plan.

— Po prostu prześlij numer do Departamentu Skarbu. Mam tam informatora, nazywa się Ali Oscar. Jeśli w przyszłości ktoś złoży wniosek o zbadanie podejrzanej transakcji, może nam się poszczęści.

— W porządku. Rozumiem.

Brandon był dziwnie milczący, gdy wracali metrem na przedmieścia. Kat spodziewała się, że będzie ją zadręczał pytaniami o to, dlaczego musiał wyjść z gabinetu i co powiedział Martin Bork. Jednak tego nie robił. Siedział zgaszony i przygarbiony. Bezwładnie kołysał się w rytm ruchów wagonu.

Kat siedziała obok niego. Podejrzewała, że sama wygląda niewiele lepiej. Powoli przyswajała prawdę. Jeff się oświadczył. A może powinna go teraz nazywać Ronem? Nienawidziła tego imienia. Jeff był Jeffem, a nie Ronem. Czy ludzie naprawdę tak go teraz nazywali? „Cześć, Ron!" Albo: „Patrzcie, idzie Ronnie!". Albo: „Hej, to Ronald!".

Po cholerę wybierać imię Ron?

Idiotyczne myśli, cóż począć. Dzięki nim nie skupiała się na tym, co oczywiste. Osiemnaście lat to mnóstwo czasu. Dawny Jeff był wrogiem materializmu, ale Nowy Ron zakochał się na zabój w nieprzyzwoicie bogatej wdowie, która kupowała mu dom w Kostaryce. Kat się skrzywiła. Zupełnie jakby był zabawką tej kobiety albo czymś w tym rodzaju.

Kiedy się poznali, Jeff wynajmował cudowną norę niedaleko Washington Square. Spał na materacu na podłodze. Wciąż panował tam hałas. Rury wyły zza ścian albo przeciekały. Mieszkanie zawsze wyglądało, jakby właśnie wybuchła w nim bomba. Kiedy Jeff pisał, zdobywał wszystkie możliwe zdjęcia dotyczące danego tematu i chaotycznie przyczepiał je do ścian. Nie kierował się żadnym porządkiem. Twierdził, że chaos go inspiruje. Kat odpowiadała, że to wygląda zupełnie jak w filmach, gdy policjanci wpadają do kryjówki zabójcy i znajdują wszechobecne zdjęcia ofiar.

Jednak to do niego idealnie pasowało. Wszystko, co robił — poczynając od najdrobniejszych, przyziemnych czynności, a kończąc na kulminacji, jaką było kochanie się z Kat — wydawało się szczere i doskonałe. Tęskniła za tą cudowną norą. Tęskniła za bałaganem i zdjęciami na ścianie.

Boże, jak bardzo go kochała.

Wysiedli przy Sześćdziesiątej Szóstej Ulicy niedaleko Lincoln Center. W wieczornym powietrzu wyczuwało się chłód.

Brandon wciąż był pogrążony w myślach. Nie przeszkadzała mu. Wrócili do jej mieszkania — uważała, że nie powinien być teraz sam.

— Jesteś głodny? — spytała.

Brandon wzruszył ramionami.

— Chyba tak.

— Zamówię pizzę. Może być pepperoni?

Pokiwał głową. Potem opadł na fotel i zapatrzył się w okno. Kat zadzwoniła do pizzerii La Traviata i złożyła zamówienie. Usiadła na fotelu naprzeciwko Brandona.

— W ogóle się nie odzywasz — zauważyła.

— Myślę.

— O czym?

— O pogrzebie ojca.

Kat zamilkła. Brandon nic więcej nie powiedział, postanowiła delikatnie podrążyć temat.

— A dokładnie?

— O wujku Martym i jego mowie pożegnalnej. Nie o tym, co powiedział, chociaż wygłosił piękną mowę, ale o tym, że kiedy skończył, natychmiast wybiegł z kaplicy, czy jak to się nazywa. Skończył i uciekł. Poszedłem za nim. Sam nie wiem dlaczego. Wciąż nie dopuszczałem do siebie tego, co się stało. Jakbym był na pogrzebie obcej osoby i nie miał z nią nic wspólnego. Czy to ma sens?

Kat pamiętała odrętwienie, jakie czuła na pogrzebie swojego ojca.

— Z pewnością.

— A więc znalazłem wujka Marty'ego w biurze na zapleczu. Siedział przy zgaszonym świetle. Prawie go nie widziałem, ale za to doskonale słyszałem. Podejrzewam, że wziął się w garść na czas wygłaszania mowy, a potem się rozsypał.

Klęczał i zanosił się płaczem. Stałem w progu. Nie wiedział, że go obserwuję. Myślał, że jest sam.

Brandon podniósł wzrok na Kat.

— Wujek Marty powiedział ci, że moja matka do niego zadzwoniła, prawda?

— Tak.

— Nie skłamałby w tej sprawie.

Nie wiedziała, co odpowiedzieć.

— Dobrze wiedzieć — mruknęła w końcu.

— Wyjaśnił, po co wypłaciła pieniądze?

— Tak.

— Ale mi nie powiesz.

— Powiedział, że twoja mama poprosiła o dyskrecję.

Chłopak wbił wzrok w okno.

— Brandonie...

— Moja mama spotykała się z innym facetem. Nie poznała go w internecie. Mieszkał w Westport.

— Kiedy to było?

Wzruszył ramionami.

— Może dwa lata po śmierci taty. Nazywał się Charles Reed. Był rozwiedziony. Miał dwoje dzieci, które mieszkały ze swoją mamą w Stamford. Zabierał je na weekendy i czasami wieczorem w ciągu tygodnia.

— I co się stało?

— Ja — odparł Brandon. — Ja się stałem. — Na jego ustach pojawił się dziwny uśmiech. — Czy detektyw Schwartz mówił ci, że byłem aresztowany?

— Wspomniał, że miało miejsce kilka incydentów.

— Tak, no cóż, chyba potraktowali mnie niezwykle łagodnie. Nie chciałem, żeby mama z kimkolwiek się umawiała. Wyobrażałem sobie, że ten facet zastępuje mojego ojca: mieszka w jego domu, śpi po jego stronie łóżka, korzysta z jego szafy i szuflad, parkuje samochód na jego miejscu. Rozumiesz, co mam na myśli?

— Oczywiście — odrzekła Kat. — To naturalne odczucia.

— Wtedy zacząłem „rozrabiać" — zakreślił palcami w powietrzu znak cudzysłowu — jak to nazywał mój terapeuta. Zawiesili mnie w szkole. Przeciąłem opony sąsiadowi. Uśmiechałem się, kiedy policja przywoziła mnie do domu. Chciałem, żeby mama cierpiała. Mówiłem, że to jej wina, że robię to, ponieważ zdradziła mojego ojca. — Zamrugał gwałtownie i potarł dłonią podbródek. — Pewnego wieczoru nazwałem ją dziwką.

— Co zrobiła?

— Nic. — Zaśmiał się gorzko. — Nie powiedziała ani słowa. Tylko stała i wbijała we mnie wzrok. Nigdy nie zapomnę wyrazu jej twarzy. Nigdy. Ale to mnie nie powstrzymało. Nie dawałem za wygraną, dopóki Charles Reed nie odszedł.

Kat nachyliła się w jego stronę.

— Dlaczego mi to opowiadasz?

— Ponieważ wszystko popsułem. Był całkiem miłym gościem. Może byłaby z nim szczęśliwa. Dlatego cię pytam, Kat. Czy znów to robię? — Odwrócił się i spojrzał jej w oczy. — Czy znów chcę to schrzanić, tak jak ostatnim razem?

Próbowała popatrzeć na to z dystansu, jak przystało na detektywa. Co tak naprawdę wiedzą? Matka wyjeżdża i nie kontaktuje się z synem. Chociaż było to nietypowe zachowanie, Martin Bork wyjaśnił jej motywy. A co z wypłatą z bankomatu oraz nagraniem? Kat widziała czarną limuzynę i czekającego szofera, co idealnie pasowało do wyjaśnienia, którego udzieliła Dana Phelps: jej chłopak wysłał po nią limuzynę.

Kolejne chłodne, surowe spojrzenie: jakie mają dowody na to, że Dana Phelps wpadła w tarapaty?

Żadnych.

Brandon był wystraszonym dzieciakiem. Kochał swojego ojca i czuł, że matka dopuszcza się zdrady, umawiając się z innymi mężczyznami. Nic dziwnego, że przekręcał to, co widział, i tworzył teorię spiskową.

Więc jaką Kat ma wymówkę?

Jasne, niektóre z zachowań Jeffa można uznać za dziwne. Ale cóż z tego? Zmienił nazwisko i żyje po swojemu. Wyraźnie dał jej do zrozumienia, że nie chce wracać do przeszłości. Została zraniona, więc to oczywiste, że również dopatruje się spisku zamiast odrzucenia. Przeszłość — ojciec, były narzeczony — gwałtownie do niej powracała.

Nie ma o czym rozmawiać. Czas zostawić to za sobą. Gdyby mężczyzną, z którym uciekła Dana Phelps, był ktokolwiek inny niż Jeff, już dawno by odpuściła. Problem — z którym nigdy nie chciała się zmierzyć — polegał na tym, że nie pogodziła się z odejściem Jeffa. Owszem, to była ckliwa myśl, ale w głębi serca (wbrew rozumowi) czuła, że są sobie przeznaczeni i że ich kręte drogi jakimś cudem — nigdy świadomie tego nie rozważała — ponownie się zejdą. Jednak teraz, gdy siedziała na podłodze i jadła pizzę z Brandonem, zrozumiała, że to zapewne nie wszystko. Owszem, ten okres w jej życiu był pełen niepokojów i żywych emocji, lecz przede wszystkim przedwcześnie się zakończył. Czuła się niespełniona.

Zakochanie, zabójstwo ojca, rozstanie, schwytanie mordercy — te sprawy wymagały domknięcia, na które nie mogła liczyć. Kiedy na chwilę zapominała o kolejnych absurdalnych kłamstwach, którymi się zwodziła, tak naprawdę nie rozumiała, dlaczego Jeff odszedł. Nigdy nie zrozumiała, dlaczego zamordowano jej ojca, ani nie wierzyła, że Cozone zlecił zabójstwo, którego dokonał Leburne. Jej życie nie zboczyło z trasy ani nawet się nie wykoleiło. Miała poczucie, że tory całkowicie zniknęły.

Człowiek potrzebuje odpowiedzi. Potrzebuje ich, żeby dostrzec jakikolwiek sens.

Zjedli pizzę w rekordowym tempie. Brandon wciąż był oszołomiony po pobiciu. Kat nadmuchała materac i dała chłopakowi leki przeciwbólowe, które kupiła w całodobowej aptece. Szybko zasnął. Spoglądała na niego przez chwilę, zastanawiając się, jak zniesie najnowsze wieści dotyczące matki.

Wślizgnęła się pod pościel. Próbowała poczytać, ale bezskutecznie. Słowa na kartce rozpływały się w pozbawioną znaczenia mgłę. Odłożyła książkę i leżała w ciemności. Skoncentruj się na tym, co możliwe, myślała. Dana Phelps i „Ron Kochman" znajdowali się poza jej zasięgiem.

Chociaż minęło osiemnaście lat, wciąż musiała odkryć prawdę o zabójstwie ojca. Skup się na tym.

Zamknęła oczy i zapadła w głęboki, czarny sen. Kiedy zadzwonił telefon, potrzebowała chwili, żeby wrócić do świadomości. Sięgnęła na oślep i przyłożyła aparat do ucha.

— Halo?

— Cześć, Kat. Mówi John Glass.

Wciąż była oszołomiona. Cyfrowy zegar wskazywał godzinę trzecią osiemnaście.

— Kto?

— John Glass z posterunku przy Central Parku.

— A tak, przepraszam. Wiesz, że jest trzecia w nocy?

— Tak, no cóż, cierpię na bezsenność.

— Tak, no cóż, ja nie — wymamrotała.

— Złapaliśmy faceta, który napadł na Brandona Phelpsa. Tak jak podejrzewaliśmy, to bezdomny. Nie ma żadnych dokumentów. Nie chce zeznawać.

— Dziękuję za wieści, ale sądzę, że mógłbyś z nimi zaczekać do rana.

— Normalnie przyznałbym ci rację — odparł Glass — gdyby nie jedna dziwna sprawa.

— To znaczy?

— Ten bezdomny.

— Co z nim? — spytała Kat.

— Chce się z tobą zobaczyć.

▪ ▪ ▪

Kat włożyła strój treningowy, napisała liścik do Brandona, na wypadek gdyby się obudził, a następnie ruszyła na północ i pokonała truchtem dwadzieścia przecznic dzielące ją od posterunku przy Central Parku. John Glass czekał przy frontowych drzwiach. Wciąż miał na sobie mundur.

— Wyjaśnisz mi, co się dzieje? — zapytał.

— Co mam wyjaśnić?

— Dlaczego facet chce się z tobą widzieć.

— Może najpierw powinnam zobaczyć, kto to jest.

Wyciągnął rękę.

— Tędy.

Ich kroki odbijały się echem w niemal pustym atrium z kuloodpornymi szybami. Na podstawie pobieżnego opisu, który usłyszała od Glassa przez telefon, Kat podejrzewała, kto na nią czeka w celi zatrzymań. Gdy dotarli na miejsce, Aqua krążył nerwowo po pomieszczeniu. Skubał palcami dolną wargę. Dziwne. Kat próbowała sobie przypomnieć, kiedy ostatnio widziała go w czymś innym niż spodnie do jogi albo przynajmniej kobiece ciuchy. Nie potrafiła. Tymczasem Aqua miał na sobie dżinsy bez paska, które zwisały mu z bioder jak u zakompleksionego nastolatka, podartą flanelową koszulę oraz tenisówki, niegdyś białe, a teraz w odcieniu brązu, który można by osiągnąć, zakopując je na miesiąc w błocie.

— Znasz go? — spytał Glass.

Kat pokiwała głową.

— Naprawdę nazywa się Dean Vanech, ale wszyscy mówią na niego Aqua.

Aqua nie przestawał krążyć, kłócąc się pod nosem z jakimś niewidzialnym przeciwnikiem. Nic nie wskazywało na to, że ich usłyszał.

— Podejrzewasz, dlaczego mógł zaatakować twojego młodzieńca?

— Nie mam pojęcia.

— Kim jest Jeff? — rzucił Glass.

Kat błyskawicznie odwróciła głowę w jego stronę.

— Co takiego?

— Ciągle mamrocze o jakimś Jeffie.

Kat pokręciła głową i przełknęła ślinę.

— Czy mogę zostać z nim sama na kilka minut?

— Chcesz go przesłuchać?

— Jest moim starym przyjacielem.

— Więc chcesz być jego adwokatem?

— Proszę cię o przysługę, Glass. Nie zrobimy niczego złego, nie przejmuj się.

Obojętnie wzruszył ramionami, po czym wyszedł z pomieszczenia. Cele zabezpieczono pleksiglasem, a nie kratami. Cały ten budynek był zbyt wytworny jak na gust Kat — bardziej przypominał plan filmowy niż prawdziwy posterunek. Zbliżyła się o krok i zapukała, żeby zwrócić uwagę zatrzymanego.

— Aqua?

Przyspieszył kroku, jakby mógł jej uciec.

Odezwała się nieco głośniej.

— Aqua?

Gwałtownie się zatrzymał i odwrócił w jej stronę.

— Przepraszam, Kat.

— Co się dzieje, Aqua?

— Gniewasz się na mnie. — Rozpłakał się.

Musiała działać ostrożnie, żeby całkowicie go nie stracić.

— Wszystko w porządku. Nie gniewam się. Po prostu chcę zrozumieć.

Zamknął oczy i wziął głęboki oddech. Wypuścił powietrze z płuc, a następnie ponownie go zaczerpnął. Oddychanie było niezwykle ważnym elementem jogi. Wydawało się, że Aqua usiłuje się skupić. W końcu powiedział:

— Śledziłem cię.

— Kiedy?

— Po naszej rozmowie. Pamiętasz? Poszłaś do O'Malley's. Chciałaś, żebym ci towarzyszył.

— Ale nie chciałeś wejść.

— Tak.

— Dlaczego?

Pokręcił głową.

— Zbyt wiele duchów z przeszłości, Kat.

— Były też dobre czasy.

— Ale umarły i teraz nas nawiedzają — odparł.

Kat musiała go pilnować, żeby nie zboczył z tematu.

— Więc poszedłeś za mną.

— Tak. Byłaś ze Stacy. — Przez chwilę się uśmiechał. — Lubię ją. To utalentowana uczennica.

Świetnie, pomyślała Kat. Nawet schizofreniczni geje w kobiecych strojach ulegają czarowi Stacy.

— Poszedłeś za mną?

— Tak. Przebrałem się i ruszyłem ulicą. Chciałem z tobą jeszcze porozmawiać, a może tylko się upewnić, że bezpiecznie stamtąd wyjdziesz.

— Z O'Malley's?

— Oczywiście.

— Aqua, chodzę tam pięć razy w tygodniu. — Powstrzymała się. Temat. Trzymaj się tematu. — A więc poszedłeś za mną i za Stacy.

Znowu się uśmiechnął i zaśpiewał pięknym falsetem:

— *I am the walrus, koo kook kachoo.*

Kat zaczęła układać to wszystko w jedną całość.

— Poszedłeś za nami do parku. Na Strawberry Fields. Widziałeś, jak rozmawiam z Brandonem.

— Nie tylko widziałem.

— Co masz na myśli?

— Kiedy się tak ubieram, jestem typowym czarnym kolesiem, którego każdy stara się unikać. Wszyscy odwracają wzrok. Nawet ty, Kat.

Chciała zaoponować — dowieść swojego braku uprzedzeń oraz ogólnej dobrej woli — lecz ważniejsze było niezbaczanie z tematu.

— Więc co zrobiłeś, Aqua?

— Siedzieliście na ławce Elizabeth.

— Czyjej?

Wyrecytował z pamięci:

— „Najlepsze dni mojego życia to ta ławka, lody z płatkami czekoladowymi i tatuś. Zawsze będę za tobą tęskniła, Elizabeth".

— Aha.

Zrozumiała i wzruszyła się wbrew sobie. W Central Parku jednym ze sposobów zbierania funduszy jest program „Adoptuj ławkę". Za siedem i pół tysiąca dolarów na ławce jest montowana plakietka z osobistym tekstem. Kat spędziła wiele godzin na ich czytaniu i wyobrażaniu sobie historii, które za nimi stoją. Na jednej z plakietek widniał napis: „Na tej ławce Wayne pewnego dnia oświadczy się Kim". (Czy to zrobił? Czy zgodziła się zostać jego żoną?). Kolejna z jej ulubionych tabliczek znajdowała się niedaleko parku dla psów: „Ku pamięci Leo i Laszlo, wielkiego człowieka i jego szlachetnego psa", na innej zaś napisano po prostu: „Posadź tutaj pupę, a wszystko będzie dobrze".

Zwyczajne rzeczy bywają wzruszające.

— Słyszałem was — oświadczył Aqua, podnosząc głos. — Słyszałem, jak rozmawialiście. — Na jego twarzy pojawił się grymas. — Kim jest ten chłopak?

— Ma na imię Brandon.

— Wiem! — krzyknął. — Myślisz, że tego nie wiem? Ale kim on jest, Kat?

— Studentem.

— Co z nim robisz? — Uderzył dłońmi w pleksiglas. — No co? Dlaczego próbujesz mu pomóc?

— Hej. — Kat cofnęła się o krok, zaszokowana tym wybuchem agresji. — Nie odwracaj kota ogonem. Tutaj chodzi o ciebie. Napadłeś na niego.

— Oczywiście, że na niego napadłem. Myślisz, że pozwolę, aby ktoś znów go skrzywdził?

— Kogo skrzywdził? — spytała.

Aqua nic nie odpowiedział.

— Kogo Brandon próbuje skrzywdzić?

— Przecież wiesz.

— Nie, nie wiem. — Chociaż teraz miała wrażenie, że może wie.

— Ukryłem się. Siedzieliście na ławce Elizabeth. Słyszałem każde słowo. Mówiłem ci, żebyś zostawiła go w spokoju. Dlaczego mnie nie posłuchałaś?

— Aqua?

Zamknął oczy.

— Popatrz na mnie, Aqua.

Nie usłuchał.

Musiała go nakłonić, żeby to powiedział.

— Kogo mamy zostawić w spokoju? Kogo usiłujesz ochronić?

— To on mnie chronił — odparł Aqua, wciąż nie otwierając oczu. — Chronił ciebie.

— Kto?

— Jeff.

Wreszcie to powiedział. Kat spodziewała się tej odpowiedzi — przygotowywała się na nią — ale cios i tak sprawił, że cofnęła się o krok.

— Kat? — Aqua przycisnął twarz do szyby, wodząc oczami na boki, by upewnić się, że nikt go nie usłyszy. — Musimy go powstrzymać. On szuka Jeffa.

— I właśnie dlatego na niego napadłeś?

— Nie zamierzałem zrobić mu krzywdy. Po prostu chcę, żeby przestał. Nie rozumiesz?

— Nie — odparła Kat. — Czego może się dowiedzieć, co tak cię przeraża?

— On nigdy nie przestał cię kochać, Kat.

Zignorowała tę uwagę.

— Wiedziałeś, że Jeff zmienił nazwisko?

Aqua się odwrócił.

— Teraz nazywa się Ron Kochman — ciągnęła. — Wiedziałeś o tym?

— Tak wiele śmierci — wyszeptał Aqua. — To powinno spotkać mnie.

— Co powinno cię spotkać?

— Powinienem był umrzeć. — Łzy swobodnie popłynęły mu po twarzy. — Wtedy wszystko byłoby dobrze. Byłabyś z Jeffem.

— O czym ty mówisz?

— Mówię o tym, co zrobiłem.

— Co zrobiłeś, Aqua?

Nie przestawał płakać.

— To wszystko moja wina.

— Nie miałeś nic wspólnego z odejściem Jeffa.

Znów łzy.

— Aqua? Co zrobiłeś?

Zaczął śpiewać.

— „Mówi mi cygański wiatr, że pełen pozorów jest ten świat. Uważaj".

— Co takiego?

Uśmiechnął się przez łzy.

— To zupełnie jak w tej starej piosence. Pamiętasz. Tej o demonicznym kochanku. Chłopak umiera, więc dziewczyna wychodzi za kogoś innego, ale wciąż go kocha, aż pewnego dnia powraca do niej jego duch, razem odjeżdżają i stają w płomieniach.

— Aqua, nie mam pojęcia, o czym mówisz.

Jednak coś w tej piosence wydawało się jej znajome. Tylko nie potrafiła wskazać co...

— Ostatnie wersy — dodał Aqua. — Musisz się wsłuchać w ostatnie wersy. Po tym, jak stają w płomieniach. Musisz wysłuchać tego ostrzeżenia.

— Nie pamiętam go.

Aqua odchrząknął, a następnie zaśpiewał ostatnie linijki pięknym, pełnym głosem:

— „Uważaj na ludzi, których miejsce jest w przeszłości. Nie wpuszczaj ich z powrotem do swego życia".

23

Po tych słowach Aqua nie powiedział już niczego więcej. Tylko raz za razem śpiewał ten sam fragment: „Uważaj na ludzi, których miejsce jest w przeszłości. Nie wpuszczaj ich z powrotem do swego życia".

Kiedy Kat, korzystając z komórki, znalazła tekst w internecie, zalała ją fala wspomnień. To była piosenka *Demon Lover* Michaela Smitha. Dwadzieścia lat temu wspólnie wybrali się na jego koncert do jakiegoś obskurnego klubu w Village. Jeff kupił bilety, ponieważ dwa lata wcześniej widział Smitha na żywo w Chicago. Aqua zabrał ze sobą innego transwestytę o imieniu Yellow. Później obaj występowali jako drag queens w klubie w Jersey City. Kiedy się rozstali, Aqua stwierdził: „Kolor aqua nie pasuje do żółci".

Tekst nie przyniósł żadnych dodatkowych informacji. Kat znalazła utwór w sieci i go wysłuchała. Był niesamowity i cudowny, bardziej tekst niż muzyka. Opowiadał o Agnes Hines zakochanej w Jimmym Harrisie, który w młodości zginął w wypadku samochodowym, a potem powrócił do niej po latach, w tym samym samochodzie, gdy już była mężatką.

Przesłanie piosenki nie pozostawiało wątpliwości: miejsce dawnych ukochanych jest w przeszłości.

Tylko czy wybuch Aquy był spowodowany tą piosenką? Czy wysłuchał jej i poczuł, że jeśli Kat będzie dalej poszukiwać swojego demonicznego kochanka, Jeffa, oboje spalą się jak Agnes i Jimmy? A może chodziło o coś więcej?

Pomyślała o tym, jak jej rozstanie z Jeffem i jego wyjazd do Cincinnati wpłynęły na Aquę. Już wtedy jego stan się pogarszał, ale odejście Jeffa całkowicie wytrąciło go z równowagi. Czy był w szpitalu, kiedy Jeff zniknął z ich życia? Próbowała to sobie przypomnieć. Nie, uznała, do szpitala trafił później.

To bez znaczenia. Nic z tego nie miało znaczenia. W cokolwiek Jeff się wpakował — zakładała, że wpadł w tarapaty, bo nie zmienia się nazwiska bez powodu — to jego zmartwienie. Pomimo szaleństwa Aqua był najbystrzejszym człowiekiem, jakiego znała. Miedzy innymi dlatego tak bardzo uwielbiała jego lekcje jogi — ze względu na prawdy, które wygłaszał podczas medytacji, poruszające do głębi myśli, niekonwencjonalne sposoby nauczania.

Na przykład śpiewanie piosenki, którą ostatnio słyszała przed niemal dwudziestu laty...

Ostrzeżenie Aquy, nawet jeśli zrodziło się w chorym umyśle, miało wiele sensu.

Brandon nie spał, kiedy wróciła z posterunku. Z powodu złamanego nosa zrobiły mu się sińce pod oczami.

— Gdzie byłaś? — spytał.

— Jak się czujesz?

— Obolały.

— Weź leki przeciwbólowe. Proszę, przyniosłam ci dwie babeczki. — Po drodze zatrzymała się w piekarni Magnolia. Wręczyła mu torebkę. — Muszę cię prosić o przysługę.

— Strzelaj.

— Zatrzymali mężczyznę, który na ciebie napadł. Wracam z posterunku.

— Co to za jeden?

— Właśnie tego dotyczy moja prośba. To mój przyjaciel. Wydawało mu się, że mnie chroni. Chciałabym, żebyś wycofał oskarżenie.

Wyjaśniła sytuację, starając się nie zdradzić zbyt wielu szczegółów.

— Chyba nadal nie rozumiem — podsumował Brandon.

— Więc po prostu zrób to dla mnie, dobrze? Jako przysługę.

Wzruszył ramionami.

— Niech będzie.

— Mam także wrażenie, że najwyższy czas dać temu spokój, Brandonie. Jak myślisz?

Przełamał babeczkę i powoli zjadł połowę.

— Mogę cię o coś zapytać?

— Jasne — odparła Kat.

— W telewizji zawsze wspominają o policyjnej intuicji i kierowaniu się przeczuciem.

— Zgadza się.

— Robicie tak czasami?

— Wszyscy policjanci to robią. Cholera, raczej wszyscy ludzie. Kiedy jednak przeczucie stoi w sprzeczności z faktami, najczęściej prowadzi do pomyłek.

— A ty uważasz, że moje przeczucie stoi w sprzeczności z faktami?

Przez chwilę się nad tym zastanawiała.

— Nie, tego bym nie powiedziała. Ale także do nich nie pasuje.

Brandon uśmiechnął się i ugryzł babeczkę.

— Gdyby pasowało, nie mówilibyśmy o przeczuciu, prawda?

— Celna uwaga. Choć i tak jestem zwolenniczką zasady Sherlocka Holmesa.

— To znaczy?

— Parafrazując, Sherlock ostrzegał, że nigdy nie należy budować teorii, dopóki nie pozna się faktów, bo wtedy się je nagina, żeby potwierdzały teorię, zamiast dopasować teorię do faktów.

Chłopak pokiwał głową.

— To mi się podoba.

— Ale?

— Ale i tak mnie to nie przekonuje.

— A co z postanowieniem, żeby nie psuć planów mamie?

— Nie zrobię tego. Jeśli to prawdziwa miłość, niech trwa.

— Nie do ciebie należy decyzja, jaka to miłość — zauważyła Kat. — Twoja mama ma prawo do własnych błędów. Ma prawo do tego, żeby złamał jej serce.

— Tak jak tobie?

— Tak, tak jak mnie. Był moim demonicznym kochankiem, muszę go pozostawić w przeszłości.

— Demonicznym kochankiem?

Uśmiechnęła się i wzięła marchewkową babeczkę z serową polewą i orzechami włoskimi.

— Nieważne.

▪ ▪ ▪

Cieszyła się, że wreszcie ma spokój. Przez dwadzieścia minut. Potem odebrała dwa telefony.

Najpierw zadzwoniła Stacy.

— Natrafiłam na ślad Jeffa Raynesa alias Rona Kochmana — oznajmiła.

Za późno. Kat nie chciała wiedzieć. To już nie miało znaczenia.

— Słucham?

— Jeff nie zmienił nazwiska w legalny sposób.

— Jesteś pewna?

— Jak najbardziej. Zadzwoniłam do wszystkich pięćdziesięciu biur stanowych. To fałszywa tożsamość, ale przygotowana bardzo profesjonalnie. Całkowita zmiana. Nawet się zastanawiałam, czy nie jest objęty programem ochrony świadków.

— Czy to możliwe?

— Raczej nie. Ci z programu ochrony świadków nie powinni się ogłaszać w serwisach randkowych, chociaż nie jest to wykluczone. Sprawdzę u jednego z moich informatorów. Natomiast mogę stwierdzić ponad wszelką wątpliwość, że Jeff nie zmienił nazwiska w legalny sposób i że nie chce zostać odnaleziony. Nie ma kart kredytowych, rachunków bankowych, stałego miejsca zamieszkania.

— Pracuje jako dziennikarz — przypomniała Kat. — Na pewno płaci podatki.

— Właśnie idę tym tropem... sprawdzam w urzędzie podatkowym. Mam nadzieję, że wkrótce dostanę adres. Chyba że...

— Chyba że co?

— Chyba że chcesz, żebym odpuściła — odparła Stacy.

Kat potarła oczy.

— To ty mi powiedziałaś, że Jeff i ja możemy żyć jak w bajce.

— Wiem, ale czy naprawdę czytujesz bajki? Czerwonego Kapturka? Jasia i Małgosię? Pełno w nich krwi i cierpienia.

— Sądzisz, że powinnam dać spokój, prawda?

— Nic z tych rzeczy — zaoponowała Stacy.

— Przecież właśnie powiedziałaś...

— Kogo obchodzi, co właśnie powiedziałam? Nie możesz tego tak zostawić, Kat. Nie lubisz niedokończonych spraw, a twój narzeczony to idealny przykład takiej sprawy. Więc chrzanić to. Dowiedzmy się, co się z nim, u diabła, stało, żebyś mogła raz na zawsze zapomnieć o palancie, który był na tyle głupi, że porzucił twój kształtny tyłeczek.

— Cóż, skoro tak to ujmujesz... — rzuciła Kat. — Prawdziwa z ciebie przyjaciółka.

— Najlepsza — zgodziła się Stacy.

— Ale wiesz co? Odpuść.

— Naprawdę?

— Tak.

— Jesteś pewna?

Nie, pomyślała Kat. Na Boga, nie.

— Jestem pewna.

— Brawo, panno Odważna. Tak trzymać. Skoczymy wieczorem na drinka?

— Ja stawiam — powiedziała Kat.

— Kocham cię.

— Ja też cię kocham.

Brandon czuł się na tyle dobrze, że po dokończeniu babeczki wyszedł. Kat została sama. Właśnie się rozbierała, żeby wziąć prysznic — zamierzała spędzić cały dzień w łóżku przed telewizorem — gdy zadzwonił telefon.

— Jesteś w domu?

To był Stagger. Nie sprawiał wrażenia zadowolonego.

— Tak.

— Będę za pięć minut — oznajmił.

Uwinął się szybciej. Zapewne dzwonił spod jej budynku.

Nie przywitała go, kiedy wszedł. On również nie bawił się w powitania. Wparował do środka i rzucił:

— Zgadnij, kto właśnie do mnie zadzwonił.

— Kto?

— Suggs.

Kat nic nie odpowiedziała.

— Na litość boską! Poszłaś do Suggsa?

Zabawne. Kiedy Kat ostatnio widziała Staggera, przyszło jej do głowy, że przypomina małego chłopca. Teraz odniosła odwrotne wrażenie. Wyglądał staro. Jego włosy się przerzedziły, osłabły i nie dawały się ułożyć. Policzki obwisły. Zauważalny brzuszek dodawał mu wieku i miękkości. Wiedziała, że jego dzieci już nie są malutkie. Wycieczki do Disneylandu powoli ustąpiły miejsca odwiedzinom w college'u. Kat uświadomiła sobie, że tak mogłoby wyglądać jej życie. Czy wstąpiłaby do policji, gdyby pobrali się z Jeffem? Czy teraz byłaby podstarzałą mamuśką wychowującą dzieci w lśniącej posiadłości w Upper Montclair?

— Jak mogłaś to zrobić, Kat?

— Żartujesz, prawda?

Stagger pokręcił głową.

— Popatrz na mnie, okay? Przyjrzyj mi się uważnie. — Położył dłonie na jej ramionach. — Czy naprawdę uważasz, że mogłem skrzywdzić twojego ojca?

Zrobiła to, o co ją prosił, po czym odpowiedziała:

— Nie wiem.

Jej słowa były dla niego jak policzek.

— Mówisz poważnie?

— Kłamiesz, Stagger. Oboje to wiemy. Coś ukrywasz.

— I dlatego sądzisz, że jestem zamieszany w zabójstwo twojego ojca?

— Po prostu wiem, że kłamiesz. I to od lat.

Stagger zamknął oczy, cofnął się o krok.

— Masz coś do picia?

Kat podeszła do barku i podniosła butelkę jacka daniel'sa.

— Elegancko — mruknął, kiwając głową. Nalała mu szklaneczkę, a potem drugą dla siebie. Nie stuknęli się szklankami. Stagger szybko pociągnął długi łyk. Kat mu się przypatrywała.

— No co? — spytał.

— Chyba nigdy nie widziałam, żebyś pił.

— Najwyraźniej oboje potrafimy zaskakiwać.

— Albo słabo się znamy.

— Możliwe — odparł. — To twój ojciec był łączącym nas ogniwem. Kiedy go zabrakło, więzi między nami zniknęły. Oczywiście jestem twoim szefem, ale nie ma między nami porozumienia.

Wypił kolejny solidny łyk. Kat po raz pierwszy zanurzyła usta w alkoholu.

— Z drugiej strony — ciągnął kapitan — kiedy kogoś połączy tragedia, kiedy dwie osoby mają taką wspólną historię... — Odwrócił się i popatrzył na jej drzwi, jakby właśnie się pojawiły. — Dokładnie pamiętam tamten dzień. Ale najlepiej pamiętam chwilę, gdy otworzyłaś drzwi. Nie miałaś pojęcia, że zaraz zburzę twój świat.

Odwrócił się z powrotem w jej stronę.

— Nie możesz po prostu tego zostawić?

Również pociągnęła duży łyk. Nie kłopotała się odpowiedzią.

— Nie okłamałem cię — powiedział Stagger.

— Oczywiście, że tak. Okłamywałeś mnie przez osiemnaście lat.

— Robiłem to, czego chciałby ode mnie Henry.

— Mój ojciec nie żyje. Jego opinia się nie liczy.

Kolejny solidny łyk.

— To nie wróci mu życia ani nie zmieni faktów. Cozone zlecił zabójstwo. Monte Leburne wykonał wyrok.

— Jak udało ci się tak szybko dotrzeć do Leburne'a?

— Już wcześniej miałem go na oku.

— Dlaczego?

— Wiedziałem, że Cozone zabił twojego tatę.

— A Suggs i Rinsky na to nie wpadli?

Dopił whisky.

— Byli tacy jak ty.

— To znaczy?

— Uważali, że Cozone nie zabiłby policjanta.

— Ale ty miałeś inne zdanie.

— Tak.

— Dlaczego?

Nalał sobie kolejną szklaneczkę.

— Ponieważ Cozone nie patrzył na twojego tatę jak na gliniarza.

Kat się skrzywiła.

— A jak na niego patrzył?

— Jak na pracownika.

Poczuła falę gorąca zalewającą jej twarz.

— O czym ty mówisz, do cholery?!

Stagger tylko na nią popatrzył.

— Chcesz powiedzieć, że tata brał łapówki?

Kapitan dolał sobie whisky.

— Nie tylko.

— Co to ma niby znaczyć, do diabła? — zawołała.

Rozejrzał się po mieszkaniu, jakby widział je po raz pierwszy.

— Ładna chata. — Przekrzywił głowę. — Ilu znasz policjantów, którzy mogą od ręki kupić mieszkanie w Upper West Side?

— Jest małe — odparła, słysząc obronny ton w swoim głosie. — Dostał wyjątkową ofertę od faceta, któremu pomógł.

Stagger się uśmiechnął, ale w jego oczach nie było wesołości.

— Co chcesz powiedzieć? — spytała.

— Nic. Nie próbuję niczego powiedzieć.

— Po co odwiedziłeś Leburne'a w więzieniu?

— A jak ci się wydaje?

— Nie wiem.

— Więc posłuchaj uważnie. Wiedziałem, że Leburne zabił twojego ojca. Wiedziałem, że Cozone zlecił morderstwo. Nadal nie rozumiesz?

— Nie.

Pokręcił głową z niedowierzaniem.

— Nie odwiedziłem Leburne'a po to, żeby nakłonić go do zeznawania, tylko po to, by upewnić się, że nie powie, dlaczego to zrobił.

Stagger opróżnił jednym haustem całą szklaneczkę.

— To szaleństwo — zaprotestowała Kat, czując, że ziemia usuwa się jej spod stóp. — A co z tamtym odciskiem palca?

— Co takiego?

— Na miejscu zbrodni znaleziono odcisk palca. Sprawdzałeś go dla Suggsa i Rinsky'ego.

Stagger zamknął oczy.

— Wychodzę.

— Wciąż kłamiesz — syknęła.

— To był odcisk jakiegoś bezdomnego.

— Bzdury.

— Daj spokój, Kat.

— Twoja teoria nie ma sensu. Gdyby mój ojciec pracował dla Cozone'a, to po co ten by go zabił?

— Ponieważ Henry chciał zrezygnować.

— Zamierzał się zwrócić przeciwko niemu?

— Już dosyć powiedziałem.

— Czyj odcisk palca znaleziono na miejscu zbrodni? — spytała Kat.

— Już ci mówiłem. Nikogo ważnego.

Stagger zaczynał bełkotać. Kat nie myliła się, twierdząc, że nigdy nie widziała go z kieliszkiem. Nie chodziło o to, że nie znała kapitana. Po prostu miał słabą głowę. Alkohol od razu go otumaniał.

Ruszył w stronę drzwi. Kat zagrodziła mu drogę.

— Wciąż nie powiedziałeś mi wszystkiego.

— Chciałaś wiedzieć, kto zabił twojego ojca. Powiedziałem ci.

— Nie wyjaśniłeś, co się naprawdę wydarzyło.

— Może to nie mnie powinnaś o to pytać.

— Więc kogo?

Na jego twarzy pojawił się dziwaczny grymas — pijackiego otępienia pomieszanego z wesołością.

— Nigdy się nie zastanawiałaś, dlaczego twój tata czasami znikał na kilka dni?

Znieruchomiała, oszołomiona. Przez chwilę stała, bezradnie mrugając, starając się dojść do siebie. Stagger to wykorzystał i podszedł do wyjścia, położył dłoń na gałce, po czym otworzył drzwi.

— Co? — wykrztusiła.

— Słyszałaś. Chcesz poznać prawdę, a wciąż chowasz głowę w piasek. Dlaczego Henry ciągle gdzieś znikał? Dlaczego nikt w waszym domu o tym nie rozmawiał?

Otworzyła usta, znów je zamknęła, spróbowała jeszcze raz.

— Co chcesz powiedzieć, do cholery?

— Nie muszę niczego mówić, Kat. Właśnie tego nie rozumiesz. To nie ze mną powinnaś porozmawiać.

24

Kat podjechała linią B do linii E, a następnie siódemką do Flushing, gdzie kiedyś mieszkała. Powędrowała Roosevelt Avenue ku Parsons Boulevard, zmierzając w stronę swojego domu i nie zastanawiając się nad trasą, jak to często bywa w przypadku miejsc znanych z dzieciństwa. Na Manhattanie mieszkała dłużej i pod pewnymi względami lepiej znała Upper West Side, ale tam nigdy się tak nie czuła. Nie miała wrażenia, że wróciła do domu. To było coś jeszcze silniejszego. Jakby stanowiła część tej okolicy. Jej DNA wniknęło w niebieskie szalunki, białawe domy jak na Cape Cod, popękane płyty chodnikowe i małe trawniki. Można by pomyśleć, że ktoś ją stąd teleportował jak w *Star Treku*, ale kilka jej cząsteczek pozostało. Część niej zawsze będzie uczestniczyć w przyjęciach z okazji Dnia Dziękczynienia u wujka Tommy'ego i cioci Eileen, gdzie siadywała przy dziecięcym stoliku, sporządzonym ze stołu do ping-ponga i nakrytym ogromnym prześcieradłem, które służyło jako obrus. Tata zawsze kroił indyka — nikt inny nie miał prawa go tknąć — wujek Tommy zaś nalewał drinki. Chciał, żeby dzieci także piły wino. Zaczynał od jednej łyżeczki, którą dodawał do sprite'a, a z upływem lat robił miksturę coraz mocniejszą, aż w końcu osiągałeś wiek, w którym mogłeś odejść od stołu do ping-ponga i dostać kieliszek wina. Wujek przeszedł na emeryturę po trzydziestu sześciu latach pracy jako mechanik w Sears. Razem z ciocią Eileen przeprowadzili się do Fort Myers na Florydzie. Ich dawny dom należał dziś do pewnej koreańskiej rodziny, która zburzyła tylną ścianę, postawiła przybudówkę i pokryła ściany aluminiowym sidingiem, ponieważ kiedy wujek i ciocia tutaj mieszkali, farba łuszczyła się z desek, jakby dom cierpiał na ostry przypadek łupieżu.

Jednak nie było cienia wątpliwości, że DNA Kat wciąż jest tam obecne.

Domy w jej okolicy zawsze były stłoczone, ale teraz, za sprawą licznych rozdętych dobudówek, panował jeszcze większy ścisk. Z większości dachów nadal sterczały anteny telewizyjne, chociaż wszyscy przerzucili się na kablówkę albo telewizję satelitarną. Figurki Matki Boskiej — niektóre kamienne, większość plastikowa — czuwały nad malutkimi ogródkami. Od czasu do czasu napotykało się dom, który został drastycznie okrojony, żeby obok zmieściła się rozbuchana posiadłość z wyblakłej cegły o łukowato sklepionych oknach, która zawsze wyglądała jak grubas, który próbuje się wcisnąć w zbyt mały fotel.

Kiedy dotarła do swojego dawnego domu, zabrzęczał jej telefon. Zerknęła na ekran i zobaczyła, że to SMS od Chaza:

Mam numer rejestracyjny z nagrania ze stacji benzynowej.

Szybko odpisała:

Coś ciekawego?

Czarny lincoln zarejestrowany na Jamesa Isherwooda z Islip w stanie Nowy Jork. Facet czysty. Uczciwy obywatel.

Nie była zaskoczona. Zapewne to niewinny szofer wynajęty przez nowego chłopaka Dany. Kolejny ślepy zaułek. Kolejny powód, żeby zapomnieć o Danie i Jeffie.

Tylne drzwi prowadzące do kuchni były otwarte, jak zawsze. Kat zastała matkę siedzącą przy stole kuchennym razem z ciocią Tessie. Na blacie leżały kupony promocyjne ze sklepu spożywczego oraz talia kart. Popielniczka była pełna niedopałków poplamionych szminką. Stół wciąż otaczało pięć krzeseł, które Kat pamiętała z dzieciństwa. Krzesło taty miało podłokietniki, jak tron. Zawsze siedziała pomiędzy swoimi dwoma braćmi. Oni również wyprowadzili się z tej okolicy. Starszy brat, Jimmy, ukończył Uniwersytet Fordham. Mieszkał z żoną i trójką dzieci w krzykliwej posiadłości na Long Island w Garden City i pracował na giełdzie jako makler handlujący obligacjami. Sto razy tłumaczył jej, czym dokładnie się zajmuje, ale Kat nadal tego nie rozumiała. Młodszy brat, Farrell, wyjechał na Uniwersytet Kalifornijski i tam został. Podobno kręcił filmy dokumentalne i płacono mu za pisanie scenariuszy, które nigdy nie były wykorzystywane.

— Dwa dni z rzędu — odezwała się mama. — To z pewnością rekord świata i rekord olimpijski.

— Przestań — skarciła ją Tessie. — Miło, że się pojawiła.

Mama lekceważąco machnęła ręką. Tessie wstała i pocałowała Kat w policzek.

— Muszę uciekać. Brian przychodzi z wizytą, a ja zawsze przyrządzam mu moją słynną kanapkę z tuńczykiem.

Kat odwzajemniła pocałunek. Pamiętała kanapki z tuńczykiem u cioci Tessie. Sekretem były chipsy ziemniaczane. Tessie posypywała nimi tuńczyka. Dodawały chrupkości i aromatu, nawet jeśli nie były zbyt zdrowe.

— Napijesz się kawy? — spytała mama, gdy zostały same. Wskazała swój stary ekspres. Obok niego stała puszka kawy Folgers. W ostatnie święta Kat podarowała jej ekspres Cuisinart z nierdzewnej stali, ale mama uznała, że parzona w nim kawa nie smakuje „właściwie", co w jej wypadku oznaczało, że smakowała dobrze. Mama już taka była. Nie lubiła drogich rzeczy. Gdy kupiłeś butelkę wina za dwadzieścia dolarów, ona wolała tę za sześć. Gdy podarowałeś jej markowe perfumy, wolała podróbkę, którą dostała w drogerii. Wszystkie ubrania kupowała w Marshalls albo T.J. Maxx, wyłącznie na wyprzedażach. Po części dlatego, że była oszczędna. Ale świadczyło to jeszcze o czymś innym.

— Dziękuję — odparła Kat.

— Może zrobię ci kanapkę? Wiem, że nie dorównam cioci Tessie i jej tuńczykowi, który tak naprawdę pochodzi z puszki, ale mam kilka plastrów smacznego indyka od Mela.

— Chętnie.

— Wciąż lubisz indyka z białym pieczywem i majonezem? Kat zmieniła nawyki, ale wiedziała, że mama nie ma pod ręką wieloziarnistego chleba.

— Pewnie.

Mama podniosła się powoli, czyniąc z tego cały rytuał: przytrzymując się oparcia krzesła i blatu. Czekała na komentarz córki, ale Kat odpuściła. Otworzyła lodówkę — stary model Kenmore, który okazyjnie kupił wujek Tommy — po czym wyjęła indyka i majonez.

Kat zastanawiała się, jak to rozegrać. Zbyt wiele razem przeszły, żeby bawić się w subtelne gry. Postanowiła skoczyć na głęboką wodę.

— Dokąd wybierał się tata, kiedy znikał?

Mama stała zwrócona do niej plecami i właśnie sięgała do szuflady z pieczywem. Kat starała się dostrzec jej reakcję. Zauważyła krótkie wahanie, nic więcej.

— Zrobię tosty — stwierdziła Hazel. — Będą smaczniejsze.

Kat czekała.

— Jak to znikał? Twój ojciec nigdy nie znikał.

— Owszem.

— Pewnie chodzi ci o jego wycieczki z chłopakami. Jeździli na polowania w góry Catskill. Pamiętasz Jacka Kileya? Przemiły człowiek. Miał chatkę albo szałas w górach. Twój ojciec uwielbiał tam jeździć.

— Pamiętam, że raz tam pojechał. A znikał cały czas.

— Nie dramatyzuj — odparła mama, unosząc brwi. — Znikał. Zupełnie jakby był magikiem.

— Dokąd wtedy jeździł?

— Przecież powiedziałam, nie słuchałaś?

— Do chaty Jacka Kileya? — spytała Kat.

— Tak, czasami. — Wyczuwała rosnące napięcie w głosie matki. — Kiedyś pojechał na ryby z wujkiem Tommym. Nie przypominam sobie dokąd. Gdzieś na półwysep North Fork. Raz wybrał się na wycieczkę golfową z kolegami z pracy. Właśnie tam jeździł. Na wyprawy z przyjaciółmi.

— Nie pamiętam, żeby kiedykolwiek zabierał cię na te wycieczki.

— Jasne, że zabierał.

— Dokąd?

— Jakie to ma teraz znaczenie? Twój ojciec lubił odreagowywać w towarzystwie kolegów. Jeździł na golfa, na ryby, na polowania. Mężczyźni tak robią.

Mama smarowała indyka majonezem tak mocno, jakby zdrapywała farbę ze ściany.

— Dokąd jeździł, mamo?

— Właśnie ci powiedziałam! — wykrzyknęła Hazel, upuszczając nóż. — Cholera, zobacz, co przez ciebie zrobiłam.

Kat wstała, żeby podnieść nóż.

— Zostań na miejscu, moja panno. Ja się tym zajmę. — Mama podniosła nóż, wrzuciła go do zlewu i wzięła kolejny.

Na parapecie okiennym stało pięć klasycznych szklanek McDonald's z 1977 roku: Grimace, Ronald McDonald, Mayor McCheese, Big Mac i Captain Crook. Zestaw pierwotnie składał się z sześciu sztuk. Farrell rozbił szklankę z podobizną Hamburglara, kiedy w wieku siedmiu lat rzucał frisbee w domu. Po latach kupił mamie na eBayu taką samą, ale nie chciała ustawić jej z pozostałymi.

— Mamo?

— Co? — Hazel znów zajęła się przygotowywaniem kanapki. — Czemu mnie teraz o to pytasz? Twój ojciec, świeć Panie nad jego duszą, nie żyje od prawie dwudziestu lat. Kogo obchodzi, dokąd jeździł?

— Muszę poznać prawdę.

— Dlaczego? Po co do tego wracasz, zwłaszcza teraz, gdy potwór, który go zamordował, wreszcie umarł? Daj temu spokój. To już skończone.

— Czy tata pracował dla Cozone'a?

— Co takiego?

— Czy tata brał łapówki?

Jak na kobietę, która z trudem wstała z krzesła, mama poruszyła się z oszałamiającą prędkością.

— Jak śmiesz! — Okręciła się i bez wahania uderzyła Kat w lewy policzek. Ohydny odgłos ciała uderzającego o ciało zabrzmiał ogłuszająco w cichej kuchni. Kat poczuła łzy napływające do oczu, ale nie odwróciła się ani nawet nie dotknęła zaczerwienionej twarzy.

Mama wyglądała na zdruzgotaną.

— Przepraszam. Nie chciałam...

— Czy pracował dla Cozone'a?

— Proszę, przestań.

— Czy dzięki temu zapłacił za mieszkanie w Nowym Jorku?

— Co takiego? Nie, nie. Kupił je okazyjnie, pamiętasz? Uratował życie tamtemu mężczyźnie.

— Jakiemu mężczyźnie?

— Jak to jakiemu?

— Jakiemu mężczyźnie? Jak on się nazywał?

— Jakim cudem mam to pamiętać?

— Wiem, że tata zrobił wiele dobrego jako policjant, nie pamiętam jednak, żeby ocalił życie jakiemuś magnatowi od nieruchomości. Dlaczego tak łatwo uwierzyliśmy w tę historię? Dlaczego go nie wypytaliśmy?

— „Wypytaliśmy" — rzuciła mama. Zdjęła fartuszek, trochę za mocno szarpiąc końcówki sznurków. — Tak jak ty mnie teraz wypytujesz? Jak podczas przesłuchania? Jakby twój ojciec był kłamcą? Zrobiłabyś coś takiego? Zadawałabyś mu pytania i nazwała go kłamcą w jego własnym domu?

— Nie to miałam na myśli — odparła Kat, ale jej głos zabrzmiał słabo.

— Więc co miałaś na myśli? Każdy przesadza, Kat. Dobrze

o tym wiesz. Zwłaszcza mężczyźni. Więc może twój ojciec nie uratował tamtego człowieka. Może tylko... czy ja wiem, złapał złodzieja, który go okradł, albo pomógł mu się wymigać od mandatu za niewłaściwe parkowanie. Nie wiem. Powiedział, że uratował mu życie. Nie kwestionowałam jego słów. Pamiętasz Eda, męża Tessie, który kulał? Powtarzał wszystkim, że został trafiony odłamkiem na wojnie. Ale w wojsku pracował za biurkiem z powodu słabego wzroku. Uszkodził sobie nogę w wieku szesnastu lat, kiedy spadł ze schodów w metrze. Myślisz, że Tessie nazywała go kłamcą za każdym razem, gdy opowiadał tę historię?

Hazel przyniosła kanapkę do stołu i zaczęła ją kroić ukośnie — brat Kat tak wolał, lecz ona lubiła być w opozycji, więc zawsze nalegała, żeby kanapki krojono w dwa prostokąty. Mama w ostatniej chwili sobie to przypomniała, przesunęła nóż i przecięła kanapkę na pół.

— Nigdy nie byłaś mężatką — powiedziała cicho. — Nie wiesz, jak to jest.

— Jak co jest?

— Wszyscy mamy swoje demony. Ale mężczyźni mają ich znacznie więcej. Świat powtarza im, że są przywódcami i twardzielami, muszą być wielcy, odważni, zarabiać mnóstwo pieniędzy i wieść wspaniałe życie. Tyle że wcale tego nie robią, prawda? Przyjrzyj się mężczyznom w tej okolicy. Wszyscy pracowali do późna i wracali do hałaśliwych, zaniedbanych domów. Wciąż coś się psuło i wymagało naprawy. Zawsze zalegali z opłatami. Kobiety rozumieją takie rzeczy. Życie to harówka. Uczy się nas, żebyśmy nie wymagały zbyt wiele. Jednak mężczyźni nie są w stanie tego pojąć.

— Dokąd jeździł, mamo?

Matka zamknęła oczy.

— Jedz kanapkę.

— Wykonywał zlecenia dla Cozone'a?

— Być może... Ale wątpię.

Kat odsunęła krzesło, żeby mama mogła do niej dołączyć przy stole. Hazel usiadła ciężko, jakby ktoś podciął jej nogi.

— Co robił? — spytała Kat.

— Pamiętasz Gary'ego?

— Męża Flo.

— Tak. Chodził na wyścigi, pamiętasz? Przegrywał wszystko, co mieli. Flo płakała całymi godzinami. Twój wujek Tommy za dużo pił. Codziennie wracał do domu na noc, ale rzadko przed jedenastą. Wpadał do pubu na szybkiego drinka i zostawał tam na wiele godzin. Mężczyźni... Wszyscy czegoś takiego potrzebowali. Niektórzy pili. Inni uprawiali hazard. Jeszcze inni chodzili na dziwki. Najwięksi szczęściarze związywali się z Kościołem. Tak, szczęściarze, nawet jeśli trudno było znieść ich świętoszkowate przemowy. Jednak sęk w tym, że mężczyznom nigdy nie wystarcza prawdziwe życie. Wiesz, co mawiał mój tata, a twój dziadek?

Kat pokręciła głową.

— „Jeżeli mężczyzna ma co jeść, to chciałby, żeby mu wyrosły drugie usta". Znał także bardziej nieprzyzwoitą wersję, ale nie będę jej powtarzać.

Kat wzięła ją za rękę. Próbowała sobie przypomnieć, kiedy ostatnio to zrobiła — okazała czułość własnej matce — lecz nie potrafiła.

— A tata?

— Zawsze uważałaś, że to on chciał, abyś uciekła od takiego życia. Ale to było moje pragnienie. To ja nie chciałam, żebyś tutaj utknęła.

— Aż tak bardzo tego nienawidziłaś?

— Nie. To było moje życie. Nie mam niczego innego.

— Nie rozumiem.

Mama uścisnęła jej dłoń.

— Nie zmuszaj mnie, żebym mierzyła się z czymś, z czym nie muszę się mierzyć. To już koniec. Nie da się zmienić przeszłości. Ale można ją kształtować za sprawą wspomnień. To ja wybieram, które z nich zachowam, nie ty.

Kat starała się, żeby jej głos zabrzmiał łagodnie.

— Mamo?

— Słucham?

— To nie są wspomnienia, tylko iluzje.

— Jaka to różnica? — odparła z uśmiechem. — Ty też tutaj mieszkałaś, Kat.

Kat wyprostowała się na krześle.

— Co takiego?

— Jasne, byłaś dzieckiem, ale bardzo bystrym i dojrzałym jak na swój wiek. Kochałaś ojca bezwarunkowo, widziałaś jednak, że gdzieś znika. Dostrzegałaś moje fałszywe uśmiechy i udawaną słodycz, gdy wracał do domu, ale odwracałaś wzrok, prawda?

— Za to teraz nie odwracam. — Kat ponownie wyciągnęła dłoń. — Proszę, powiedz mi, dokąd jeździł.

— Chcesz poznać prawdę? Nie wiem.

— Ale wiesz więcej, niż mi mówisz.

— Twój ojciec był dobrym człowiekiem. Utrzymywał ciebie i twoich braci. Nauczył cię odróżniać dobro od zła. Pracował do późna, żebyście wszyscy mogli pójść do college'u.

— Kochałaś go?

Hazel zaczęła się krzątać w kuchni. Opłukała filiżankę w zlewie, odstawiła majonez do lodówki.

— Och, był taki przystojny, kiedy się poznaliśmy. Każda dziewczyna chciała się z nim umawiać — powiedziała z nieobecnym spojrzeniem. — Ja też wtedy nie wyglądałam źle.

— Nadal nieźle wyglądasz.

Hazel zignorowała tę uwagę.

— Kochałaś go?

— Najbardziej jak potrafiłam — szepnęła i zamrugała, wracając do rzeczywistości. — Ale to zawsze za mało.

25

Kat ruszyła z powrotem w stronę stacji linii siedem. Najwyraźniej właśnie skończyły się lekcje, ponieważ mijały ją dzieciaki z olbrzymimi plecakami. Większość wbijała wzrok w swoje smartfony. Dwie dziewczynki z St. Francis Prep szły w strojach cheerleaderek. Ku zdziwieniu wszystkich, którzy ją znali, w pierwszej klasie Kat usiłowała zostać cheerleaderką. Najpopularniejszym hasłem, którym dopingowano zawodników, było zawołanie: „Jesteśmy St. Francis Prep, dumni i radośni, a jeśli nas nie słyszycie, to będziemy krzyczeć głośniej". Potem powtarzało się okrzyk coraz donośniej, aż do absurdu. Drugi okrzyk — Kat uśmiechnęła się do swoich wspomnień — wznoszono, gdy własna drużyna popełniła błąd. Dziewczyny szybko klaskały, wołając: „Wszystko dobrze, dalej gramy, i tak was pokonamy". Kilka lat temu Kat wybrała się na mecz i zauważyła, że zmieniono zawołanie z „i tak was pokonamy" na bardziej politycznie poprawne „i tak jeszcze wygramy".

Postęp?

Była właśnie przed domem Tessie, gdy odezwała się komórka. Dzwonił Chaz.

— Dostałaś mój SMS?

— O tablicy rejestracyjnej? Tak, dzięki.

— Ślepy zaułek?

— Obawiam się, że tak.

— Zaciekawiła mnie jedna rzecz dotycząca tej tablicy — powiedział Chaz.

Kat zmrużyła oczy pod wpływem słońca.

— To znaczy?

— Pod tym numerem zarejestrowano czarną limuzynę lincolna, ale nieprzedłużaną. Wiesz coś o przedłużanych limuzynach?

— Raczej nie.

— Wszystkie są wykonywane na zamówienie. Bierze się zwykły samochód, ogałaca wnętrze, a następnie dosłownie rozcina auto na pół. Potem instaluje się wcześniej przygotowany fragment karoserii, a w środku dokłada barek, telewizor i tak dalej.

Mijały ją kolejne dzieciaki wracające ze szkoły. Ponownie przypomniała sobie dawne czasy, gdy po zakończeniu lekcji wybuchał nieokiełznany gwar. Ci uczniowie nie odzywali się ani słowem, tylko wpatrywali w swoje telefony.

— No dobrze — odpowiedziała Kat. — I co w związku z tym?

— Tablica rejestracyjna Jamesa Isherwooda nie wskazywała na przedłużaną limuzynę. Być może to przeoczenie, nic ważnego. Ale postanowiłem dokładniej to sprawdzić. Okazało się, że samochód nie ma licencji na komercyjny przewóz pasażerów. To także nic poważnego. Jeśli stanowi własność prywatną, nie jest to wymagane. Jednak facet Dany Phelps nie nazywa się Isherwood, prawda?

— No, nie — przytaknęła Kat.

— Zatem pogrzebałem głębiej. To przecież nic złego. Zadzwoniłem do Isherwooda do domu.

— I co?

— Nie zastałem go. Pozwól, że przejdę do sedna. Isherwood mieszka w Islip, ale pracuje dla firmy energetycznej z siedzibą w Dallas. Często tam lata. Teraz też tam przebywa. Dlatego zostawił samochód na parkingu długoterminowym.

Kat poczuła na karku lodowaty dreszcz.

— A ktoś ukradł jego tablice rejestracyjne.

— Otóż to.

Tylko amatorzy kradną samochody, które następnie wykorzystują podczas przestępstw. To wątpliwa metoda, ponieważ kradzież samochodu od razu się zgłasza. Jednak jeśli zabierze się tylko tablice rejestracyjne, a zwłaszcza przednią tablicę z auta pozostawionego na długoterminowym parkingu, może minąć kilka dni, a nawet tygodni, zanim właściciel powiadomi policję. Kiedy zostanie skradziony cały samochód, policjanci mogą szukać konkretnej marki i modelu. Ale w przypadku kradzieży samej tablicy, zwłaszcza jeśli jest się na tyle sprytnym, żeby zabrać ją z podobnego auta...

— Kat? — odezwał się Chaz.

— Musimy się dowiedzieć jak najwięcej o Danie Phelps. Spróbujmy namierzyć jej telefon. Odczytać najnowsze SMS-y.

— To nie nasza jurysdykcja. Ta kobieta i jej syn mieszkają w Connecticut.

Otworzyły się frontowe drzwi domu i Tessie wyszła na zewnątrz.

— Wiem — powiedziała Kat. — Posłuchaj, prześlij e-mailem wszystko, co masz, do detektywa Schwartza z Greenwich. Później się z nim skontaktuję.

Rozłączyła się. Co się dzieje, do diabła? Rozważała telefon

do Brandona, ale doszła do wniosku, że jest na to za wcześnie. Musiała to przemyśleć. Chaz miał rację — to nie była ich sprawa. Poza tym Kat zaprzątały teraz własne problemy. Przekaże informacje Joemu Schwartzowi i na tym poprzestanie.

Tessie szła w jej stronę. Kat przypomniała sobie, jak w wieku dziewięciu lat ukrywała się za kuchennymi drzwiami i słuchała ciotki płaczącej z powodu kolejnej ciąży. Tessie była jedną z tych osób, które skrywają wszystkie problemy za uśmiechem. Urodziła ośmioro dzieci w ciągu dwunastu lat w czasach, gdy mężowie chętniej napiliby się gnojówki, niż zmienili pieluchę. Teraz jej dzieci były rozsiane po całym kraju, jakby rozrzuciła je jakaś olbrzymia dłoń. Niektóre wciąż się przeprowadzały. Zazwyczaj przynajmniej jedno mieszkało w rodzinnym domu. Tessie to nie obchodziło. Ich towarzystwo nie było dla niej ani miłe, ani przykre. Macierzyństwo się dla niej zakończyło, a przynajmniej jego opiekuńczy etap. Dzieci mogły zostać albo wyjechać. Mogła od czasu do czasu przyrządzić kanapkę z tuńczykiem dla Briana albo i nie. Było jej to obojętne.

— Wszystko w porządku? — spytała.

— Tak — odparła Kat.

Tessie nie wyglądała na przekonaną.

— Posiedzisz ze mną chwilę?

— Jasne — powiedziała Kat. — Bardzo chętnie.

Spośród koleżanek mamy najbardziej lubiła właśnie Tessie. Kiedy była dzieckiem, Tessie, choć zabiegana i zmęczona, zawsze znajdowała czas, żeby z nią porozmawiać. Kat początkowo martwiła się, że stanowi dla niej dodatkowy ciężar i obowiązek, ale w końcu zrozumiała, że tak nie jest, a Tessie lubi spędzać z nią czas. Tessie z trudem dogadywała się ze swoimi córkami, a Kat, oczywiście, miała ten sam problem ze swoją matką. Ktoś mógłby nazwać ich porozumienie wyjątkowym — i sugerować na przykład, że to Tessie powinna być matką Kat — jednak zapewne obie potrafiły się odprężyć w swoim towarzystwie właśnie dlatego, że nie były spokrewnione.

Może bliskie więzy — zwłaszcza rodzinne — rzeczywiście mogą rodzić niechęć.

Tessie mieszkała w podniszczonym domu w stylu Tudorów. Był on wystarczająco obszerny, jednak gdy przebywało w nim dziesięć osób, miało się wrażenie, że ściany wybrzuszają się pod wpływem ich szturmu. Podjazd przecinało ogrodzenie. Tessie otworzyła furtkę i weszły na podwórko z ogródkiem.

— Znów zły rok — rzuciła Tessie, wskazując pomidory. — To całe globalne ocieplenie czy coś źle wpływa na moje wyczucie czasu.

Kat usiadła na ławce.

— Napijesz się czegoś?

— Nie, dziękuję.

— No dobrze. — Tessie rozłożyła ręce. — Opowiadaj.

Kat opowiedziała o tym, co ją gnębi.

— Mały Willie Cozone — skwitowała Tessie, kręcąc głową, gdy Kat skończyła. — Wiesz, że urodził się w tej okolicy? Dorastał przy Farrington Street niedaleko myjni samochodowej.

Kat pokiwała głową.

— Razem z moim starszym bratem, Terrym, skończyli Bishop Reilly High School. Cozone był wątłym dzieckiem. Kiedy był w pierwszej klasie w St. Mary's, zwymiotował na zakonnicę na środku klasy. Zasmrodził całą salę. Od tamtej pory dzieciaki mu dokuczały. Nazywały go Śmierdzielem, Śmierdziuchem czy jakoś tak. Bardzo oryginalnie. — Pokręciła głową. — Wiesz, jak się z tym uporał?

— Z czym?

— Z docinkami.

— Nie. Jak?

— W piątej klasie pobił jednego z uczniów na śmierć. Przyniósł do szkoły młotek i rozwalił chłopakowi głowę. Rozłupał mu tył czaszki cieńszą stroną.

Kat usiłowała się nie skrzywić.

— Nie czytałam o tym w jego aktach.

— Utajniono tę sprawę, może nawet nigdy go nie skazano, nie wiem. W każdym razie uniknięto rozgłosu.

Kat tylko pokręciła głową.

— Kiedy Cozone tutaj mieszkał, z okolicy znikały domowe zwierzaki, jeśli wiesz, co mam na myśli. Potem znajdowano na przykład łapę w śmietniku. To wszystko. Orientujesz się, że cała jego rodzina zginęła brutalną śmiercią.

— Tak — odparła Kat. — Właśnie ze względu na to wszystko nie wierzę, że mój tata dla niego pracował.

— Nie wiem, jak było naprawdę — oświadczyła Tessie.

Zaczęła się krzątać w ogródku, przywiązując rośliny do słupków.

— A co wiesz? — spytała Kat.

Tessie przyjrzała się jednemu z pomidorów, który wciąż wisiał na gałązce. Był zbyt mały i za zielony. W końcu dała mu spokój.

— Trzymałaś się blisko nas — ciągnęła Kat. — Wiedziałaś, że mój ojciec często znikał.

— Owszem, wiedziałam. Twoja matka udawała, że wszystko jest w porządku. Okłamywała nawet Flo i mnie.

— Wiesz, dokąd jeździł?

— Nie dokładnie.

— Ale masz ogólne pojęcie.

Tessie oderwała się od pomidorów i wyprostowała.

— Nie wiem, co o tym myśleć.

— To znaczy?

— Przede wszystkim to nie moja sprawa. Ani twoja. To wszystko wydarzyło się dawno temu. Powinnyśmy uszanować życzenie twojej matki.

Kat pokiwała głową.

— To zrozumiałe.

— Dziękuję.

— Ale nie jesteś przekonana?

Tessie usiadła obok Kat.

— Kiedy jesteś młoda, wydaje ci się, że znasz wszystkie odpowiedzi. Identyfikujesz się z prawicą albo lewicą, a druga strona to banda kretynów. Sama wiesz. Jednak kiedy się nieco zestarzejesz, coraz wyraźniej dostrzegasz szarości. Dziś rozumiem, że prawdziwymi kretynami są ludzie przekonani, że znają wszystkie odpowiedzi. To nigdy nie jest takie proste. Wiesz, co mam na myśli?

— Wiem.

— Nie twierdzę, że nie można odróżnić dobra od zła. Ale uważam, że coś, co sprawdza się w wypadku jednej osoby, może nie zadziałać u kogoś innego. Wcześniej wspominałaś, że twoja matka miesza wspomnienia z iluzjami. Nie ma w tym niczego złego. W ten sposób jest w stanie przetrwać. Niektórzy ludzie potrzebują iluzji. A inni ludzie, tacy jak ty, potrzebują odpowiedzi.

Kat czekała w milczeniu.

— Powinnaś także wziąć pod uwagę cierpienie — dodała Tessie.

— Co masz na myśli?

— Jeżeli powiem ci, co wiem, będziesz cierpiała. Pewnie nawet bardzo. Kocham cię. Nie chcę twojej krzywdy.

Kat wiedziała, że Tessie, w odróżnieniu od Flo czy nawet mamy, nie ma w zwyczaju dramatyzować. Takie ostrzeżenie należało potraktować poważnie.

— Wytrzymam — odparła.

— Jestem tego pewna. Poza tym muszę zestawić to cierpienie z tępym bólem, który będzie ci stale towarzyszył, jeśli nie poznasz prawdy. Jego również trudno znieść.

— Myślę, że nawet trudniej — rzuciła Kat.

— Nie zamierzam się wykłócać. — Tessie powoli wypuściła powietrze. — Jest jeszcze jeden problem.

— Słucham.

— Moje informacje opierają się wyłącznie na plotkach. Przyjaciel Gary'ego... pamiętasz Gary'ego?

— Męża Flo.

— Właśnie. A więc przyjaciel Gary'ego powiedział Gary'emu, Gary powiedział Flo, a Flo powiedziała mnie. Zatem równie dobrze to mogą być same bzdury.

— Ale ty tak nie uważasz? — spytała Kat.

— Masz rację. Uważam, że to prawda.

Tessie najwyraźniej zbierała siły.

— W porządku — odezwała się Kat najdelikatniej, jak potrafiła. — Powiedz mi.

— Twój ojciec miał przyjaciółkę.

Kat dwukrotnie zamrugała. Tessie ostrzegała, że ta wiadomość zaboli. Kat podejrzewała, że w końcu tak będzie, jednak na razie miała wrażenie, że słowa ciotki prześlizgnęły się po powierzchni, nie przebijając skóry.

Tessie nie spuszczała z niej wzroku.

— Powiedziałabym, że to drobiazg... cholera, założę się, że ponad połowa żonatych mężczyzn w miasteczku miała kogoś na boku... ale kilka spraw czyni ten przypadek wyjątkowym.

Kat przełknęła ślinę, próbując uporządkować myśli.

— To znaczy?

— Na pewno nie masz ochoty na drinka?

— Nie, ciociu Tessie, nie trzeba. — Kat wyprostowała plecy i zebrała się w sobie. — Co czyni wypadek mojego ojca wyjątkowym?

— Po pierwsze, ten związek najwyraźniej długo trwał. Twój ojciec spędzał z nią dużo czasu. Większość facetów zadowala się jedną nocą, godzinką, wizytą w klubie ze striptizem, może przelotnym romansem z dziewczyną z pracy. To było coś innego, coś poważniejszego. Przynajmniej tak plotkowano. Dlatego znikał z domu. Podobno razem podróżowali, choć nie jestem pewna.

— Mama wiedziała?

— Nie mam pojęcia, kochanie. Ale myślę, że tak.

— Dlaczego go nie zostawiła?

Tessie się uśmiechnęła.

— I dokąd miała pójść, skarbie? Wychowywała trójkę dzieci. Henry was utrzymywał i był jej mężem. Wtedy nie miałyśmy zbyt wielu możliwości. Poza tym, cóż, twoja matka go kochała. A on także ją kochał.

Kat parsknęła.

— Żartujesz, prawda?

Tessie pokręciła głową.

— Jesteś jeszcze młoda. Wydaje ci się, że życie jest proste. Mój Ed też miał dziewczyny. Chcesz poznać prawdę? Nie dbałam o to. Lepiej ona niż ja, tak myślałam. Urodziłam tyle dzieci i ciągle byłam w ciąży, cieszyłam się, że daje mi spokój. Wiem, jak trudno to sobie wyobrazić, gdy jest się młodym.

A więc o to chodziło, pomyślała Kat. Tata miał dziewczynę. Kłębiło się w niej mnóstwo emocji. Dzięki treningowi jogi potrafiła je dostrzec, musiała jednak zachować skupienie, dlatego na razie po prostu je ignorowała.

— Jest coś jeszcze — dodała Tessie.

Kat uniosła głowę.

— Musisz pamiętać, gdzie mieszkamy. Kim jesteśmy. Jakie były czasy.

— Nie rozumiem.

— Chodzi o przyjaciółkę twojego ojca — wyjaśniła Tessie. — Ponownie, to tylko słowa kolegi Gary'ego. Żonaty mężczyzna z inną kobietą to żadne zaskoczenie, prawda? Nikt by się nie oburzał. Kolega Gary'ego nawet by tego nie zauważył, tylko że ta dziewczyna była, hm, czarna.

Kat ponownie zamrugała, nie wiedząc, co o tym myśleć.

— Czarna? To znaczy Afroamerykanka?

Tessie pokiwała głową.

— Według plotek... no właśnie, to pewnie tylko plotki napędzane rasizmem... była prostytutką, którą zatrzymał. Właśnie tak się poznali. Szczerze mówiąc, wątpię.

Kat zakręciło się w głowie.

— Czy moja matka wiedziała?

— Ja nigdy jej nie powiedziałam, jeśli o to pytasz.

— Nie o to pytam. — Nagle Kat coś sobie przypomniała. — Zaczekaj, Flo jej powiedziała, czy tak?

Tessie nie kłopotała się odpowiedzią. Kat wreszcie pojęła kolejną prawdę — dlaczego Flo i mama nie odzywały się do siebie przez rok. Flo powiedziała mamie o czarnoskórej prostytutce, a mama wyparła tę wiedzę.

Jednak chociaż było to emocjonalnie wyczerpujące — Kat wciąż nie wiedziała, co czuje poza smutkiem — jednocześnie wydawało się nieistotne dla całej sprawy. Mogła popłakać później. Na razie musiała się dowiedzieć, czy ma to jakikolwiek związek z morderstwem jej ojca.

— Wiesz, jak ta kobieta się nazywała? — spytała ciotkę.

— Nie, raczej nie.

Kat zmarszczyła czoło.

— Raczej?

— Daj spokój, kochanie.

— Wiesz, że nie mogę.

Tessie zwracała wzrok wszędzie, byle nie na Kat.

— Gary twierdził, że na ulicy wołali na nią Złotko.

— Złotko?

Wzruszyła ramionami.

— Nie wiem, czy to prawda.

— Złotko i co dalej?

— Nie wiem.

Ciosy nie przestawały spadać. Kat miała ochotę zwinąć się w kłębek i przeczekać, lecz nie mogła sobie pozwolić na taki luksus.

— Wiesz, co się stało ze Złotkiem po zabójstwie mojego ojca?

— Nie.

— Czy ona...

— Tylko tyle wiem, Kat. Nic więcej. — Tessie ponownie zajęła się roślinami. — Co zamierzasz teraz zrobić?

Kat przez chwilę się zastanawiała.

— Nie jestem pewna.

— Poznałaś prawdę. Czasami to wystarcza.

— Czasami — zgodziła się Kat.

— Ale nie tym razem?

— Raczej nie.

— Być może prawda jest lepsza od kłamstw, ale nie zawsze nas wyzwala — stwierdziła Tessie.

Kat to rozumiała. Nie sądziła, że poczuje się wolna. Nie oczekiwała, że będzie szczęśliwsza. Spodziewała się tylko...

No właśnie! Czego?

Nie mogła nic zyskać. Jej matka będzie cierpiała. Stagger, który zapewne zrobił to z lojalności wobec jej ojca, może zostać oskarżony o fałszowanie śledztwa, jeżeli okaże się, że przekonał Montego Leburne'a do milczenia bądź zmiany zeznań. Kat już znała prawdę. A przynajmniej jej wystarczającą część.

— Dziękuję, ciociu Tessie.

— Za co?

— Za to, że mi powiedziałaś.

— Chyba „cała przyjemność po mojej stronie" będzie nie na miejscu — odparła Tessie, schylając się po łopatkę. — Nie zostawisz tego w spokoju, prawda, Kat?

— Nie.

— Nawet jeśli wielu ludzi będzie przez to cierpieć.

— Nawet wtedy.

Tessie pokiwała głową, wbijając łopatkę w świeżą glebę.

— Robi się późno. Chyba powinnaś już wracać.

▪ ▪ ▪

Usłyszana prawda zaczęła do niej docierać podczas jazdy metrem do domu.

Łatwo było ulec złości, obrzydzeniu i poczuciu zdrady.

Traktowała ojca jak bohatera. Oczywiście wiedziała, że nie jest ideałem, ale to on wspiął się na drabinę i zawiesił księżyc, by jego córeczka mogła się nim cieszyć. Naprawdę w to wierzyła — że ojciec wziął drabinę z garażu i specjalnie dla niej umieścił księżyc na niebie — chociaż, gdy się nad tym zastanowić, to także było kłamstwo.

Czasami wyobrażała sobie, że ojciec znika, ponieważ ratuje ludziom życie, pracuje pod przykrywką, robi coś, co wymaga wielkiej odwagi. Teraz już wiedziała, że porzucał i straszył całą rodzinę, żeby łajdaczyć się z jakąś dziwką.

Łatwo byłoby dopuścić do głosu obrzydzenie, gniew, poczucie zdrady, może nawet nienawiść.

Jednak, zgodnie z ostrzeżeniem Tessie, życie rzadko bywa takie proste.

Przeważało w niej uczucie smutku. Z żalem myślała o ojcu, który był tak nieszczęśliwy w domu, że uciekł w kłamstwo. Z oczywistych powodów z żalem myślała o matce, która również była zmuszona żyć w kłamstwie. Gdy Kat dokładnie się nad tym zastanowiła, doszła do wniosku, że smuci ją także fakt, iż usłyszane wieści aż tak bardzo nią nie wstrząsnęły. Może podświadomie podejrzewała, że dzieje się coś ohydnego. Może właśnie dlatego jej relacje z matką były tak napięte — z powodu głupiej, podświadomej wiary, że mama nie zrobiła wszystkiego, co mogła, żeby uszczęśliwić tatę, przez co musiał wyjeżdżać, a Kat bała się, że nigdy do niej nie wróci i będzie to wina jej matki.

Zastanawiała się także, czy Złotko, jeśli rzeczywiście tak się nazywała, dawała jej tacie szczęście. W jego małżeństwie nie było pożądania. Nie brakowało szacunku, przyjaźni i partnerstwa, ale czy to możliwe, że ojciec znalazł u tej drugiej, zakazanej kobiety romantyczną miłość? Załóżmy, że był z nią szczęśliwy. Co powinna o tym myśleć? Czuć gniew i zawód czy raczej radość, że tata znalazł coś, co było dla niego ważne?

Miała ochotę wrócić do domu, położyć się i płakać.

Telefon złapał zasięg dopiero, gdy opuściła tunel metra. Nie odebrała trzech połączeń od Chaza. Oddzwoniła do niego, kiedy tylko wyszła na ulicę.

— Co się stało? — spytała.

— Brzmisz fatalnie.

— Mam ciężki dzień.

— Może się stać jeszcze cięższy.

— Co masz na myśli?

— Mam coś na temat tego konta w Szwajcarii. Chyba będziesz chciała to zobaczyć.

26

Titus miał dosyć sutenerstwa.

Świat stawał się niebezpieczny, nieprzewidywalny, a nawet nudny. Zawsze, gdy człowiekowi coś wychodziło, pojawiali się durnie z nadmierną skłonnością do przemocy. Mafia chciała udziału w zyskach. Leniwi ludzie uważali to za łatwy łup — wykorzystać zdesperowaną dziewczynę, zmusić ją do zrobienia tego, czego chcieli, zgarnąć gotówkę. Jego mentor, Louis Castman, już dawno zrezygnował i zniknął, zapewne na jakiejś wysepce na Południowym Pacyfiku. Internet, który wyrzucił z rynku tak wielu detalistów i pośredników, umniejszył także znaczenie alfonsów. Dzięki sieci skróciła się droga między dziwką a klientem, a potężni konsolidatorzy pochłonęli drobnych sutenerów, tak jak Home Depot pochłonął rodzinne sklepiki z towarami żelaznymi.

Prostytucja stała się dla Titusa zbyt mało opłacalnym interesem. Ryzyko zaczęło przeważać nad zyskami.

Jednak tak jak w przypadku wszystkich biznesów, kiedy jeden z aspektów branży staje się zbędny, czołowi przedsiębiorcy znajdują nowe drogi. Technologia co prawda zaszkodziła interesom prowadzonym na ulicy, ale zarazem otworzyła nowe rynki. Titus na jakiś czas został jednym z konsolidatorów, wkrótce jednak uznał, że umawianie spotkań i dokonywanie transakcji przed ekranem to zbyt mechaniczna i niebezpośrednia metoda działania. Przerzucił się na internetowe przekręty robione przy współpracy z Nigeryjczykami. Nie, nie chodziło o łatwe do rozszyfrowania e-maile z prośbą o pomoc od kogoś, kto musiał oddać albo chciał podarować pieniądze. Titus zawsze zajmował się uwodzeniem — seksem, miłością i ich wzajemnym oddziaływaniem. Przez pewien czas jego najlepsze „romantyczne oszustwo" polegało na udawaniu żołnierza służącego w Iraku albo Afganistanie. Tworzył fałszywe tożsamości swoich żołnierzy w serwisach społecznościowych, a następnie zaczynał uwodzić samotne kobiety poznawane w sieci. W końcu „niechętnie" prosił o pieniądze na zakup laptopa bądź biletu na samolot, żeby móc spotkać się ze swoją wybranką osobiście, a czasami na rehabilitację po obrażeniach odniesionych na wojnie. Kiedy Titus potrzebował szybkiej gotówki, udawał żołnierza, który za chwilę ma rozpocząć służbę, więc chce okazyjnie sprzedać samochód. Wysyłał potencjalnym kupcom fałszywe numery rejestracyjne i informacje, zachęcając ich do przelewania pieniędzy na rachunki osób trzecich.

Jednak z tymi oszustwami wiązały się pewne problemy. Po pierwsze, w grę wchodziły względnie niewielkie sumy, a ich zdobycie wymagało dużego wysiłku. Ludzie wciąż byli głupi, ale, niestety, stawali się coraz sprytniejsi. Po drugie, tak jak w wypadku każdego zyskownego przedsięwzięcia, zbyt wielu amatorów postanowiło dołączyć do branży. Prokuratura wojskowa zaczęła wydawać ostrzeżenia i coraz gorliwiej ścigać sprawców. Dla partnerów Titusa z Afryki Zachodniej nie stanowiło to kłopotu, lecz dla niego samego — owszem.

Jednak przede wszystkim była to drobna działalność. Titus, jak każdy biznesmen, szukał sposobów na rozwinięcie skrzydeł i zbicie kapitału. Internetowe przekręty stanowiły krok naprzód w porównaniu z jego wczesną karierą sutenera, ale jak duży był to krok? Potrzebował nowych wyzwań — czegoś większego, szybszego, bardziej zyskownego i całkowicie bezpiecznego.

Wykorzystał niemal wszystkie oszczędności, żeby rozruszać to nowe przedsięwzięcie, i na szczęście zyski mu to wynagrodziły.

Clem Sison, nowy szofer, wszedł do domu. Był ubrany w czarny garnitur Claude'a.

— Jak wyglądam?

Marynarka nieco wybrzuszała się na ramionach, ale nie wyglądała źle.

— Wiesz, czego od ciebie wymagamy.

— Tak.

— Żadnych odstępstw od planu — ostrzegł Titus. — Rozumiesz?

— Jasne, oczywiście. Mam ją przywieźć prosto do was.

— Więc ruszaj.

▪ ▪ ▪

Chaz już skończył służbę, więc Kat odwiedziła go w jego mieszkaniu w eleganckim budynku firmy Lock-Horne przy skrzyżowaniu Park Avenue z Czterdziestą Szóstą Ulicą. Była tutaj na biurowym przyjęciu przed dwoma laty, gdy Stacy spotykała się z playboyem, do którego należał budynek. Facet miał na imię Wilson albo Windsor, a może jakoś inaczej, ale równie pretensjonalnie, był genialny, bogaty i przystojny, obecnie zaś, jeśli wierzyć plotkom, stracił rozum jak Howard Hughes i zmienił się w kompletnego odludka. Niedawno kilka pięter biurowca przekształcono w mieszkania.

Właśnie tam mieszkał Chaz Faircloth. Szybki, choć oczywisty wniosek: bogata rodzina to miła sprawa.

Kiedy Chaz otworzył drzwi, miał na sobie białą koszulę, rozpiętą o jeden guzik za daleko, tak że pokazywał wydepilowaną klatkę piersiową, przy której nawet pośladki niemowlaka wydawały się zarośnięte. Uśmiechnął się, szczerząc idealne zęby.

— Proszę, wejdź.

Kat rozejrzała się po mieszkaniu.

— Muszę przyznać, że jestem zaskoczona.

— Czym?

Spodziewała się męskiej jaskini albo kawalerskiej nory, a tymczasem znalazła się w niemal zbyt gustownie urządzonym wnętrzu ozdobionym starym drewnem, antykami, gobelinami i orientalnymi dywanami. Wszystko było bogate i drogie, ale wysmakowane.

— Wystrojem — odparła Kat.

— Podoba ci się?

— Owszem.

— Nie dziwię się. Moja mama urządziła to miejsce, wykorzystując pamiątki rodowe i tym podobne. Zamierzałem co nieco pozmieniać, żeby nadać mieszkaniu bardziej osobisty charakter, okazało się jednak, że laski są zachwycone. Dzięki temu wydaję im się wrażliwy i w ogóle.

Koniec niespodzianek.

Chaz wszedł za barek i wyjął butelkę dwudziestopięcioletniej whisky Macallan Scotch. Kat wytrzeszczyła oczy.

— Lubisz szkocką — rzucił.

Próbowała się nie oblizać.

— Chyba nie powinnam.

— Kat?

— Tak.

— Wpatrujesz się w tę butelkę jak ja w obfity dekolt.

Zmarszczyła czoło.

— Obfity?

Chaz uśmiechnął się, ukazując równe zęby.

— Piłaś kiedyś dwudziestopięcioletnią szkocką?

— Raz piłam dwudziestojednoletnią.

— I co?

— Prawie poprosiłam ją o rękę.

Chaz wziął dwie szklaneczki.

— Butelka kosztuje około ośmiuset dolarów. — Napełnił obie. Kat trzymała swoją delikatnie jak pisklę. — Na zdrowie.

Upiła łyk. Zamknęła oczy. Zastanawiała się, czy da się pić coś takiego z otwartymi oczami.

— Jak ci smakuje? — spytał Chaz.

— Być może cię zastrzelę, żeby móc zabrać butelkę do domu.

Roześmiał się.

— Chyba powinniśmy się zabrać do roboty.

Kat niemal pokręciła głową i powiedziała mu, że to może zaczekać. Nie chciała słuchać o szwajcarskim rachunku bankowym. Świadomość tego, czym było jej dotychczasowe życie — czym było życie jej rodziców — powoli przełamywała blokady w umyśle. Każdy dom przy każdej ulicy to tylko rodzinna fasada. Patrzymy na nią i wydaje nam się, że wiemy, co się dzieje w środku, ale tak naprawdę nie mamy pojęcia. Jednak czym innym jest uleganie takiemu złudzeniu — z tym była sobie w stanie poradzić — a czym innym bycie w środku, życie za fasadą, lecz bez świadomości cierpienia, zdruzgotanych marzeń, kłamstw i iluzji, które rozgrywały się przed jej oczami. Miała ochotę tylko siedzieć na tej idealnej skórzanej kanapie, sączyć zacny trunek i czekać, aż wszystko rozpłynie się w cudownym otępieniu.

— Kat?

— Słucham.

— Co się dzieje między tobą a kapitanem Staggerem?

— Nie chciałbyś się w to wplątywać, Chaz.

— Niedługo wrócisz?

— Nie wiem. To nieistotne.

— Na pewno?

— Jasne. — Czas zmienić temat. — Myślałam, że chcesz ze mną porozmawiać o tym numerycznym rachunku bankowym w Szwajcarii.

— Rzeczywiście — przyznał.

— No i?

Chaz odstawił szklaneczkę.

— Zrobiłem to, o co mnie prosiłaś. Odezwałem się do twojego kontaktu w Departamencie Skarbu. Poprosiłem go, żeby umieścił ten numer konta na liście obserwowanych rachunków. To potężna lista. Podejrzewam, że urząd podatkowy ostro naciska w sprawie tajnych szwajcarskich kont, a Szwajcarzy nie składają broni. Jeżeli w grę nie wchodzi uzasadnione podejrzenie działalności terrorystycznej, procedury bardzo się przedłużają. Należałoby założyć, że minie trochę czasu, zanim czegoś się dowiemy.

— To znaczy?

— Mówiłaś, że to nowy rachunek, prawda?

— Zgadza się. Dana Phelps podobno dopiero co go otworzyła.

— Kiedy dokładnie?

— Nie wiem. Z tego, co mówił jej człowiek od finansów, zrozumiałam, że założyła konto dwa dni temu, gdy przelała na nie pieniądze.

— To niemożliwe — odparł Chaz.

— Dlaczego?

— Ponieważ ktoś już złożył raport o podejrzanej transakcji związanej z tym kontem.

Kat odstawiła szklankę.

— Kiedy?

— Przed tygodniem.

— Wiesz, co jest w tym raporcie?

— Jakiś mieszkaniec Massachusetts przelał na to samo konto ponad trzysta tysięcy dolarów.

Chaz otworzył laptop stojący na niskim stoliku i zaczął pisać.

— Znasz nazwisko osoby, która wykonała przelew? — spytała Kat.

— Nie, usunięto je z raportu.

— Wiesz, kto go złożył?

— Niejaki Asghar Chuback. To jeden z partnerów w firmie inwestycyjnej Parsons, Chuback, Mitnick i Bushwell Investments and Securities. Mają siedzibę w Northampton w stanie Massachusetts.

Chaz odwrócił laptop w jej stronę. Witryna internetowa Parsons, Chuback, Mitnick & Bushwell stanowiła cyfrowy odpowiednik wzorów tłoczonych na kości słoniowej — bogatych, wyszukanych, arystokratycznych — które informowały klientów, że jeśli nie dysponują ośmiocyfrowymi zarobkami, lepiej, by nie zawracali sobie głowy.

— Powiedziałeś o tym detektywowi Schwartzowi? — spytała Kat.

— Jeszcze nie. Prawdę mówiąc, informacja o skradzionej tablicy rejestracyjnej nie zrobiła na nim wrażenia.

Na stronie znajdowały się linki dotyczące zarządzania majątkiem, usług zorganizowanych, globalnych inwestycji. Wiele miejsca poświęcono kwestiom prywatności i dyskrecji.

— Nie zgodzą się z nami porozmawiać — stwierdziła Kat.

— Mylisz się.

— Jak to?

— Też tak myślałem, ale mimo wszystko zadzwoniłem — poinformował Chaz. — Facet chętnie się spotka. Umówiłem cię.

— Z Chubackiem?

— Tak.

— Na kiedy?

— Dzisiaj wieczorem. Jego sekretarka powiedziała, że zajmuje się transakcjami na zagranicznych rynkach, więc spędzi w biurze całą noc. To dziwne, ale wydaje się, że bardzo mu zależy na tej rozmowie. Powinniśmy tam dojechać w ciągu trzech godzin. — Zatrzasnął laptop i wstał. — Ja poprowadzę.

Kat tego nie chciała. Owszem, ufała Chazowi, nadal jednak nie przekazała mu wszystkich szczegółów, zwłaszcza na temat jej osobistych związków z Jeffem-Ronem. Lepiej, żeby takie sprawy nie rozniosły się po posterunku. Poza tym, chociaż Chaz zachowywał się nieco lepiej, nie była gotowa na spędzenie z nim w samochodzie trzech godzin — sześciu, jeśli doliczyć podróż powrotną.

— Sama pojadę — odparła. — Zostań tutaj, na wypadek gdybyśmy musieli coś sprawdzić.

Spodziewała się sprzeciwu, lecz się pomyliła.

— Dobrze — zgodził się Chaz — ale będzie szybciej, jeśli skorzystasz z mojego samochodu. Chodźmy. Mam garaż tuż za rogiem.

▪ ▪ ▪

Martha Paquet zaniosła swoją walizkę do drzwi. Walizka była stara, jeszcze sprzed czasów bagaży na kółkach, a może już wtedy Harold był zbyt skąpy. Nienawidził podróży, nie licząc „rajdów do Vegas", które on i jego kumple od kieliszka odbywali dwa razy w roku, by po powrocie mrugać do siebie porozumiewawczo i chichotać. Podczas tych wypraw korzystał z eleganckiej torby podróżnej marki Tumi — twierdził, że tylko on może jej używać — ale zabrał ją z mieszkania, podobnie jak inne wartościowe przedmioty, wiele lat temu, przed rozwodem. Nie czekał na orzeczenie sądu. Wynajął ciężarówkę z firmy przeprowadzkowej i zabrał wszystko, co mógł, oznajmiając: „Spróbuj to odzyskać, suko".

To było dawno temu.

Martha wyjrzała przez okno.

— To szaleństwo — powiedziała do swojej siostry, Sandi.

— Żyje się tylko raz.

— Tak, wiem.

Sandi objęła ją ramieniem.

— Poza tym na to zasługujesz. Mama i tata byliby dumni.

Martha uniosła brwi.

— Och, wątpię.

Rodzice byli głęboko religijni. Po latach maltretowania przez Harolda — nie ma powodu, żeby wchodzić w szczegóły — Martha wróciła do domu, chcąc pomóc tacie w opiece nad swoją nieuleczalnie chorą mamą. Jednak, jak to często bywa, tata, czyli ten zdrowy, umarł jako pierwszy. Zabił go nagły atak serca przed sześciu laty. Mama odeszła w zeszłym roku. Była przekonana, że trafi do raju razem z tatą — twierdziła, że nie może się doczekać tego dnia — ale to nie powstrzymało jej przed desperacką walką i poddawaniem się bolesnym terapiom, żeby jak najdłużej pozostać na tym padole łez.

Martha przez cały ten czas trwała u boku matki, mieszkając w tym domu jako jej pielęgniarka i towarzyszka. Nie miała pretensji. Nie było mowy o oddaniu mamy do hospicjum albo domu opieki ani nawet zatrudnieniu kogoś do pomocy. Jej matka nigdy by się na to nie zgodziła, a Martha, która szczerze ją kochała, nawet nie zamierzała o tym wspominać.

— Zbyt długo zaniedbywałaś swoje życie — przypomniała jej Sandi. — Należy ci się trochę zabawy.

To prawda, pomyślała Martha. Próbowała się z kimś związać po rozwodzie, lecz przeszkadzała jej konieczność opieki nad mamą, nie wspominając o nieufności, którą zasiało w niej małżeństwo z Haroldem. Martha nigdy się nie skarżyła. To nie było w jej stylu. Była zadowolona ze swojego losu. Nie oczekiwała więcej. Co nie znaczy, że za niczym nie tęskniła.

— Wystarczy jedna osoba, żeby twoje życie się odmieniło — odezwała się Sandi. — Ty sama.

— Racja.

— Nie otworzysz nowego rozdziału w swoim życiu, dopóki będziesz powracała do poprzedniego.

Sandi miała dobre zamiary, wygłaszając te aforyzmy. Każdego piątku umieszczała je na swojej tablicy na Facebooku, często dodając zdjęcia kwiatów czy idealnych zachodów słońca. Nazywała je Powiedzeniami Sandi, chociaż oczywiście nie była ich autorką.

Przed domem zatrzymała się czarna limuzyna. Martha poczuła uścisk w gardle.

— Och, jaki piękny samochód! — pisnęła Sandi.

Martha nie mogła się poruszyć. Tkwiła w miejscu, gdy szofer wysiadł i zbliżył się do drzwi domu. Miesiąc wcześniej, po wielu zachętach ze strony Sandi, zarejestrowała się w internetowym serwisie randkowym. Ku swojemu zaskoczeniu niemal natychmiast rozpoczęła wirtualny flirt z cudownym mężczyzną, który nazywał się Michael Craig. To było szalone i zupełnie do niej niepodobne. Zawsze lekceważyła ten sposób zawierania znajomości, uznając go za niedojrzały i twierdząc, że współczesna młodzież nie ma pojęcia, czym jest prawdziwy związek, ponieważ spędza cały swój czas przed ekranem, nigdy nie spotykając się twarzą w twarz i bla, bla, bla.

Więc jak się w to wpakowała?

Prawdę mówiąc, rozpoczęcie związku w internecie ma swoje zalety. Nie jest istotne, jak wyglądasz (nie licząc zdjęć). Możesz mieć potargane włosy, rozmazany makijaż, resztki jedzenia między zębami — to obojętne. Łatwiej jest się odprężyć, kiedy wiesz, że nie ma w tym żadnego przymusu. Nigdy nie widzisz rozczarowania na twarzy swojego adoratora i zawsze zakładasz, że się uśmiecha w odpowiedzi na to, co mówisz i robisz. Jeśli się wam nie uda, nie musisz się martwić, że spotkasz go w sklepie z warzywami czy w lokalnej galerii handlowej. Zyskujesz wystarczająco duży dystans, żeby zdobyć się na bycie sobą i opuszczenie gardy.

Masz poczucie bezpieczeństwa.

W końcu jak poważna może się stać wasza relacja?

Powstrzymała uśmiech. Ich związek stopniowo zwiększył temperaturę — nie ma powodu wdawać się w szczegóły — i stał się bardziej intensywny, aż w końcu Michael Craig napisał za pomocą komunikatora: „Rzućmy wszystko i spotkajmy się!”.

Martha Paquet przypomniała sobie, jak siedziała przed komputerem zalana rumieńcem. Owszem, pragnęła prawdziwego kontaktu, fizycznej bliskości z mężczyzną, którego zawsze sobie wyobrażała. Tak długo była samotna i przestraszona, a teraz wreszcie kogoś poznała... Tylko czy odważy się zrobić kolejny krok? Podzieliła się z Michaelem swoimi wątpliwościami, twierdząc, że nie chce ryzykować utraty tego, co jest między nimi, choć z drugiej strony, jak w końcu sam wyrozumiale zauważył, co ich w zasadzie łączyło?

Szczerze mówiąc, nic konkretnego. Tylko ułuda. Jednak gdyby spotkali się twarzą w twarz i pojawiła się chemia równie silna jak podczas wirtualnych kontaktów...

Ale jeśli tak się nie stanie? Jeśli wszystko zakończy się fiaskiem — co zapewne dzieje się najczęściej — kiedy wreszcie się zobaczą? Jeśli Martha okaże się dla niego całkowitym rozczarowaniem, jak podejrzewała w duchu?

Chciała przełożyć spotkanie. Poprosiła go o cierpliwość. Zgodził się, stwierdził jednak, że związki nie funkcjonują w taki sposób. Nie znoszą stagnacji. Albo się polepszają, albo pogarszają. Czuła, że Michael powoli zaczyna się oddalać. W końcu był mężczyzną. Miał swoje potrzeby i pragnienia, tak samo jak ona.

A potem, chociaż może się to wydawać dziwne, Martha odwiedziła stronę facebookową swojej siostry i zobaczyła tam następujący aforyzm wypisany na tle fal rozbijających się o brzeg:

Nie żałuję rzeczy, które zrobiłam. Żałuję rzeczy, których nie zrobiłam, chociaż miałam okazję.

Maksyma nie była podpisana, lecz trafiła ją prosto w serce. Dopiero teraz Martha dostrzegła, że miała rację od samego początku: internetowy związek nie jest prawdziwy. Może posłużyć jako wstęp. Może być intensywny. Może przynieść rozkosz i ból, ale nie da się wiecznie żyć w fałszywej rzeczywistości. Ostatecznie to tylko odgrywanie ról.

Wydawało się, że ma mało do stracenia i wiele do zyskania.

Dlatego stojąc przy drzwiach i obserwując nadchodzącego szofera, czuła się jednocześnie przerażona i podekscytowana.

Na tablicy Sandi znajdował się inny cholerny cytat, który dotyczył podejmowania ryzyka i robienia każdego dnia jednej rzeczy, której się boimy. Jeśli na tym polega prawdziwe życie, to Martha nigdy przedtem nie żyła.

Jeszcze nigdy nie była tak wystraszona. Nigdy nie czuła się tak pełna życia.

Sandi ją objęła. Martha odwzajemniła uścisk.

— Kocham cię — powiedziała Sandi.

— Ja ciebie też.

— Masz się bawić doskonale jak nigdy, rozumiesz?

Martha pokiwała głową, bojąc się, że się rozpłacze. Szofer zapukał do drzwi, a Martha mu otworzyła. Przedstawił się jako Miles i wziął od niej walizkę.

— Tędy, proszę pani.

Wyszła za nim do samochodu. Sandi jej towarzyszyła. Szofer włożył walizkę do bagażnika i otworzył drzwi auta przed Marthą. Siostra ponownie ją uściskała.

— Zadzwoń, jeśli będziesz czegokolwiek potrzebowała — rzuciła.

— Dobrze.

— Jeśli nie będziesz się czuła komfortowo albo zechcesz wrócić do domu...

— Zadzwonię, Sandi, obiecuję.

— Nie, nie zadzwonisz, bo będziesz się zbyt dobrze bawiła. — Sandi miała łzy w oczach. — Zasługujesz na to. Zasługujesz na szczęście.

Martha z całych sił próbowała się nie rozpłakać.

— Zobaczymy się za dwa dni.

Wślizgnęła się na tylne siedzenie. Kierowca zamknął drzwi. Usiadł z przodu i powiózł ją ku nowemu życiu.

27

Chaz jeździł ferrari 458 italia w klasycznym żółtym kolorze.

Kat zmarszczyła czoło.

— Muszę przyznać, że nie jestem zaskoczona.

— Nazywam go Lepem na Laski — oznajmił Chaz, wręczając jej kluczyki ozdobione breloczkiem z symbolem Supermana.

— Lepiej by pasowało Lekarstwo na Kompleks Niższości.

— Co?

— Nieważne.

Trzy godziny później, gdy kobiecy głos z nawigacji ogłosił, że dotarła do celu, Kat była pewna, że nastąpił jakiś błąd.

Ponownie sprawdziła adres. To było właściwe miejsce — Trumbull Road numer 909, Northampton, Massachusetts. Zgodnie z informacjami znalezionymi w sieci i internetowej książce telefonicznej mieściła się tutaj siedziba firmy inwestycyjnej Parsons, Chuback, Mitnick & Bushwell.

Kat zaparkowała na ulicy pomiędzy Subwayem a salonem piękności. Spodziewała się, że biuro będzie przypominało siedzibę spółki Lock-Horne, tylko na małomiasteczkową skalę, jednak to miejsce wyglądało bardziej jak zrujnowany wiktoriański hotel z łososiowymi drzwiami i białymi kratkami, po których wspinały się brązowiejące pnącza.

Staruszka w domowej sukience kołysała się na bujanym fotelu stojącym na werandzie w kolorze lemoniady. Na nogach miała żylaki, które mogłyby służyć jako ogrodowe węże.

— Czym mogę służyć? — spytała.

— Chciałabym porozmawiać z panem Chubackiem.

— Zmarł czternaście lat temu.

Kat nie była pewna, co o tym myśleć.

— Asghar Chuback?

— Ach, Chewie. Gdy usłyszałam „pan Chuback", pomyślałam o jego ojcu, wie pani, jak to jest. Syn zawsze pozostanie dla mnie moim Chewiem. — Musiała trochę się rozbujać, żeby wstać. — Proszę za mną.

Kat pożałowała, że nie zabrała ze sobą Chaza jako wsparcia. Staruszka wprowadziła ją do środka i otworzyła drzwi piwnicy. Kat jeszcze nie sięgnęła po broń, ale doskonale wiedziała, gdzie ją ma, i wyobrażała sobie, co często miała w zwyczaju, w jaki sposób ją wyciągnie.

— Chewie?

— Co tam, mamo? Jestem zajęty.

— Ktoś do ciebie.

— Kto?

Staruszka popatrzyła na Kat.

— Detektyw Donovan, nowojorska policja! — zawołała Kat.

Do podnóża schodów zbliżył się mężczyzna wielki jak góra. Miał włosy związane w malutki kucyk i zakola łysiny. Szeroka twarz spływała potem. Był ubrany w obszerne szorty i koszulkę z napisem „Kapitan drużyny jełopów".

— Ach, tak. Zapraszam na dół.

— Może lemoniady? — spytała staruszka.

— Dziękuję, nie trzeba — odparła Kat, schodząc do piwnicy. Chuback na nią czekał. Wytarł mięsiste ręce w koszulkę, po czym uścisnął jej dłoń.

— Wszyscy nazywają mnie Chewie.

Miał trzydzieści, może trzydzieści pięć lat, brzuch jak kula do kręgli oraz grube, blade nogi przypominające marmurowe kolumny. W jego uchu tkwiła słuchawka od telefonu. Piwnica — z drewnianymi panelami, malowidłami klaunów i wysokimi szafkami na dokumenty — wyglądała jak z serialu *The Brady Bunch*. Kącik do pracy składał się ze stołów warsztatowych, z których trzy ustawiono w kształt litery U, zastawionych oszałamiającą kolekcją monitorów i komputerów. Na dużych białych podestach stały dwa olbrzymie skórzane fotele. Ich podłokietniki były usiane kolorowymi przyciskami.

— Pan Asghar Chuback — upewniła się Kat.

— Wolę, kiedy się mnie nazywa Chewie.

— Starszy partner w spółce Parsons, Chuback, Mitnick i Bushwell?

— To ja.

Kat się rozejrzała.

— A kim są Parsons, Mitnick i Bushwell?

— Grałem z nimi w kosza w piątej klasie. Używam ich nazwisk w nagłówku. Dzięki temu nazwa firmy brzmi efektowniej, czyż nie?

— Więc cała spółka inwestycyjna...

— Tak, to ja. Proszę chwilę zaczekać. — Włączył słuchawkę. — Tak, zgadza się, nie, Toby, jeszcze bym tego nie sprzedawał. Widziałeś surowce w Finlandii? Zaufaj mi. Dobrze, mam na drugiej linii kolejnego klienta. Później do ciebie oddzwonię.

Przerwał połączenie.

— Pańska mama jest sekretarką, z którą rozmawiał mój partner? — spytała Kat.

— Nie, to też byłem ja. Mam w telefonie urządzenie do zmieniania głosu. Mogę się też wcielić w Parsonsa, Mitnicka albo Bushwella, jeśli klient chce usłyszeć drugą opinię.

— To nie jest oszustwo?

— Nie sądzę, ale prawdę mówiąc, zarabiam dla swoich klientów tyle pieniędzy, że niezbyt ich to obchodzi. — Chewie zdjął joysticki i konsole do gier z dwóch dużych foteli. — Niech pani usiądzie.

Kat wspięła się na podest i usiadła.

— Dlaczego ten fotel wygląda mi znajomo?

— To fotele kapitana Kirka ze *Star Treka*. Niestety, tylko repliki. Nie udało mi się kupić oryginałów. Podobają się pani? Szczerze mówiąc, nie jestem fanem *Star Treka*. Znacznie bardziej podoba mi się *Battlestar Galactica*, ale te fotele są bardzo wygodne, prawda?

Kat zignorowała pytanie.

— Niedawno zgłosił pan podejrzaną transakcję dotyczącą pewnego szwajcarskiego rachunku bankowego, zgadza się?

— Owszem, tylko co pani tutaj robi?

— Słucham?

— Pani jest z nowojorskiej policji, tak? Raporty dotyczące podejrzanych transakcji trafiają do wydziału przestępstw finansowych, który podlega Departamentowi Skarbu, a nie policji.

Kat oparła ręce na podłokietnikach, uważając, żeby nie nacisnąć żadnego z guzików.

— To konto pojawiło się w dochodzeniu, które prowadzę.

— W jakim charakterze?

— Nie zamierzam o tym z panem rozmawiać.

— No to szkoda. — Chuback wstał z fotela i zszedł z podestu. — Odprowadzę panią do wyjścia.

— Jeszcze nie skończyliśmy, panie Chuback.

— Chewie — mruknął. — I owszem, skończyliśmy.

— Mogłabym powiadomić, kogo trzeba, o pańskiej działalności.

— Proszę bardzo. Jestem licencjonowanym doradcą finansowym i współpracuję z bankiem mającym gwarancje federalne. Mogę nazwać swoją firmę, jak tylko zechcę. Zgłosiłem podejrzaną transakcję, ponieważ poczułem się zaniepokojony i jestem praworządnym obywatelem, ale nie mam zamiaru pochopnie zdradzać tajemnic swoich klientów.

— Dlaczego poczuł się pan zaniepokojony?

— Przykro mi, detektyw Donovan. Chcę wiedzieć, o co w tym wszystkim chodzi, w przeciwnym razie będę musiał panią wyprosić.

Kat zastanawiała się, jak to rozegrać, tyle że ten dorosły mężczyzna zwany Chewiem nie dał jej wielkiego wyboru.

— Prowadzę dochodzenie w sprawie, w której ktoś zdeponował dużą sumę na numerycznym koncie w szwajcarskim banku.

— Chodzi o konto, które zgłosiłem? — spytał Chuback.

— Tak.

Rozparł się w fotelu i zaczął bębnić palcami po wielokolorowych światełkach kapitana Kirka.

— Hm.

— Jak pan słusznie zauważył, nie występuję w imieniu Departamentu Skarbu. Jeżeli pański klient pierze brudne pieniądze albo unika płacenia podatków, nic mnie to nie obchodzi.

— Czego dokładnie dotyczy dochodzenie?

Kat postanowiła niczego nie ukrywać. Może szok skłoni Chubacka do wyjawienia prawdy.

— Zaginięcia kobiety.

Chubackowi opadła szczęka.

— Mówi pani poważnie?

— Tak.

— Podejrzewa pani, że mój klient jest w to zaplątany?

— Szczerze mówiąc, nie mam pojęcia. Ale właśnie to chcę sprawdzić. Nie interesują mnie finansowe nieprawidłowości. Jeśli jednak chce pan chronić klienta, który może być zaangażowany w porwanie...

— Porwanie?

— ...albo uprowadzenie, nie jestem pewna...

— Nie mam takiego zamiaru. Nie żartuje pani?

Kat pochyliła się w jego stronę.

— Proszę powiedzieć, co pan wie.

— To wszystko nie trzyma się kupy. — Chuback pokręcił głową, a potem wyciągnął palec w stronę sufitu. — W całym tym pomieszczeniu mam zainstalowane kamery. Nagrywają wszystko, co mówimy. Chcę, żeby dała mi pani słowo, chociaż zdaję sobie sprawę, że ma pani ograniczoną władzę, że postara się pani pomóc mojemu klientowi, zamiast go ścigać.

„Go". Przynajmniej poznała płeć. Nie zamierzała udawać wahania. Nagranie i tak nie będzie miało żadnego znaczenia przed sądem.

— Zgoda.

— Mój klient nazywa się Gerard Remington.

Kat przetrząsnęła swoje banki pamięci, lecz to nazwisko nic jej nie mówiło.

— Kim jest?

— Chemikiem w branży farmaceutycznej.

Nadal nic.

— Co się dokładnie stało?

— Pan Remington polecił mi przelać całą zawartość swojego konta na wspomniany rachunek w szwajcarskim banku. To nic nielegalnego.

Znów wspomniał o nielegalności.

— Więc dlaczego pan to zgłosił?

— Ponieważ sama transakcja mogła być uznana za podejrzaną. Gerard nie jest zwykłym klientem. To także mój kuzyn. Jego mama zmarła dawno temu, więc jesteśmy dla niego jedyną rodziną. Gerard jest nieco... cóż, zaburzony, jak to mówią. Gdyby był młodszy, ktoś zapewne zdiagnozowałby u niego autyzm albo zespół Aspergera. Pod wieloma względami jest geniuszem, na przykład świetny z niego naukowiec, ale nie radzi sobie w sytuacjach społecznych. — Chuback rozłożył ręce i się uśmiechnął. — Tak, zdaję sobie sprawę, jak to brzmi w ustach dorosłego mężczyzny, który mieszka z matką i siedzi na fotelu ze *Star Treka*.

— Więc co się wydarzyło?

— Gerard zadzwonił do mnie i poprosił, żebym przelał jego pieniądze na to konto w szwajcarskim banku.

— Podał powód?

— Nie.

— Co dokładnie powiedział?

— Że to jego pieniądze i nie musi mi się tłumaczyć. Kiedy trochę go przycisnąłem, wyznał, że zaczyna nowe życie.

Kat poczuła lodowaty dreszcz na karku.

— Jak pan to zrozumiał?

Chuback potarł policzek.

— Uznałem, że to dziwaczne, ale jeśli chodzi o pieniądze,

dziwaczne zachowania są normą. Jako jego powiernik jestem zobowiązany zapewnić mu dyskrecję, gdy mnie o to poprosi.

— Ale nie był pan zachwycony — drążyła Kat.

— Nie byłem. Zachowanie Gerarda wydało mi się nietypowe. Jednak niewiele mogłem zrobić.

Kat dostrzegła, dokąd to zmierza.

— Oczywiście ma pan także zobowiązania wobec prawa.

— Właśnie.

— Dlatego złożył pan raport o podejrzanej transakcji, mając cichą nadzieję, że ktoś to sprawdzi.

Wzruszył ramionami, ale Kat dostrzegła, że trafiła w czuły punkt.

— I oto zawitała pani do mnie.

— Gdzie teraz jest Gerard Remington?

— Nie wiem. Pewnie gdzieś za granicą.

Kat poczuła kolejne lodowate ukłucie. Za granicą. Tak jak Dana Phelps.

— Sam?

Chuback pokręcił głową, odwrócił się i wcisnął przycisk na klawiaturze. Wszystkie ekrany ożyły, ukazując obraz, który zapewne pełnił funkcję wygaszacza ekranu: kształtną kobietę rodem z pornograficznego snu piętnastolatka, czyli, innymi słowy, typowy wizerunek, jaki widuje się podczas niemal każdej wizyty w internecie. Kobieta miała wyzywający uśmiech, pełne usta i biust takich rozmiarów, że należał jej się zasiłek.

Kat czekała, aż Chuback wciśnie kolejny klawisz i lalunia z wygaszacza ekranu zniknie, tak się jednak nie stało. Popatrzyła na niego, a on pokiwał głową.

— Zaraz, chce pan powiedzieć, że pański kuzyn wyjechał z tą kobietą?

— Tak powiedział mojej matce.

— Chyba pan żartuje?

— Też tak zareagowałem. Gerard to miły gość, ale taka laska? Zdecydowanie poza jego zasięgiem. Mój kuzyn bywa naiwny, dlatego się zaniepokoiłem.

— W jakim sensie?

— Początkowo pomyślałem, że może ktoś go wrabia. Czytałem o facetach, którzy poznawali dziewczyny w internecie, a potem dawali się wplątać w przemyt narkotyków do Ameryki Południowej albo inną głupotę. Gerard stanowiłby idealny cel.

— Ale już pan tak nie uważa?

— Nie wiem, co myśleć — przyznał Chuback. — Kiedy zlecił przelew, powiedział, że bardzo ją kocha. Chce z nią zacząć nowe życie.

— To nie wzbudziło pana podejrzeń?

— Oczywiście, że tak, tylko co mogłem zrobić?

— Zgłosić sprawę na policję.

— I co miałbym powiedzieć? Mój dziwaczny klient chce przelać pieniądze na konto w szwajcarskim banku? Bez żartów. Poza tym musiałem zachować dyskrecję.

— Zobowiązał pana do zachowania tajemnicy.

— Owszem, a w mojej branży to jak tajemnica spowiedzi.

Kat pokręciła głową.

— Więc nic pan nie zrobił.

— Niezupełnie — zaprotestował Chuback. — Zgłosiłem tę transakcję. A teraz pani do mnie przyjechała.

— Wie pan, jak ta kobieta się nazywa?

— Vanessa jakaś tam.

— Gdzie mieszka pański kuzyn?

— Mniej więcej dziesięć minut jazdy stąd.

— Ma pan klucze?

— Moja mama je ma.
— Więc chodźmy.

▪ ▪ ▪

Chuback otworzył drzwi i wślizgnął się do środka. Kat podążyła za nim, czujnie się rozglądając. W domu Gerarda Remingtona panował nieprzyzwoity porządek, jak na wystawie za szkłem, a nie w prawdziwym mieszkaniu.

— Czego pani szuka? — spytał Chuback.

Kiedyś Kat zaczynała od otwierania szuflad i szafek. Teraz przeszukania zazwyczaj były prostsze.

— Jego komputera.

Podeszli do biurka. Nic. Potem zajrzeli do sypialni. Znów nic. Ani pod łóżkiem, ani na nocnym stoliku.

— Gerard ma tylko laptop — poinformował Chuback. — Może zabrał go ze sobą.

Cholera.

Kat wróciła do klasycznych metod, czyli otwierania szuflad i szafek. Nawet tam panował nieprawdopodobny porządek. Zwinięte skarpetki poukładano w czterech rzędach po cztery pary. Wszystko było poskładane. Żadnych luźnych papierów, długopisów, monet, spinaczy ani pudełek z zapałkami — wszystko znajdowało się na swoim miejscu.

— Jak pani myśli, co się dzieje? — spytał Chuback.

Kat nie chciała spekulować. Nie miała żadnych dowodów na to, że popełniono przestępstwo, nie licząc złamania niejasnych zasad finansowych dotyczących przelewania dużych sum na zagraniczne konta. Oczywiście dostrzegała dziwaczne zachowania, które ktoś mógłby uznać za podejrzane, ale na razie nie mogła nic w ich sprawie zrobić.

Jednak miała znajomych w FBI. Gdyby dowiedziała się

czegoś więcej, mogłaby skorzystać z ich pomocy i poprosić, żeby przyjrzeli się tej sprawie. Tylko czego by się dogrzebali?

Nagle coś przyszło jej do głowy.

— Panie Chuback?

— Proszę mi mówić Chewie.

— W porządku, Chewie. Mógłbyś mi przesłać e-mailem to zdjęcie Vanessy?

Puścił do niej oko.

— Kręcą panią takie rzeczy?

— Bardzo zabawne.

— Kiepski żart, prawda? Ale cóż, w końcu to mój kuzyn — oświadczył, jakby to wszystko tłumaczyło. — Obaj mamy swoje dziwactwa.

— Po prostu mi je prześlij, dobrze?

Na biurku Gerarda stało tylko jedno zdjęcie oprawione w ramkę. Czarno-biała fotografia wykonana zimą. Kat wzięła ją do ręki i dokładniej się jej przyjrzała.

Chuback stanął obok niej.

— Ten mały dzieciak to Gerard, a facet to jego ojciec. Zmarł, kiedy Gerard miał osiem lat. Chyba lubili razem łowić ryby pod lodem.

Obaj mieli na sobie parki i duże futrzane pilotki. Na ziemi leżał śnieg. Mały Gerard trzymał rybę, a na ustach miał szeroki uśmiech.

— Chce pani usłyszeć coś dziwnego? — odezwał się Chuback. — Mam wrażenie, że nigdy nie widziałem, żeby Gerard tak się uśmiechał.

Kat odstawiła zdjęcie i ponownie zaczęła sprawdzać biurko. W dolnej szufladzie znalazła teczki, elegancko oznaczone ręcznym pismem, które wyglądało jak komputerowa czcionka. Znalazła wyciągi z karty Visa i wyjęła najnowszy.

— Czego pani szuka? — spytał Chewie.

Zaczęła sunąć wzrokiem wzdłuż kolumny liczb. Pierwszą sumą, która się wyróżniała, było tysiąc czterysta pięćdziesiąt osiem dolarów na rzecz linii lotniczej JetBlue. Nie zamieszczono informacji dotyczącej celu ani daty podróży, ale Kat mogła to łatwo sprawdzić. Zrobiła zdjęcie tej części wyciągu i przesłała je na skrzynkę e-mailową Chaza. Niech się temu przyjrzy. Kat wiedziała, że JetBlue nie oferuje miejsc w pierwszej klasie, więc podejrzewała, że zapłata pokryła koszt dwóch biletów powrotnych.

Dla Gerarda i biuściastej Vanessy?

Pozostałe obciążenia nie wzbudzały podejrzeń. Gerard zapłacił za kablówkę i komórkę (ta informacja mogła się przydać), prąd, gaz i tak dalej. Kat już miała odłożyć wyciąg do szuflady, gdy nagle zauważyła coś na dole strony.

Odbiorcą jednej z opłat była firma TMJ Services.

Nie było w tym niczego dziwnego i Kat zapewne nie zwróciłaby na to uwagi, gdyby nie suma.

Pięć dolarów i siedemdziesiąt cztery centy.

Zastanowiła się nad nazwą TMJ. Odwróćmy kolejność inicjałów. JMT. Jakże dyskretnie.

Rachunek z JMT na kwotę 5,74 dolara.

Tak samo jak Dana Phelps, jak Jeff Raynes, wreszcie jak Kat Donovan, Gerard Remington korzystał z usług YouAreJustMyType.com.

▪ ▪ ▪

Kiedy Kat wróciła do żółtego ferrari, zadzwoniła do Brandona Phelpsa.

— Halo? — odezwał się niepewnie.

— Jak się masz, Brandonie?

— W porządku.

— Potrzebuję przysługi.

— Gdzie jesteś? — spytał.

— Wracam z Massachusetts.

— Co tam jest?

— Niedługo o wszystkim ci opowiem, ale na razie przesyłam ci zdjęcie bardzo zdrowo wyglądającej kobiety.

— Co takiego?

— Ma na sobie bikini. Zresztą zobaczysz. Pamiętasz wyszukiwarkę obrazów, z której skorzystałeś w przypadku zdjęć Jeffa?

— Tak.

— Chciałabym, żebyś zrobił to samo z tym zdjęciem. Sprawdź, czy pojawia się gdzieś w internecie. Potrzebuję nazwiska, adresu, co tylko uda ci się zdobyć.

— Dobrze — odparł powoli. — Ale to nie ma nic wspólnego z moją matką, prawda?

— Niewykluczone, że ma.

— W jaki sposób?

— To długa historia.

— Bo jeśli wciąż szukasz mojej matki, chyba powinnaś przestać.

Zmarszczyła brwi zaskoczona.

— Dlaczego?

— Zadzwoniła do mnie.

— Twoja matka?

— Tak.

Kat zatrzymała się na poboczu.

— Kiedy?

— Przed godziną.

— Co powiedziała?

— Powiedziała, że właśnie znalazła dostęp do internetu, przeczytała wszystkie moje e-maile i chce mnie zapewnić, że wszystko jest w porządku. Mam się nie martwić, jest bardzo szczęśliwa i być może zostanie tam kilka dni dłużej.

— Co odpowiedziałeś?

— Spytałem o przelew.

— A co ona na to?

— Trochę się zdenerwowała. Oświadczyła, że to jej prywatna sprawa i nie mam prawa się w nią wtrącać.

— Przyznałeś się, że poszedłeś na policję?

— Wspomniałem o detektywie Schwartzu. Chyba zadzwoniła do niego, kiedy skończyliśmy rozmawiać. Ale nie mówiłem jej o tobie.

Kat nie była pewna, co o tym myśleć.

— Kat?

— Tak?

— Zapowiedziała, że niedługo wróci do domu i ma dla mnie dużą niespodziankę. Wiesz, o co chodzi?

— Możliwe.

— Czy to ma coś wspólnego z twoim dawnym chłopakiem?

— Niewykluczone.

— Mama prosiła, żebym dał sobie spokój. Podejrzewam, że ten transfer pieniędzy jest nie do końca legalny, więc jeśli będę o to rozpytywał, mogę jej narobić kłopotów.

Kat siedziała w samochodzie ze zmarszczonym czołem. Co dalej? Już wcześniej miała niewiele dowodów na to, że dzieje się coś złego. Teraz, gdy Dana Phelps zadzwoniła do syna i zapewne do detektywa Schwartza, cała sprawa wyglądała jak paranoiczna teoria spiskowa głoszona przez nowojorską policjantkę, która niedawno udała się na przymusowy urlop, gdyż... cóż... wygłosiła inną dziwaczną i paranoiczną teorię spiskową.

— Kat?

— Poszukasz dla mnie tego zdjęcia, Brandonie? Na razie tylko o to proszę. Poszukaj go.

Przez chwilę się wahał.

— Tak, dobrze.

Telefon zasygnalizował połączenie przychodzące, więc Kat szybko się pożegnała i przełączyła na drugą linię.

— Gdzie jesteś? — odezwała się Stacy.

— W Massachusetts, ale już wracam do domu. Dlaczego pytasz?

— Znalazłam Jeffa Raynesa.

28

Titus leżał na trawie, wpatrując się w idealne nocne niebo. Zanim przeprowadził się na farmę, wydawało mu się, że gwiazdy i gwiazdozbiory można obserwować tylko w bajkach. Zastanawiał się, czy w dużym mieście po prostu nie widać ich blasku, czy może nigdy nie miał czasu, żeby położyć się z dłońmi splecionymi za głową i popatrzeć w niebo. Znalazł w internecie i wydrukował mapę gwiazdozbiorów. Przez jakiś czas ją zabierał, lecz teraz już nie była mu potrzebna.

Dana Phelps wróciła do swojej skrzyni.

Była twardsza niż większość, ale kiedy kłamstwa, przekręcanie faktów, groźby i dezorientacja nie są w stanie zagwarantować współpracy, wystarczy pokazać zdjęcie dziecka, a rodzic staje się posłuszny.

Dlatego Dana zadzwoniła. Wszyscy w końcu kapitulują. Kiedyś jeden z mężczyzn próbował ostrzec rozmówcę. Titus natychmiast przerwał połączenie. Rozważał zabicie więźnia na miejscu, ostatecznie jednak pozwolił, żeby Reynaldo popracował nad nim w stodole starą piłą ogrodniczą pozostawioną przez amiszów. Ostrze było tępe, ale to sprawiało oprawcy jeszcze więcej radości. Trzy dni później Reynaldo wrócił z mężczyzną, który błagał na kolanach, żeby pozwolili mu współpracować. Zapewne złożyłby błagalnie dłonie, tyle że już nie miał palców.

Tak to właśnie jest.

Titus usłyszał kroki. Nie odrywał wzroku od gwiazd, dopóki nie stanął nad nim Reynaldo.

— Wszystko w porządku z nowym nabytkiem? — spytał Titus.

— Tak. Zamknąłem ją w jej skrzyni.

— Zabrała laptop?

— Nie.

Nic dziwnego. Martha Paquet była bardziej powściągliwa od pozostałych. Jej przepustką na tę farmę nie był tydzień w jakimś odludnym ciepłym miejscu. Złamali ją za pomocą czegoś bardziej strawnego: dwóch nocy w pensjonacie w Ephrata w Pensylwanii. Początkowo wydawało się, że Martha się nie zgodzi — nieważne, zawsze można odciąć przynętę i ruszyć na dalsze poszukiwania — ale w końcu uległa.

Byłoby lepiej, gdyby zabrała laptop. Większość ludzi przechowuje w nich swoje życie. Dymitr mógł w nim znaleźć numery kont bankowych i hasła. Zamierzali sprawdzić jej smartfon, lecz Titus nie chciał włączać go na zbyt długo, bo chociaż to mało prawdopodobne, włączony telefon można namierzyć. Właśnie dlatego nie tylko zabierał telefony, ale także wyjmował z nich baterie.

Drugi problem stanowił fakt, że Titus miał mniej czasu, by popracować nad Marthą. Jej jedyna krewna, siostra, zachęcała ją wprawdzie do wykorzystania tej okazji i mogła uwierzyć, że Martha postanowiła przedłużyć pobyt o kilka dni, ale i tak musieli działać bez zwłoki.

Czasami, gdy nowe kobiety przybywały na farmę, Titus zamykał je w podziemnych skrzyniach na wiele godzin albo nawet dni. Dzięki temu stawały się pokorniejsze. Kiedy indziej — Titus wciąż eksperymentował z tą metodą — lepiej było nie tracić czasu i wykorzystywać siłę szoku. Osiem godzin temu Martha Paquet wyszła z domu, wierząc, że zmierza na spotkanie prawdziwej miłości. Następnie została zamknięta w samochodzie, pobita, kiedy się sprzeciwiała, rozebrana i zamknięta w mrocznej skrzyni.

Poczucie beznadziei jest znacznie potężniejsze, gdy wyrasta z nadziei. Zastanówcie się: jeżeli chcecie coś rozbić, najpierw musicie to podnieść najwyżej, jak się da.

Mówiąc wprost, żeby odebrać nadzieję, trzeba ją najpierw rozniecić.

Titus płynnym ruchem wstał z ziemi.

— Podeślij ją ścieżką.

Wrócił do domu. Dymitr już czekał przy włączonym komputerze. Był informatycznym geniuszem, ale w tej pracy nie wykorzystywał swoich umiejętności. To do Titusa należało zdobywanie numerów kont, adresów e-mailowych i haseł — wszystkich informacji. Potem wystarczyło je wprowadzić do odpowiednich programów.

Reynaldo już pewnie wyciągał Marthę Paquet ze skrzyni. Każe jej się obmyć wodą z węża i wręczy kombinezon. Titus zerknął na zegarek. Miał jeszcze około dziesięciu minut. Wziął sobie coś do jedzenia z lodówki — uwielbiał ryżowe krakersy z masłem migdałowym — i postawił na kuchence czajnik z wodą.

Korzystał z różnych sposobów na wykrwawienie swoich „gości". Najczęściej starał się robić to powoli, żeby — pozostając w ramach tej metafory — nikt zbyt wcześnie nie założył opaski uciskowej. W ciągu pierwszych kilku dni kazał im robić przelewy w wysokości około dziesięciu tysięcy dolarów na różne zagraniczne konta. Gdy tylko pieniądze docierały na miejsce, Titus przelewał je na inny rachunek, a potem na kolejny i tak dalej. Mówiąc w skrócie, sprawiał, że nie dało się ich namierzyć.

Tak samo jak w dawnych czasach, gdy obserwował dziewczyny wysiadające z autobusów na dworcu, Titus wiedział, że kluczem jest cierpliwość. Trzeba czekać i rezygnować z niektórych celów, żeby znaleźć idealne ofiary. W wypadku autobusów spodziewał się napotkania jednego albo dwóch potencjalnych celów w ciągu tygodnia. Jednak internet oferował nieograniczone możliwości. Mógł przeszukiwać stałą pulę celów w rozmaitych serwisach randkowych. Wiele kandydatek od razu odrzucał, ale to nic, ponieważ wybór był ogromny. Potrzebował tylko czasu i cierpliwości. Musiał się upewnić, że kobiety nie mają dużych rodzin, które mogłyby za nimi tęsknić. A także że dysponują wystarczającymi funduszami, by całe przedsięwzięcie było opłacalne.

Czasami trafiał w dziesiątkę, a czasami pudłował. *C'est la vie.*

Na przykład Martha. Niedawno odziedziczyła pieniądze po zmarłej matce. Powiedziała o Michaelu Craigu tylko siostrze. Jako że ich spotkanie było zaplanowane na weekend, Martha o niczym nie wspomniała swoim przełożonym w NRG. Oczywiście to będzie musiało się zmienić: kiedy tylko Titus pozna hasło do jej skrzynki e-mailowej, „Martha" od razu poinformuje pracodawcę, że postanowiła wziąć kilkudniowy urlop. Z Gerardem Remingtonem było jeszcze mniej kłopotu. Zaplanował dziesięciodniowe wakacje połączone z miesiącem miodowym w towarzystwie Vanessy. Powiadomił firmę farmaceutyczną, że wykorzysta część zaległego urlopu. Przez całe życie był kawalerem i nie miał praktycznie żadnej rodziny. Przeniesienie wszystkich zgromadzonych przez niego funduszy na inny rachunek nie stanowiło problemu, a chociaż doradca finansowy zadawał mnóstwo pytań, nikt nie zgłaszał poważniejszych obiekcji.

Kiedy już było po wszystkim — czyli Titus zabrał Gerardowi oraz innym, co tylko się dało — ofiary stawały się dla niego bezużyteczne. Jak skórka zjedzonej pomarańczy. Oczywiście nie mógł ich wypuścić. To byłoby zdecydowanie zbyt ryzykowne. Jakie jest najbezpieczniejsze i najczystsze rozwiązanie? Sprawić, żeby człowiek zniknął na zawsze. Jak?

Wpakować mu kulkę w głowę i pogrzebać w lesie.

Żywy człowiek pozostawia mnóstwo tropów. Zwłoki pozostawiają ich mniej. Jednak ktoś, kto zaginął, ale zapewne żyje, tylko udał się na poszukiwanie szczęścia, nie zostawia żadnych śladów. W takim wypadku nie ma żadnego punktu zaczepienia, zwłaszcza dla przepracowanych policjantów.

Członkowie rodziny mogą w końcu zacząć się martwić. Po kilku tygodniach albo miesiącach mogą powiadomić władze. Czasami rozpoczyna się dochodzenie, ale ostatecznie ci „zaginieni" to dorośli ludzie, którzy twierdzili, że chcą rozpocząć nowe życie.

Nie było żadnych śladów nieczystej gry. Wspomniani dorośli przekonująco wyjaśnili powody swojego domniemanego zniknięcia — byli smutni i samotni, zakochali się i postanowili zacząć od nowa.

Któż nie potrafił się identyfikować z tym marzeniem?

A jeśli nawet kogoś to nie przekona — jakiś ambitny funkcjonariusz albo krewny będzie chciał pogrzebać głębiej — to co znajdzie? Trop wygasł wiele tygodni wcześniej. Nigdy nie doprowadzi ich na farmę amiszów w Pensylwanii, wciąż zarejestrowaną na Marka Kadisona, amisza rolnika, który sprzedał swoją ziemię za gotówkę.

Titus stanął w drzwiach. W ciemności po lewej stronie dostrzegł znajomy ruch. Kilka sekund później pojawiła się Martha.

Zawsze starał się zachowywać ostrożność. Zatrudniał niewielką ekipę i dobrze jej płacił. Nie popełniał błędów. A kiedy już jakiś się przydarzył, jak idiotyczna i małostkowa chciwość Claude'a przy bankomacie, Titus przecinał wszystkie powiązania i usuwał zagrożenie. Być może to surowe zasady, lecz każdy, kto z nim współpracował, od początku je rozumiał.

Martha zbliżyła się o kolejny krok. Titus przywołał na usta ciepły uśmiech i zachęcił ją gestem, żeby weszła do środka. Ruszyła w stronę werandy, obejmując się rękami i drżąc z zimna lub strachu, a zapewne z toksycznego połączenia obu. Miała mokre włosy. Jej oczy przypominały popękane szklane kulki — Titus wielokrotnie widział takie spojrzenie.

Usiadł na dużym fotelu. Dymitr zajął miejsce przy swoim komputerze. Jak zwykle miał na sobie czapkę zrobioną na drutach i kolorową koszulę.

— Mam na imię Titus — odezwał się Titus, kiedy kobieta weszła do pomieszczenia. — Proszę, usiądź.

Usłuchała. Wiele ofiar w tym momencie zaczynało zadawać pytania. Niektórzy, jak Gerard, kurczowo trzymali się wiary, że ich nowo odnaleziona miłość wciąż gdzieś tam jest. Titus oczywiście mógł to wykorzystać. Gerard odmawiał współpracy, dopóki Titus nie zagroził, że skrzywdzi Vanessę. Inni od razu rozumieli, co się dzieje.

Wydawało się, że tak jest w wypadku Marthy Paquet.

Popatrzył na Dymitra.

— Gotowy?

Dymitr poprawił na nosie okulary o przyciemnionych szkłach i pokiwał głową.

— Mamy do ciebie kilka pytań, Martho. Odpowiesz na nie.

Pojedyncza łza spłynęła po jej policzku.

— Znamy twój adres e-mailowy. W końcu często pisywałaś do Michaela Craiga. Jak brzmi hasło?

Nie odpowiedziała.

Titus mówił cicho i spokojnie. Nie było potrzeby krzyczeć.

— Powiesz nam, Martho. To tylko kwestia czasu. Niektórych ludzi zamykamy w skrzyni na kilka godzin, dni, a nawet miesięcy. Niektórym trzymamy dłoń nad zapalonym gazem, dopóki nie zacznie nam przeszkadzać smród. Nie lubię tego robić. Jeśli zostawiamy na kimś zbyt wiele blizn, w końcu musimy się pozbyć dowodów. Rozumiesz?

Martha trwała w bezruchu.

Titus wstał i do niej podszedł.

— Większość ludzi... tak, robiliśmy to już wiele razy... doskonale rozumie, o co chodzi. Zamierzamy cię okraść. Jeśli będziesz współpracowała, wyjdziesz z tego nieco biedniejsza, ale cała i zdrowa. Będziesz dalej wiodła swoje życie, jakby nic się nie stało.

Usiadł na podłokietniku fotela. Martha zamrugała i zadygotała.

— Prawdę mówiąc, trzy miesiące temu zrobiliśmy to komuś, kogo znasz. Nie wymienię jej nazwiska, ponieważ tak się umówiliśmy. Ale jeśli się dobrze zastanowisz, to może się domyślisz. Powiedziała wszystkim, że wyjeżdża na weekend, jednak tak naprawdę była tutaj. Od razu przekazała nam wszystkie informacje, których potrzebowaliśmy, a my odesłaliśmy ją do domu.

To niemal zawsze działało. Titus próbował się nie uśmiechać, gdy widział, jak trybiki w głowie Marthy zaczynają się obracać. Oczywiście kłamał. Nikt nigdy nie opuszczał farmy. Ale w końcu nie chodziło tylko o pogrążenie ofiary. Najpierw trzeba jej było dać nadzieję.

— Martho?

Kiedy delikatnie położył dłoń na jej nadgarstku, prawie wrzasnęła.

— Jak brzmi hasło do twojej skrzynki e-mailowej? — spytał z uśmiechem.

A Martha mu je podała.

29

Jako że Kat i tak musiała zwrócić Lep na Laski, umówiła się ze Stacy w holu budynku Lock-Horne. Stacy miała na sobie czarny golf, niebieskie obcisłe dżinsy i kowbojki. Jej włosy opadały idealnymi, świeżo zmierzwionymi falami, jakby przed chwilą wstała z łóżka, potrząsnęła głową i voilà, perfekcja.

Gdyby Kat nie kochała Stacy, strasznie by jej nienawidziła.

Zbliżała się północ. Dwie kobiety, jedna drobna i urocza, a druga potężna i krzykliwie ubrana, wyszły z windy. Poza nimi w holu znajdował się tylko ochroniarz.

— Gdzie porozmawiamy? — spytała Kat.

— Chodź za mną.

Stacy pokazała dokument tożsamości ochroniarzowi, który wskazał na pojedynczą windę po lewej stronie. W wyłożonym atłasem wnętrzu kabiny stała wyściełana ławeczka. Nie było żadnych przycisków. Żadne światełka nie informowały, do którego piętra się zbliżają. Kat pytająco popatrzyła na przyjaciółkę. Stacy wzruszyła ramionami.

Winda się zatrzymała — Kat nie miała pojęcia, na którym

piętrze — i znalazły się na otwartym parkiecie giełdowym. Dziesiątki, a może setki biurek stały w równych rzędach. Światła były zgaszone, lecz ekrany monitorów wypełniały pomieszczenie złowrogim blaskiem.

— Co tutaj robimy? — wyszeptała Kat.

Stacy ruszyła korytarzem.

— Nie musisz szeptać. Jesteśmy same.

Zatrzymała się przed drzwiami z zamkiem elektronicznym. Wpisała kod i drzwi otworzyły się z wyraźnym trzaskiem. Kat weszła do środka. To był narożny gabinet, z którego roztaczał się wspaniały widok na Park Avenue. Stacy zapaliła światła. Biuro urządzono w stylu wczesnego amerykańskiego elitaryzmu. Eleganckie skórzane fotele w kolorze czerwonego wina ze złotymi guzikami stały na orientalnym dywanie w kolorze leśnej zieleni. Obrazy przedstawiające polowanie na lisa wisiały na ścianach pokrytych panelami z ciemnego drewna. Olbrzymie biurko wykonano z czystej dębiny. Obok niego stał duży zabytkowy globus.

— Ktoś ma mnóstwo forsy — zauważyła Kat.

— Mój przyjaciel, do którego należy to miejsce. — Na twarzy Stacy pojawiła się tęsknota. Media przez pewien czas spekulowały na temat prezesa Lock-Horne Investments & Securities, ale w końcu, jak zwykle, musiały dać za wygraną, gdy nie pojawiały się żadne nowe informacje.

— Co naprawdę się z nim stało? — spytała jej przyjaciółka.

— Chyba po prostu... się wymeldował — odparła Stacy, rozkładając ręce i wzruszając ramionami.

— Załamanie nerwowe?

Na ustach Stacy pojawił się dziwny uśmiech.

— Nie sądzę.

— Więc co?

— Nie wiem. Firma zajmowała kiedyś sześć pięter, ale teraz, po jego odejściu i licznych zwolnieniach, mieści się na czterech.

Kat miała świadomość, że zadaje zbyt dużo pytań, lecz to jej nie powstrzymało.

— Zależy ci na nim — powiedziała.

— Owszem. Jednak nie byliśmy sobie pisani.

— Dlaczego?

— Jest przystojny, bogaty, uroczy, romantyczny i świetny w łóżku.

— Podejrzewam, że jest jakieś „ale".

— Ale nie da się do niego dotrzeć. Żadna kobieta tego nie potrafi.

— A jednak tutaj jesteś — zauważyła Kat.

— Po tym, jak byliśmy... razem, umieścił moje nazwisko na liście.

— Liście?

— To skomplikowane. Każda kobieta, która się na niej znajdzie, uzyskuje dostęp do pewnych miejsc, na wypadek gdyby potrzebowała samotności albo czegoś w tym rodzaju.

— Chyba żartujesz.

— Nie.

— Jak myślisz, ile kobiet jest na tej liście?

— Nie wiem — przyznała Stacy. — Podejrzewam, że sporo.

— Facet wygląda mi na czubka.

Stacy pokręciła głową.

— A ty znowu swoje.

— Co?

— Osądzasz ludzi, których nawet nie znasz.

— Nie robię tego.

— Owszem, robisz — zaoponowała Stacy. — Co w pierwszej chwili pomyślałaś o mnie?

Pustogłowa lalunia, przypomniała sobie Kat.

— A co ty pomyślałaś o mnie? — odpowiedziała pytaniem.

— Uznałam, że jesteś spokojna i bystra.

— Miałaś rację.

— Kat?

— Tak?

— Zadajesz mi te wszystkie pytania, żeby zyskać na czasie.

— A ty z tego samego powodu na nie odpowiadasz.

— Zgadza się — potaknęła Stacy.

— Więc gdzie jest Jeff?

— Z tego, co mi wiadomo, w Montauk.

Kat miała wrażenie, że jej serce dostało kopniaka.

— Na Long Island?

— Znasz jakieś inne Montauk? — żachnęła się Stacy, po czym dodała spokojniejszym głosem: — Dobrze by ci zrobił drink.

Kat odrzuciła od siebie wspomnienie.

— Nic mi nie jest.

Stacy podeszła do zabytkowego globusa i pociągnęła za pałąk, odsłaniając kryształową karafkę i kieliszki.

— Lubisz koniak?

— Nieszczególnie.

— Mój przyjaciel pija tylko najlepszy gatunek.

— Nie jestem pewna, czy będę się czuła komfortowo, popijając jego drogi koniak.

Na twarzy Stacy zagościł kolejny smutny uśmiech. Naprawdę lubiła tego faceta.

— Byłby niezadowolony, gdyby się dowiedział, że tutaj byłaś, ale się nie poczęstowałaś.

— Więc nalewaj.

Stacy tak zrobiła. Kat upiła łyczek i z trudem powstrzymała westchnienie rozkoszy. Koniak smakował jak nektar bogów.

— I co? — spytała Stacy.

— Nigdy nie byłam bliższa orgazmu za sprawą trunku.

Stacy się roześmiała. Kat nie uważała się za materialistkę czy osobę o wyszukanym guście, ale dzięki dwudziestopięcioletniemu macallanowi oraz temu koniakowi jej myślenie uległo przewartościowaniu, przynajmniej w kwestii alkoholi.

— Wszystko w porządku? — spytała Stacy.

— Tak.

— Kiedy wspomniałam o Montauk...

— Kiedyś tam byliśmy — szybko odparła Kat. — Nie w samym Montauk, tylko w Amagansett. Było cudownie, ale już sobie z tym poradziłam, mów dalej.

— Dobrze. A więc sytuacja wygląda następująco: osiemnaście lat temu Jeff Raynes wyjeżdża z Nowego Jorku i przeprowadza się do Cincinnati. Wiemy, że wdał się w bójkę w barze Longsworth's.

— Pamiętam to miejsce. Raz mnie tam zabrał. Kiedyś to była remiza.

— Ojej, fascynująca opowieść — rzuciła Stacy.

— Czy to miał być sarkazm?

— Jasne. Mogę kontynuować?

— Proszę.

— Jeff został aresztowany, ale jego czyn zakwalifikowano jako wykroczenie i ukarano go tylko grzywną. Nic poważnego. Jednak w tym momencie sprawy nieco się komplikują.

Kat upiła kolejny łyk. Brunatny trunek rozgrzewał jej klatkę piersiową.

— Po rozprawie Jeff rozpłynął się w powietrzu. Nie wiadomo, dlaczego zmienił nazwisko, ale musiało to mieć coś wspólnego z bójką.

— Z kim się bił?

— Tamtego wieczoru zatrzymano jeszcze dwóch mężczyzn. Podejrzewam, że byli przyjaciółmi. Dorastali razem w Anderson. Ich również skazano na karę grzywny w związku z popełnionym wykroczeniem. Zgodnie z raportem z aresztowania, wszyscy trzej byli nietrzeźwi. Zaczęło się, gdy jeden z facetów zachował się niegrzecznie wobec swojej dziewczyny. Możliwe, że mocno złapał ją za ramię; zeznania są niejasne. W każdym razie Jeff się wtrącił i kazał mu przestać.

— Cóż za rycerskość — odezwała się Kat.

— Cytując ciebie: „Czy to miał być sarkazm?".

— Chyba tak.

— Ponieważ usłyszałam w twoim głosie raczej rozgoryczenie.

— Co za różnica? — spytała Kat.

— Słusznie. Tak czy inaczej, Jeff staje w obronie dziewczyny. Pijany chłopak, którego już w przeszłości aresztowano w związku z podobnymi burdami, odszczeknął coś w rodzaju klasycznego „pilnuj swojego nosa albo pożałujesz". Jeff odparł, że będzie pilnował swojego nosa, jeśli ten zostawi panią w spokoju. Domyślasz się, co było dalej.

Kat się domyślała. Jej wcześniejszy komentarz mógł być sarkastyczny albo zgorzkniały, ale taka nieprzemyślana rycerskość rzeczywiście często prowadzi do konfliktów.

— Kto zadał pierwszy cios?

— Podobno pijany chłopak. Za to Jeff najwyraźniej odpowiedział z furią. Złamał facetowi kość oczodołu i dwa żebra. Zaskoczona?

— Niespecjalnie — mruknęła Kat. — Ktoś go pozwał?

— Nie, ale wkrótce potem Jeff Raynes odchodzi z pracy w „Cincinnati Post" i ślad po nim ginie. Dwa lata później po raz pierwszy pojawia się Ron Kochman jako autor tekstu w czasopiśmie „Vibe".

— A teraz mieszka w Montauk?

— Wszystko na to wskazuje. Tylko że ma szesnastoletnią córkę.

Kat zamrugała i pociągnęła większy łyk.

— Ani śladu żony — dodała Stacy.

— Na YouAreJustMyType.com napisał, że jest wdowcem.

— To może być prawda, choć nie jestem pewna. Wiem tylko, że ma córkę o imieniu Melinda. Dziewczyna chodzi do szkoły średniej East Hampton, więc mogłam znaleźć jej adres w szkolnej kartotece.

Kat i Stacy stały samotnie w bogato urządzonym gabinecie jakiegoś władcy wszechświata. Zbliżała się północ. Stacy wyjęła z kieszeni pasek papieru.

— Chcesz ten adres, Kat?

— Dlaczego miałabym go nie chcieć?

— Ponieważ Jeff bardzo się stara, żeby nikt go nie znalazł. Nie tylko zmienił nazwisko, ale także wyrobił sobie nowe dokumenty. Nie używa kart kredytowych. Nie ma konta w banku.

— A jednak jest na Facebooku i YouAreJustMyType.

— Ale pod pseudonimem, prawda?

— Nie. Użył pseudonimu w serwisie randkowym. Brandon twierdzi, że jego mama nazywała go Jackiem. Ale na Facebooku figuruje jako Ron Kochman. Jak to wyjaśnisz?

— Nie potrafię.

Kat pokiwała głową.

— Tak czy inaczej, masz rację. Jeff nie chce, żeby go znaleziono.

— Racja.

— A kiedy skontaktowałam się z nim na YouAreJustMy-Type, napisał, że nie chce ze mną rozmawiać i musi zacząć od nowa.

— Także racja.

— Zatem niespodziewana wizyta w Montauk byłaby nieracjonalna.

— Całkowicie.

Kat wyciągnęła rękę.

— Więc dlaczego pojadę tam z samego rana?

Stacy podała jej kartkę z adresem.

— Ponieważ serce nie przejmuje się tym, co jest racjonalne.

30

W porównaniu z koniakiem i dwudziestopięcioletnim macallanem jej jack daniel's cuchnął rybami.

Kat nie mogła zasnąć. Nawet nie próbowała. Tylko leżała na łóżku, a wszystkie możliwości wirowały jej w głowie. Starała się je uporządkować i zrozumieć, ale gdy tylko uzyskiwała jakąś odpowiedź i zamykała oczy, wirowanie rozpoczynało się na nowo, ona zaś zmieniała zdanie.

Wstała z łóżka o piątej rano. Rozważała wybranie się na zajęcia Aquy — to mogło jej przywrócić jasność umysłu — lecz zważywszy na ich ostatnie spotkanie, obawiała się jeszcze większego zamętu. Poza tym nie chciała znów grać na zwłokę. Przecież miała tylko jedno wyjście.

Musi pojechać do Montauk i dowiedzieć się, co się stało z Jeffem.

Owszem, potrafiła wymienić milion powodów, dla których to był głupi ruch, wiedziała jednak, że dopóki nie pozna prawdy, nie będzie mogła zapomnieć o Jeffie. Być może powstrzyma się przed pojechaniem do niego przez miesiąc albo dwa, ale stale będzie ją to dręczyło, aż w końcu ulegnie pokusie. Wybór został dokonany za nią. Nie była wystarczająco zdyscyplinowana, żeby trzymać się na dystans.

Nie domknęła swojej relacji z Jeffem. Nie domknęła sprawy ojca. Zaniedbywała to przez osiemnaście lat.

Wystarczy.

Nie było także sensu tego odkładać. Chciała pojechać do Montauk dzisiaj, choćby natychmiast. Chaz już się zgodził pożyczyć jej swoje auto. Czekało na nią w garażu przy Sześćdziesiątej Ósmej Ulicy. Nie miała pojęcia, co znajdzie w Montauk. Jeffa zapewne tam nie ma. Może wstrzymać się z podróżą do... no właśnie, do kiedy? Przecież Jeff może w ogóle nie wrócić. Czy nie zamierzał się przeprowadzić do Kostaryki?

Może to było wyparcie, ale nadal w to nie wierzyła. Z pewnością coś przegapiła.

To bez znaczenia. Miała czas. Jeśli Jeff wyjechał z Daną Phelps, Kat dowie się, dokąd się udali, i wyjaśni także tę tajemnicę. Kupiła kawę w Starbucksie przy Columbus Avenue i odjechała. Była w połowie drogi do Montauk, gdy uświadomiła sobie, że nie ma żadnego planu. Po prostu zapuka do jego drzwi? Zaczeka, aż Jeff pojawi się na podwórzu?

Nie miała pojęcia.

Właśnie jechała przez East Hampton — całe wieki temu spacerowała tymi ulicami z Jeffem — gdy zaświergotał telefon. Włączyła zestaw głośnomówiący.

— Halo?

— Poszukałem tego zdjęcia, które mi przysłałaś — odezwał się Brandon. — Kurczę, znasz tę laskę osobiście?

Mężczyźni. Albo raczej chłopcy.

— Nie.

— Jest, hm...

— Tak, wiem, jaka jest, Brandonie. Czego się dowiedziałeś?

— Nazywa się Vanessa Moreau. Jest modelką. Specjalizuje się w pozowaniu w bikini.

Cudownie.

— Coś jeszcze?

— A co jeszcze cię interesuje? Ma metr siedemdziesiąt dwa, waży pięćdziesiąt jeden kilogramów. Wymiary dziewięćdziesiąt sześć, sześćdziesiąt jeden, dziewięćdziesiąt jeden; biustonosz rozmiaru D.

Kat nie odrywała dłoni od kierownicy.

— Mężatka?

— Nic o tym nie napisano. Znalazłem jej portfolio modelki. Zdjęcie, które mi przesłałaś, pochodzi ze strony internetowej Mucho Models. Chyba zajmują się castingami. Podają wymiary, kolor włosów i to, czy modelka zgadza się na nagie sesje. Tak przy okazji, ona się zgadza...

— Dobrze wiedzieć.

— Jest tam także zakładka, pod którą kryją się informacje biograficzne pochodzące od samej modelki.

— Co napisała Vanessa?

— Szuka tylko płatnych zleceń. Jest gotowa dojeżdżać, jeśli zapewni się jej zwrot kosztów.

— Co jeszcze?

— To wszystko.

— Adres domowy?

— Nic z tego.

Zatem naprawdę ma na imię Vanessa. Kat nie była pewna, co o tym sądzić.

— Mogę cię prosić o jeszcze jedną przysługę?

— Raczej tak.

— Mógłbyś ponownie włamać się na YouAreJustMyType i uzyskać dostęp do historii kontaktów Jeffa?

— To nie takie proste.

— Dlaczego?

— Nie można tam zbyt długo grzebać. Strony internetowe stale zmieniają hasła i zwracają uwagę na próby włamań. Dlatego wchodzę, szybko się rozglądam i wychodzę. Nigdy nie zostaję na długo. Największy problem stanowi znalezienie pierwszego portalu. U nich jest zabezpieczony hasłem. Jego sforsowanie zajęło nam kilka godzin, a teraz, gdy już wyszedłem, musiałbym zaczynać całą pracę od nowa.

— Ale potrafiłbyś to zrobić? — spytała Kat.

— Myślę, że mógłbym spróbować, choć to nie najlepszy pomysł. Może miałaś rację. Rzeczywiście naruszałem prywatność matki. Nie chcę znów jej sprawdzać.

— Nie o to cię proszę.

— Więc o co?

— Wspominałeś, że kiedy Jeff poznał twoją mamę, nadal kontaktował się z innymi kobietami.

— Wliczając ciebie — dodał Brandon.

— Owszem, wliczając mnie. Chcę się dowiedzieć, czy wciąż się z nimi kontaktuje.

— Sądzisz, że zdradza moją mamę?

— Nie musisz czytać konkretnych rozmów. Wystarczy mi informacja, czy pisuje do innych kobiet, oraz ich nazwiska.

Cisza.

— Brandonie?

— Nadal uważasz, że dzieje się coś niedobrego, prawda, Kat?

— Jaki głos miała twoja mama, gdy do ciebie zadzwoniła?

— Normalny.

— Sprawiała wrażenie szczęśliwej?

— Tego bym nie powiedział. Jak myślisz, co się dzieje?

— Nie wiem. Dlatego proszę cię, żebyś to sprawdził.

Brandon westchnął.

— Załatwione.

Rozłączyli się.

Montauk jest położone na wierzchołku półwyspu South Fork. To osada, a nie miasteczko, która niejako przynależy do East Hampton. Kat dojechała do Deforest Road i zwolniła. Minęła adres, który otrzymała od Stacy. Sprzedawcy nieruchomości zapewne określiliby ten dom mianem przytulnego budynku w stylu Cape Cod z cedrowym gontem. Na podjeździe stały dwa samochody, czarny pick-up Dodge Ram załadowany sprzętem wędkarskim oraz niebieska toyota RAV4. Żaden z nich nie był żółty. Punkt dla Kochmanów.

Córka Jeffa, Melinda, miała szesnaście lat. W stanie Nowy Jork nie da się uzyskać pełnego prawa jazdy, dopóki nie skończy się siedemnastu lat. Więc po co dwa auta? Oczywiście oba mogą należeć do Jeffa. Pick-up do uprawiania hobby albo do pracy — zaraz, czy jest teraz rybakiem? — a toyota do pozostałych podróży.

Co dalej?

Zaparkowała na końcu ulicy i czekała. Próbowała sobie wyobrazić samochód mniej nadający się do dyskretnej obserwacji niż żółte ferrari, lecz żaden nie przychodził jej do głowy.

Jeszcze nie było ósmej. Gdziekolwiek Jeff alias Ron przebywał w ciągu dnia, bardzo możliwe, że wciąż się tam nie udał. Kat może dalej tutaj czekać i obserwować. Ale nie. Nie ma sensu tracić czasu. Równie dobrze może wysiąść z Lepu na Laski i podejść do domu.

Frontowe drzwi się otworzyły.

Kat nie była pewna, co zrobić. Chciała się położyć na siedzeniu, ale się powstrzymała. Od posesji dzieliło ją około stu metrów. W blasku porannego słońca nikt nie mógł jej zauważyć. Nie spuszczała wzroku z drzwi.

Pojawiła się nastoletnia dziewczyna.

Czy to może być...?

Dziewczyna odwróciła się, pomachała komuś na pożegnanie i ruszyła ścieżką. Niosła brązowy plecak. Przez otwór z tyłu czapeczki wystawał kucyk. Kat chciała się zbliżyć. Chciała zobaczyć, czy istnieje jakiekolwiek podobieństwo pomiędzy nastolatką o niezdarnym kroku a jej dawnym narzeczonym.

Ale jak to zrobić?

Nie przemyślała tego. Uruchomiła silnik ferrari i ruszyła w stronę dziewczyny.

To bez znaczenia. Jeśli nawet będzie zmuszona się pokazać — chociaż w tym samochodzie pewnie mogłaby udawać podstarzałego mężczyznę z zaburzeniami erekcji — to trudno.

Kroki dziewczyny zaczęły bardziej przypominać taniec. Kiedy Kat się zbliżyła, zobaczyła, że Melinda — dlaczego nie miałaby jej tak nazywać w myślach? — ma w uszach białe słuchawki. Kabel dyndał jej poniżej pasa, również pląsając po swojemu.

Melinda nagle się odwróciła i popatrzyła jej prosto w oczy. Kat wypatrywała podobieństwa, echa rysów Jeffa, ale nawet jeśli jakieś dostrzegła, to równie dobrze mogła je sobie wyobrazić.

Dziewczyna zatrzymała się i wbiła w nią wzrok.

Kat starała się zachować spokój.

— Przepraszam! — zawołała. — Którędy do latarni morskiej?

Dziewczyna zachowywała bezpieczny dystans.

— Musi pani wrócić na Montauk Highway i pojechać nią do samego końca. Na pewno pani trafi.

Kat się uśmiechnęła.

— Dzięki.

— Ładny samochód.

— Tak, cóż, nie jest mój, tylko mojego chłopaka.

— Pewnie jest bogaty.

— Chyba tak.

Dziewczyna zaczęła się oddalać. Kat nie była pewna, co dalej robić. Nie chciała stracić tego tropu, gdyby jednak pojechała za dziewczyną, wzbudziłaby podejrzenia. Nastolatka przyspieszyła kroku. Przed nią pojawił się autobus szkolny. Dziewczyna zaczęła biec w jego stronę.

Teraz albo nigdy, pomyślała Kat.

— Jesteś Melinda, córka Rona Kochmana, prawda?

Dziewczyna pobladła. W jej oczach pojawiło się coś graniczącego z paniką. Puściła się sprintem i wskoczyła do autobusu, nawet nie machając Kat na pożegnanie. Drzwi autobusu się za nią zamknęły.

No, no, skomentowała w duchu Kat.

Autobus zniknął jej z oczu. Zawróciła ferrari, ponownie ustawiając się przodem do domu Kochmana. Wyraźnie spłoszyła dziewczynę. Trudno powiedzieć, czy to o czymś świadczyło — może Melinda miała coś do ukrycia, a może po prostu przestraszyła się dziwacznej prześladowczyni.

Kat czekała, zastanawiając się, czy ktoś wyjdzie z domu. W końcu posunęła się o krok dalej i zaparkowała bezpośrednio przed domem Kochmana. Odczekała jeszcze kilka minut.

Nic.

Do cholery z czekaniem.

Wysiadła z samochodu i podeszła do drzwi. Wcisnęła guzik dzwonka, a dla pewności także mocno zapukała. Oszklone drzwi były nieprzezroczyste, ale Kat dostrzegła ruch.

Ktoś przeszedł za drzwiami.

Ponownie zapukała, a następnie w myślach wzruszyła ramionami i zawołała:

— Detektyw Donovan z nowojorskiej policji! Proszę otworzyć drzwi!

Kroki.

Cofnęła się i zebrała w sobie. Nieświadomie wygładziła spódnicę, a nawet — mój Boże — poprawiła fryzurę. Gałka się obróciła i drzwi stanęły otworem.

To nie był Jeff.

Mniej więcej siedemdziesięcioletni mężczyzna spoglądał na nią z uwagą.

— Kim pani jest?

— Detektyw Donovan, nowojorska policja.

— Czy mogę zobaczyć jakiś dokument?

Kat wyjęła odznakę i ją otworzyła. Już to było nietypowe, ale staruszek wziął odznakę do ręki i zaczął ją dokładnie oglądać. Kat czekała. Mężczyzna mrużył oczy i badał dokument. Kat spodziewała się, że zaraz wyjmie jubilerską lupę. W końcu oddał jej odznakę i obdarzył Kat nieprzychylnym spojrzeniem.

— Czego pani chce?

Miał na sobie brązową flanelową koszulę z rękawami podwiniętymi do łokci, dżinsy Wrangler i brązowe robocze obuwie o miękkich noskach. Był przystojny, choć czas odcisnął na nim wyraźne piętno. Wyglądał na mężczyznę, który przez większość życia pracował na świeżym powietrzu i mu to służyło. Miał sękate dłonie i żylaste przedramiona, jakie są efektem pracy, a nie ćwiczeń na siłowni.

— Czy mogę spytać, jak się pan nazywa? — odezwała się Kat.

— To pani zapukała do moich drzwi.

— Owszem. A potem się panu przedstawiłam. Byłabym wdzięczna, gdyby okazał mi pan taką samą grzeczność.

— Mogę pani najwyżej okazać dupę.

— Nie widzę jej pod tymi workowatymi dżinsami — odparła Kat.

Jego usta drgnęły.

— Żartuje sobie pani ze mnie?

— Podobnie jak pan ze mnie.

— Moje nazwisko nie ma znaczenia — odburknął. — Czego pani chce?

Nie było potrzeby bawić się z tym facetem.

— Szukam Rona Kochmana.

Pytanie najwyraźniej nie zrobiło na nim większego wrażenia.

— Nie muszę odpowiadać na pani pytania.

Kat przełknęła ślinę. Jej głos brzmiał, jakby dobiegał z jakiegoś innego miejsca.

— Nie chcę mu zrobić krzywdy.

— Jeśli to prawda, to może powinna go pani zostawić w spokoju.

— Muszę z nim porozmawiać.

— Nie, pani detektyw Donovan, nie wydaje mi się, żeby to było konieczne.

Przewiercał ją spojrzeniem, tak że przez chwilę miała wrażenie, że wie o niej wszystko.

— Gdzie on jest? — spytała.

— Nie ma go tutaj. To wszystko, co musi pani wiedzieć.

— Więc wrócę później.

— Nie ma po co.

Próbowała coś powiedzieć, ale nie udało jej się wykrztusić ani słowa.

— Kim pan jest, do cholery? — rzuciła w końcu.

— Teraz zamknę drzwi, a jeśli pani nie odejdzie, zadzwonię do Jima Gamble'a. To szef miejscowej policji. Raczej mu się nie spodoba, że gliny z Nowego Jorku nachodzą jego podopiecznych.

— Na pewno nie chce pan aż tak zwracać na siebie uwagi.

— Jakoś sobie poradzę. Żegnam, pani detektyw.

— Dlaczego pan myśli, że tak po prostu odejdę?

— Ponieważ powinna pani wyczuć, że pani obecność jest niepożądana, i wiedzieć, że przeszłość należy zostawić w spokoju. Poza tym chyba nie chce pani spowodować jeszcze większych zniszczeń.

— Jakich zniszczeń? O czym pan mówi?

Chwycił drzwi.

— Najwyższy czas, żeby pani sobie poszła.

— Chcę tylko z nim porozmawiać — nie dawała za wygraną. Słyszała błagalny ton w swoim głosie. — Nie chcę nikogo skrzywdzić. Niech mu pan to powie, dobrze? Proszę mu tylko przekazać, że muszę z nim porozmawiać.

Staruszek zaczął zamykać drzwi.

— Z pewnością przekażę tę wiadomość. A teraz wynocha z mojego domu.

31

Gospodarstwo, zgodnie ze stylem życia amiszów, nie było połączone z publiczną siecią elektryczną. Titusowi oczywiście się to podobało. Żadnych rachunków, odczytywania liczników, obsługi technicznej. Jakikolwiek powód mieli amisze, żeby nie korzystać z publicznych źródeł energii — słyszał różne wersje, od lęku przed obcymi, po blokowanie dostępu do telewizji i internetu — było to bardzo użyteczne dla jego operacji.

Amisze jednak nie stronią całkowicie od elektryczności. To powszechnie głoszony mit. Na farmie korzystano z wiatraka, który dostarczał wystarczająco dużo energii dla skromnych potrzeb mieszkańców. Jednak to nie wystarczało Titusowi, dlatego zainstalował generator DuroMax napędzany propanem. Skrzynka pocztowa znajdowała się na skraju drogi, daleko od domu i jakiejkolwiek polany. Titus kazał zainstalować bramę, żeby na posesję nie mógł wjechać żaden samochód. Nigdy niczego nie zamawiał, więc nie pojawiali się kurierzy. Jeżeli czegoś potrzebował, on albo któryś z jego ludzi po to jechali, zazwyczaj do Sam's Club oddalonego o kilkanaście kilometrów.

Pozwalał swoim ludziom spędzać czas poza farmą. On i Reynaldo cenili samotność, jednak pozostali szybko stawali się nerwowi. W odległości niecałych dwudziestu kilometrów znajdował się klub ze striptizem Gwiezdne Tyłeczki, ale dla bezpieczeństwa Titus prosił swoich ludzi, żeby jeździli dziesięć kilometrów dalej do klubu Kamping („Gdzie prawdziwi mężczyźni stawiają namioty"). Mogli tam bywać najwyżej raz na dwa tygodnie. Robili to, na co mieli ochotę, ale w żadnym wypadku nie wolno im było wywoływać zamieszania. Zawsze jeździli pojedynczo.

Telefony komórkowe nie miały tutaj zasięgu, więc Dymitr korzystał z usług telefonicznych oraz internetowych za pośrednictwem satelity, który przepuszczał dane przez sieć VPN umiejscowioną w Bułgarii. Prawie nikt się z nimi nie kontaktował, więc gdy Titus o ósmej rano usłyszał dzwonek na swoim prywatnym łączu, wiedział, że coś jest nie w porządku.

— Tak?

— Pomyłka.

Dzwoniący się rozłączył.

To był umówiony sygnał. Rząd monitoruje naszą pocztę elektroniczną. To żadna tajemnica. Najlepszym sposobem na dyskretną komunikację e-mailową jest niewysyłanie wiadomości. Titus posiadał konto Gmail, ale łączył się z nim tylko wtedy, gdy dostał sygnał, żeby to zrobić. Załadował stronę i się zalogował. Nie miał nowych wiadomości. Spodziewał się tego.

Kliknął w „wersje robocze", a na ekranie pojawił się tekst. W ten sposób komunikował się ze swoim informatorem. Obaj mieli dostęp do tej samej skrzynki. Kiedy chcieli przesłać wiadomość, pisali ją, ale — to najważniejsze — nie wysyłali, tylko zapisywali jako wersję roboczą. Potem wylogowywali się, dawali znak za pomocą telefonu, a odbiorca — w tym wypadku Titus — łączył się z kontem, czytał wiadomość, po czym usuwał ją z folderu.

Titus miał cztery takie skrzynki e-mailowe, każdą przeznaczoną do komunikacji z inną osobą. Tę dzielił ze swoim informatorem ze Szwajcarii.

Przestańcie korzystać z 89787198. Firma z branży finansowej Parsons, Chuback, Mitnick & Bushwell zgłosiła podejrzaną transakcję, a detektyw Katarina Donovan z nowojorskiej policji podąża tym tropem.

Titus skasował wiadomość i wylogował się z konta. Przez chwilę się zastanawiał. Nie po raz pierwszy donoszono o podejrzanych transakcjach na jego kontach. Rzadko się tym przejmował. Kiedy przelewa się duże sumy za granicę, czegoś takiego nie da się uniknąć. Jednak Departament Skarbu zajmował się głównie operacjami, które mogłyby być związane z finansowaniem terrorystów. Jeśli dana osoba nie pochodziła z podejrzanego środowiska, rzadko kontynuowano dochodzenie.

Lecz tym razem po raz pierwszy złożono dwa wnioski dotyczące tego samego rachunku. W dodatku oprócz Departamentu Skarbu sprawą zainteresowała się także nowojorska policjantka. Dlaczego? Ostatnio nie gościł u siebie nikogo z Nowego Jorku. Poza tym co może łączyć chemika z Massachusetts z bywalczynią salonów z Connecticut?

Mógł spytać tylko jedno z nich.

Przez chwilę opierał się dłońmi o blat biurka. Potem pochylił się i uruchomił wyszukiwarkę. Wpisał nazwisko policjantki i czekał na wyniki.

Kiedy zobaczył zdjęcie detektyw Donovan, niemal roześmiał się na głos.

Dymitr wszedł do pomieszczenia.

— Coś śmiesznego?

— To Kat — wyjaśnił Titus. — Próbuje nas znaleźć.

▪ ▪ ▪

Kiedy staruszek zatrzasnął jej drzwi przed nosem, Kat nie była pewna, co dalej robić.

Przez chwilę stała na werandzie, mając ochotę kopniakiem otworzyć drzwi i zdzielić starego pistoletem w głowę, ale co by jej to dało? Jeff mógł się z nią bez problemu skontaktować. Skoro nadal ją ignorował, to czy miała prawo mu się narzucać? Chyba nawet przestało jej na tym zależeć.

Miej odrobinę godności, na litość boską.

Ruszyła z powrotem do samochodu. Zaczęła płakać i nienawidziła się za to. Cokolwiek przydarzyło się Jeffowi w barze w Cincinnati, nie miało z nią nic wspólnego. Absolutnie nic. Poprzedniego wieczoru Stacy zapowiedziała, że będzie dalej badać sprawę tamtej burdy w barze. Chciała się dowiedzieć, czy dwaj pijani goście byli notowani i czy potem szukali Jeffa, co mogłoby tłumaczyć jego zniknięcie, ale jaki to miało sens?

Gdyby obawiał się tamtych dwóch, czy wizja spotkania z Kat tak by go przerażała?

To bez znaczenia. Jeff ma swoje życie. Wychowuje córkę i mieszka z gburowatym staruszkiem. Kat nie miała pojęcia, kto to taki. Ojciec Jeffa zmarł przed wielu laty. Jeff postanowił zarejestrować się w serwisie randkowym. Kat się do niego odezwała, a on ją odtrącił. Więc po co wciąż go ściga?

Dlaczego, w obliczu wszystkich dowodów, nadal w to nie wierzy?

Wróciła na Montauk Highway i ruszyła na zachód. Jednak nie ujechała daleko. Po kilku kilometrach skręciła w lewo w Napeague Lane. Dziwne, co się pamięta po niemal dwudziestu latach. Skręciła w Marine Boulevard i zaparkowała obok Gilbert Path. Poszła drewnianą promenadą w stronę oceanu. Fale rozbijały się o brzeg. Niebo pociemniało, zapowiadając sztorm. Kat obeszła żałosne ogrodzenie z połamanych prętów. Zdjęła buty i powędrowała po piasku w kierunku wody.

Dom wcale się nie zmienił. Wybudowano go niedawno w wytwornym współczesnym stylu, który ludzie zazwyczaj uważali za zbyt kanciasty, ale który Kat z czasem pokochała. Nie stać ich było nawet na weekendowy wynajem, lecz Jeff był asystentem właściciela na Uniwersytecie Columbia i ten postanowił mu podziękować poprzez udostępnienie domu.

Minęło prawie dwadzieścia lat, a Kat wciąż pamiętała każdą chwilę z tamtego weekendu. Potrafiła opowiedzieć o wyprawie na targ, spokojnych spacerach po miasteczku, trzech posiłkach w dawnej szopie przebudowanej na restaurację, którą nazywali Lunch — ponieważ uzależnili się od ich kanapek z homarem — a także o tym, jak Jeff podkradł się do niej na tej plaży i pocałował w najbardziej czuły sposób, jaki można sobie wyobrazić.

Właśnie podczas tego czułego pocałunku Kat zrozumiała, że musi spędzić z nim resztę życia.

Czułe pocałunki nie kłamią, prawda?

Zmarszczyła czoło, ponownie nienawidząc się za te sentymentalne myśli, choć może powinna być dla siebie bardziej wyrozumiała. Próbowała znaleźć miejsce, w którym stała tamtego dnia, kierując się pozycją domu. Przesunęła się kawałek w lewo, potem w prawo, aż w końcu była pewna, że znalazła się w punkcie, w którym doszło do tego czułego pocałunku.

Usłyszała silnik samochodu, a kiedy się odwróciła, zauważyła srebrnego mercedesa, który powoli jechał szosą. Niemal się spodziewała, że to Jeff. Tak byłoby idealnie, czyż nie? Gdyby przyjechał tutaj za nią, podkradł się i tak samo jak przed laty wziął ją w ramiona. Wiedziała, że to głupie, banalne i bolesne, ale nie potrafiła wyzbyć się tej tęsknoty. W życiu pojawia się bardzo niewiele idealnych chwil, które chciałoby się schować w pudełku i postawić na górnej półce, żeby móc po nie sięgnąć w chwilach samotności.

Tamten pocałunek był jedną z takich chwil.

Srebrny mercedes odjechał.

Kat zwróciła się w stronę wzburzonego oceanu. Niebo się chmurzyło. Zbierało się na deszcz. Już miała wrócić do ferrari, kiedy ponownie zadzwonił jej telefon. To był Brandon.

— Drań — syknął. — Zakłamany, zdradziecki drań.

— Co takiego?

— Jeff, Ron, Jack czy jak ma, do diabła, na imię.

Kat stała nieruchomo.

— Co się stało?

— Podrywa inne kobiety. Nie czytałem ich rozmów, ale wczoraj kontaktował się z obiema.

— Ile jest tych kobiet?

— Dwie.

— Może chciał się pożegnać. Może napisał im o twojej matce.

— Nie wydaje mi się.

— Dlaczego?

— Ponieważ do tego wystarczyłaby jedna, najwyżej dwie wiadomości, a on wysłał dwadzieścia albo trzydzieści. Drań.

— No dobrze, posłuchaj mnie, Brandonie. Czy zapisałeś nazwiska tych kobiet?

— Tak.

— Mógłbyś mi je podać?

— Jedna nazywa się Julie Weitz. Mieszka w Waszyngtonie. Druga pochodzi z Bryn Mawr w Pensylwanii. Nazywa się Martha Paquet.

▪ ▪ ▪

W pierwszej kolejności Kat zadzwoniła do Chaza.

Miał się skontaktować z obiema kobietami i ostrzec je, żeby nie wyjeżdżały nigdzie ze swoim internetowym kochankiem. Jednak kiedy Kat ruszyła w stronę swojego auta — zamierzała wrócić do domu w Montauk i kopnąć staruszka w jaja, jeśli nie będzie chciał z nią rozmawiać — coś znów zaczęło ją dręczyć. Odczuwała niepokój od samego początku, ale wciąż nie była pewna dlaczego.

Coś sprawiało, że nie chciała zostawić sprawy Jeffa.

Większość ludzi powiedziałaby, że to naiwność zaślepionego serca, a Kat pewnie by się zgodziła. Jednak teraz postrzegała całą sytuację z większą jasnością. Nie dawała jej spokoju jej własna korespondencja z Jeffem za pośrednictwem serwisu randkowego.

Przypominała sobie jego słowa, tak często powtarzając w myślach zakończenie ich rozmowy — bzdury o chronieniu samego siebie i ostrożności, o tym, że powrót do przeszłości byłby błędem, i o potrzebie nowego początku — że zapomniała, w jaki sposób zaczęła się ta korespondencja.

Najpierw przesłała mu tamten stary teledysk Johna Waite'a do piosenki *Missing You*.

I jak Jeff zareagował?

Nie pamiętał go.

Jak to możliwe? No dobrze, może Kat była bardziej zaangażowana, ale przecież poprosił ją o rękę. Jak mógł zapomnieć o czymś tak kluczowym dla ich związku?

Co więcej, Jeff napisał, że teledysk jest „uroczy", a on lubi kobiety z „poczuciem humoru", i jeszcze że „zaciekawiły" go jej zdjęcia. Zaciekawiły. Zebrało jej się na wymioty. Była tym tak dotknięta i zaskoczona, że zaraz do niego napisała...

To ja, Kat.

Chudy mężczyzna w ciemnym garniturze opierał się o żółte ferrari. Stał z założonymi rękami i nogami skrzyżowanymi w kostkach. Wciąż oszołomiona tym, co odkryła, Kat zbliżyła się chwiejnym krokiem.

— Czym mogę służyć? — spytała.

— Ładny samochód.

— Tak, często to słyszę. Mógłby się pan od niego odsunąć?

— Zaraz to zrobię. Jeśli jest pani gotowa.

— Słucham?

Srebrny mercedes zatrzymał się obok Kat.

— Proszę wsiadać do tyłu — oświadczył mężczyzna.

— O czym pan mówi, do cholery?

— Ma pani wybór. Możemy zastrzelić panią na ulicy. Albo może pani wsiąść, a wtedy utniemy sobie miłą pogawędkę.

32

Reynaldo odebrał wiadomość za pośrednictwem funkcji walkie-talkie w swoim smartfonie.

— Baza do skrzyni — wywołał go Titus. — Zgłoś się.

Reynaldo rzucał piłkę tenisową labradorowi. Pies, jak przystało na tę rasę, stale chciał się bawić w aportowanie i nigdy się nie nudził, niezależnie od tego, ile razy i jak daleko Reynaldo rzucał piłeczkę.

— Jestem — powiedział do telefonu, ponownie rzucając piłkę. Bo pomknął za nią w podskokach. Według weterynarza miał jedenaście lat. Wciąż był w dobrej formie, ale Reynaldo ze smutkiem dostrzegał, że zwierzak biega coraz wolniej i bardziej niezdarnie. Mimo wszystko Bo zawsze miał ochotę na aportowanie i uparcie nalegał na kolejne rzuty, chociaż wyraźnie było widać, że zmniejszona wytrzymałość oraz artretyzm uniemożliwiają mu swobodną zabawę. Czasami Reynaldo chciał przerwać ze względu na zdrowie staruszka, lecz Bo najwyraźniej wiedział, co jego pan próbuje zrobić, i wcale mu się to nie podobało. Skowytał wtedy i szczekał, dopóki Reynaldo nie podniósł piłeczki i jej nie rzucił.

W końcu posyłał psa ścieżką, żeby ten odpoczął na miękkim posłaniu w stodole. Reynaldo kupił je, kiedy znalazł Bo wałęsającego się nad brzegiem East River. Posłanie dobrze się sprawdzało.

Bo popatrzył na niego z wyczekiwaniem. Reynaldo podrapał go za uchem, gdy Titus powiedział przez walkie-talkie:

— Przyprowadź Numer Sześć.

— Zrozumiałem.

Na farmie nigdy nie korzystali z telefonów ani SMS-ów, tylko aplikacji walkie-talkie. Była nie do namierzenia. Z oczywistych powodów nigdy nie używali imion, choć Reynaldo i tak ich nie znał. Dla niego wszyscy byli numerami, które odpowiadały ich położeniu. Numer Sześć, blondynka, która przyjechała w żółtej letniej sukience, znajdowała się w szóstej skrzyni.

Nawet Titus przyznawał, że tak surowe środki bezpieczeństwa nie są konieczne, ale lepsza jest przesadna ostrożność. To było jego kredo.

Kiedy Reynaldo wstał, Bo popatrzył na niego z rozczarowaniem.

— Niedługo znów się pobawimy, piesku, obiecuję.

Labrador cicho zaskowytał i trącił pyskiem dłoń pana. Reynaldo uśmiechnął się i pogłaskał Bo, który powoli pomachał ogonem z zadowoleniem. Chłopak poczuł, że łzy napływają mu do oczu.

— Idź coś zjeść, piesku.

Bo sprawiał wrażenie zarazem zawiedzionego i wyrozumiałego. Wahał się jeszcze przez chwilę, po czym potruchtał ścieżką. Nie machał ogonem. Reynaldo zaczekał, aż pies zniknie mu z oczu. Z jakiegoś powodu nie chciał, żeby zaglądał do skrzyń. Oczywiście Bo je wyczuwał i wiedział, co się znajduje w środku, ale gdy ofiary widziały Bo i czasami nawet uśmiechały się do przyjacielskiego czworonoga, Reynaldo czuł, że to... nie w porządku.

Na jego pasku dyndał breloczek z kluczami. Reynaldo znalazł właściwy klucz, otworzył kłódkę i podniósł klapę. Pod wpływem nagłego blasku ofiary zawsze mrugały albo osłaniały oczy. Nawet nocą. Nawet jeśli świecił tylko cienki sierp księżyca. W skrzyni panowała całkowita ciemność. Każdy blask, choćby odległej gwiazdy, był jak nagły cios.

— Wychodź — powiedział.

Kobieta stęknęła. Miała popękane usta. Zmarszczki na jej twarzy pociemniały i pogłębiły się, jakby brud zagłębił się w każdej szczelinie. Ze skrzyni uniósł się smród odchodów. Reynaldo był do tego przyzwyczajony. Niektórzy początkowo próbowali się powstrzymywać, gdy jednak spędzasz całe dnie w ciemności, praktycznie leżąc w trumnie, wszelki wybór zostaje ci odebrany.

Numer Sześć potrzebowała pełnej minuty, żeby usiąść. Próbowała oblizać usta, ale język zapewne miała jak papier ścierny. Reynaldo usiłował sobie przypomnieć, kiedy ostatnio dał jej coś do picia. Pewnie kilka godzin temu. Wcześniej wrzucił do środka kubek białego ryżu przez otwór, który przypominał klapę w skrzynce na listy. Tak ją karmił. Czasami ofiary wystawiały dłonie przez otwór. Udzielał im jednego ostrzeżenia. Jeśli ponownie próbowały, miażdżył im palce butem.

Numer Sześć zaczęła płakać.

— Pospiesz się — rzucił.

Blondynka usiłowała poruszać się szybciej, lecz jej ciało odmawiało posłuszeństwa. Już wcześniej widział coś takiego. Jego zadanie polegało na utrzymywaniu ich przy życiu. To wszystko. Nie dać im umrzeć, dopóki Titus nie powie „już czas". Wtedy Reynaldo prowadził ich na pole. Czasami kazał im samodzielnie wykopać grób. Zazwyczaj nie. Wyprowadzał ich, przykładał im do głowy lufę pistoletu i pociągał za spust. Zdarzało się, że eksperymentował. Przykładał lufę do szyi i strzelał w górę albo do czubka głowy i strzelał w dół. Czasami celował w skroń, tak jak zawsze robią ofiary samobójstw w filmach. Bywało, że śmierć przychodziła od razu, ale niekiedy potrzebował drugiego strzału. Kiedyś, gdy strzelił zbyt nisko w podstawę kręgosłupa, pewien mężczyzna z Wilmington w stanie Delaware przeżył, choć został sparaliżowany.

Reynaldo pogrzebał go żywcem.

Numer Sześć była w rozsypce, pokonana i złamana. Często widywał taką reakcję.

— Tam — wskazał.

Zdołała wykrztusić jedno słowo:

— Wody.

— Tam. Najpierw się przebierz.

Próbowała iść szybko, ale powłóczyła nogami jak zombie z filmu, który Reynaldo widział w telewizji. Uznał, że to właściwe porównanie. Numer Sześć jeszcze nie była martwa, choć nie była też naprawdę żywa.

Kobieta bez ponaglania zdjęła kombinezon i stanęła przed nim nago. Kilka dni temu, gdy po raz pierwszy ze łzami w oczach rozebrała się z żółtej letniej sukienki, prosząc, żeby się odwrócił, starając się schować za drzewem i zasłonić dłońmi, wyglądała o wiele bardziej atrakcyjnie. Dzisiaj nie było w niej skromności ani próżności. Stała przed nim prymitywna istota, błagając wzrokiem o wodę.

Reynaldo wziął do ręki wąż ogrodowy z końcówką w kształcie pistoletu. Woda płynęła pod dużym ciśnieniem. Gdy kobieta usiłowała się pochylić, żeby złapać trochę płynu w usta, natychmiast przerwał. Wyprostowała się i pozwoliła opłukać, aż jej skóra poczerwieniała od uderzeń strumienia wody.

Kiedy skończył, rzucił jej nowy kombinezon. Ubrała się. Nalał dla niej trochę wody do plastikowego kubka. Wypiła ją chciwie i oddała naczynie, dając mu do zrozumienia, że zrobi wszystko za kolejną porcję. Obawiał się, że będzie zbyt słaba, żeby dojść ścieżką do domu, więc ponownie napełnił kubek. Opróżniła go zbyt łapczywie, prawie się przy tym krztusząc. Wręczył jej śniadaniowy batonik, który kupił w sklepie spożywczym Giant. Z pośpiechu prawie zjadła opakowanie.

— Ścieżka — rzucił.

Kobieta ruszyła, wciąż powłócząc nogami. Reynaldo podążył za nią. Zastanawiał się, ile jeszcze pieniędzy da się wyciągnąć z Numeru Sześć. Podejrzewał, że jest bogatsza od większości pozostałych. Co ciekawe, Titus mniej więcej trzykrotnie częściej wybierał na ofiary mężczyzn, choć kobiety zazwyczaj stanowiły bardziej zyskowne cele. Kiedy Numer Sześć przyjechała na farmę, miała na sobie kosztowną biżuterię i zachowywała się dumnie, jak przystało na wyższe sfery.

Ale to już przeszłość.

Teraz szła niepewnie, oglądając się co kilka kroków. Zapewne dziwiła się, że Reynaldo jej towarzyszy. On również był nieco zaskoczony. Rzadko proszono go o przyprowadzenie ofiar. Titus wolał, gdy przychodziły do domu samodzielnie.

Reynaldo zastanawiał się — skoro była to druga wizyta kobiety tego dnia — czy właśnie nadszedł jej kres. Czy Titus powie mu „już czas".

Kiedy dotarli do domu, Titus siedział na swoim dużym fotelu, a Dymitr przy komputerze. Reynaldo zaczekał przy drzwiach. Numer Sześć — ponownie bez poganiania — zajęła miejsce na drewnianym krześle naprzeciwko Titusa.

— Mamy problem, Dano.

Dana, pomyślał Reynaldo. Więc tak ma na imię.

Zatrzepotała powiekami.

— Problem?

— Miałem nadzieję, że dzisiaj cię uwolnię — ciągnął Titus. Zawsze mówił łagodnie, jakby próbował człowieka zahipnotyzować, ale teraz Reynaldo usłyszał w jego głosie cień napięcia. — Jednak wygląda na to, że ktoś z policji prowadzi dochodzenie w sprawie twojego zniknięcia.

Dana sprawiała wrażenie zdumionej.

— Nowojorska policjantka Katarina Donovan. Znasz ją?

— Nie.

— Mówią na nią Kat. Pracuje na Manhattanie.

Dana odwróciła wzrok. Najwyraźniej miała kłopoty ze skupieniem.

— Znasz ją? — powtórzył Titus ostro.

— Nie.

Tak, jest jedną nogą w grobie, pomyślał Reynaldo.

Titus zerknął na Dymitra. Pokiwał głową. Dymitr pociągnął wełnianą czapkę, a następnie odwrócił komputer w stronę Dany. Na ekranie widniało zdjęcie kobiety.

— Skąd ją znasz, Dano? — spytał Titus.

Tylko pokręciła głową.

— Skąd ją znasz?

— Nie znam jej.

— Czy dzwoniła do ciebie, zanim wyjechałaś na wycieczkę?

— Nie.

— Nigdy z nią nie rozmawiałaś?

— Nigdy.

— Skąd ją znasz?

— Nie znam jej.

— Czy kiedykolwiek ją widziałaś? Dobrze się zastanów.

— Nie znam jej. — Dana się rozpłakała. — Nigdy jej nie widziałam.

Titus rozparł się w fotelu.

— Zapytam cię jeszcze raz, Dano. Od twojej odpowiedzi zależy, czy wrócisz do syna, czy z powrotem do skrzyni. Skąd znasz Kat Donovan?

33

Kat kilkakrotnie pytała, dokąd ją zabierają.

Chudy mężczyzna, który siedział obok, tylko się uśmiechał i celował do niej z pistoletu. Facet za kierownicą nie spuszczał wzroku z drogi. Z tylnego siedzenia widziała idealnie ogoloną głowę i ramiona wielkości kul do kręgli. Nie przestawała paplać — dokąd jadą, jak długo im to zajmie, kim są?

Chudzielec obok niej wciąż się uśmiechał.

Okazało się, że przejażdżka nie trwała długo. Gdy tylko przejechali przez centrum Water Mill, srebrny mercedes skręcił w lewo w Davids Lane i skierował się w stronę oceanu. Potem wjechali w Halsey Lane. Elegancka okolica.

Kat już się domyślała, dokąd zmierzają.

Samochód zwolnił obok olbrzymiej posiadłości zasłoniętej ścianą wysokich krzewów. Żywopłot ciągnął się przez kilkaset metrów, aż w końcu dotarli do bramy, przez którą nic nie było widać. Mężczyzna w ciemnym garniturze, okularach przeciwsłonecznych i ze słuchawką w uchu odezwał się do mikrofonu przy rękawie.

Brama się otworzyła i srebrny mercedes ruszył podjazdem

w stronę rozległej kamiennej posiadłości krytej czerwonymi dachówkami. Wzdłuż podjazdu stały białe grecko-rzymskie posągi i rosły cyprysy. Na dziedzińcu przed domem znajdowała się okrągła sadzawka z wysoko tryskającą fontanną.

— Proszę bardzo — odezwał się uśmiechnięty chudzielec.

Kat wysiadła po jednej stronie samochodu, a Wesołek po drugiej. Przyjrzała się tej posiadłości rodem z innej epoki. Widziała ją na starych zdjęciach. Bogaty przemysłowiec Richard Heffernan wybudował ją w latach trzydziestych dwudziestego wieku. Od tamtej pory dom znajdował się w rękach jego rodziny, aż wreszcie mniej więcej dziesięć lat temu obecny właściciel kupił posiadłość i ją wypatroszył, a następnie, jeśli plotki nie kłamią, wydał dziesięć milionów dolarów na renowację.

— Proszę podnieść ręce.

Usłuchała, a kolejny mężczyzna w ciemnym garniturze i okularach przeciwsłonecznych obszukał ją z takim zaangażowaniem, że Kat miała ochotę poprosić o zastrzyk z penicyliny. Wesołek już wcześniej odebrał jej pistolet i telefon, więc ochroniarz niczego nie znalazł. W dawnych czasach jej ojciec zawsze nosił zapasowy pistolet w bucie — Kat często rozważała takie rozwiązanie — ale ten facet z pewnością by go wymacał. Kiedy skończył (jednocześnie paląc papierosa, na litość boską), skinął głową w stronę Wesołka.

— Tędy proszę — polecił Wesołek.

Minęli bujny ogród, który wyglądał jak żywcem wyjęty z jakiegoś ekskluzywnego czasopisma, co zapewne było prawdą. Przed nimi rozpościerał się ocean, zupełnie jakby pozował do zdjęcia na widokówkę. Kat czuła słone powietrze.

— Witaj, Kat.

Czekał na nią na werandzie zastawionej wyściełanymi tekowymi meblami. Miał na sobie białe, przesadnie obcisłe ubranie. Być może taki strój pasował młodemu, dobrze zbudowanemu mężczyźnie, ale krępy, zwiotczały siedemdziesięciolatek wyglądał w nim niemal obscenicznie. Guziki koszuli napinały się na brzuchu — to znaczy te, które jeszcze były zapięte — ukazując włosy wystarczająco długie, żeby potraktować je lokówką. Na pulchnych palcach lśniły złote sygnety. Miał albo bujne piaskowe włosy, albo świetnej jakości tupecik; trudno było to stwierdzić.

— A więc wreszcie się spotykamy — rzucił.

Kat nie była pewna, jak zareagować. Po tylu latach czytania o nim, karmienia obsesji i nienawiści oraz zasłużonego demonizowania, wreszcie stała przed obliczem Willy'ego Cozone'a.

— Założę się, że od dawna myślałaś o tym dniu — stwierdził Cozone.

— Owszem.

Rozłożył ręce, wskazując ocean.

— Czy właśnie tak go sobie wyobrażałaś?

— Nie — odparła Kat. — Był pan w kajdankach.

Roześmiał się, jakby nigdy w życiu nie słyszał niczego zabawniejszego. Wesołek stał obok Kat z założonym rękami. Nie śmiał się. Tylko się uśmiechał. Nie znał innych sztuczek.

— Możesz nas zostawić, Leslie.

Wesołek Leslie ukłonił się i odszedł.

— Usiądziesz? — spytał Cozone.

— Nie.

— A może napijesz się mrożonej herbaty albo lemoniady? — Uniósł swoją szklankę. — Piję Arnolda Palmera. Wiesz, co to jest?

— Tak, wiem.

— Masz ochotę?

— Nie — burknęła Kat. — Nie żebym była czepialska, ale porywanie ludzi i grożenie im bronią jest niezgodne z prawem, zwłaszcza jeśli chodzi o policjantów.

— Ależ proszę, nie traćmy czasu na drobiazgi — odparł Cozone. — Mamy ważne sprawy do omówienia.

— Słucham.

— Na pewno nie chcesz usiąść?

— Czego pan chce, panie Cozone?

Upił łyk, cały czas ją obserwując.

— Może to był błąd.

Kat nic nie odpowiedziała.

Cozone zaczął się zbierać do odejścia.

— Leslie odwiezie cię do twojego samochodu. Przepraszam.

— Mogłabym pana oskarżyć.

Cozone machnął ręką.

— Och, daj spokój, Kat. Mogę cię nazywać Kat? Broniłem się przed znacznie poważniejszymi zarzutami. Mogę znaleźć kilkunastu świadków, którzy potwierdzą, że byłem gdzieś indziej. Albo pokazać nagrania z monitoringu, które dowiodą, że ciebie tutaj nie było. Nie traćmy czasu na gierki.

— To działa w obie strony — skwitowała jego słowa Kat.

— Jak mam to rozumieć?

— Niech pan sobie daruje to całe „Leslie cię odwiezie". Nie sprowadził mnie pan tu bez powodu. Chciałabym się dowiedzieć, o co chodzi.

To mu się spodobało. Zbliżył się do niej o krok. Miał jasnoniebieskie oczy, które u niego z jakiegoś powodu i tak wyglądały na czarne.

— Narobiłaś dużo zamieszania swoim nowym dochodzeniem.

— To nie jest nowe dochodzenie.

— Racja. Twój ojciec nie żyje od dawna.

— Czy to pan kazał go zabić?

— Gdybym to zrobił, dlaczego miałbym wypuścić cię stąd żywą?

Kat wiedziała wszystko o Cozonie — znała jego datę urodzin, historię rodziny, kartotekę, miejsca zamieszkania (takie jak ten dom) — ponieważ dokładnie przestudiowała akta. Jednak to zawsze coś innego, gdy po raz pierwszy spotykamy się z kimś twarzą w twarz. Wpatrywała się w jego jasnoniebieskie oczy. Myślała o potwornościach, które te oczy widziały przez ponad siedemdziesiąt lat. A także o tym, że te potworności nigdy tak naprawdę do nich nie docierały.

— Teoretycznie — ciągnął Cozone prawie znudzonym tonem — mógłbym wpakować ci teraz kulkę w głowę. Mam kilka łodzi. Kazałbym wrzucić twoje ciało do oceanu. Twoi koledzy by cię szukali, ale oboje wiemy, że bez skutku.

Kat próbowała się powstrzymać przed głośnym przełknięciem śliny.

— Nie sprowadził mnie pan tutaj po to, żeby mnie zabić.

— Skąd masz taką pewność?

— Ponieważ wciąż oddycham.

Cozone się uśmiechnął. Miał drobne nierówne zęby, które przypominały rozkładające się drażetki gumy do żucia. Gładkość jego twarzy wskazywała na chemiczny peeling albo botoks.

— Przekonajmy się najpierw, jak potoczy się nasza rozmowa, dobrze?

Opadł na wyściełany tekowy mebel i poklepał sąsiednie siedzisko.

— Proszę, usiądź.

Kiedy to zrobiła, przeszył ją dreszcz. Czuła woń jego wody kolońskiej — mdłą i zbyt silną. Krzesła były zwrócone w stronę oceanu, a nie do siebie nawzajem. Przez chwilę oboje milczeli, wpatrując się w skłębione fale.

— Nadciąga sztorm — zauważył Cozone.

— Złowieszcza pogoda — odparła Kat, bezskutecznie starając się zabrzmieć sarkastycznie.

— Spytaj wreszcie, Kat.

Nic nie powiedziała.

— Czekałaś prawie dwadzieścia lat. Teraz masz okazję. Zapytaj mnie.

Odwróciła się i popatrzyła na jego twarz.

— Czy to pan kazał zabić mojego ojca?

— Nie.

Nie odrywał wzroku od wody.

— I mam panu uwierzyć?

— Wiesz, że pochodzę z twojej okolicy?

— Tak. Z Farrington Street niedaleko myjni. W piątej klasie zabił pan innego dzieciaka.

Pokręcił głową.

— Mogę ci zdradzić pewien sekret?

— Proszę bardzo.

— Ta historia o mnie i młotku to miejska legenda.

— Rozmawiałam z kimś, kto chodził z panem do szkoły.

— To nieprawda — oświadczył. — Dlaczego miałbym kłamać w tej sprawie? Lubię takie legendy. Do pewnego stopnia utorowały mi drogę. Chociaż i tak nie było łatwo. Nie twierdzę, że mam czyste ręce, ale strach jest cudownym narzędziem motywacyjnym.

— Mam to traktować jako przyznanie się do winy?

Cozone złożył nadgarstki, jakby czekał na skucie kajdankami. Kat wiedziała, że niczego z tego, co jej powie, nie będzie mogła wykorzystać, ale i tak chciała, żeby mówił dalej.

— Znałem twojego ojca. Zawarliśmy porozumienie.

— Twierdzi pan, że był nieuczciwy?

— Niczego nie twierdzę. Wyjaśniam ci, że nie mam nic wspólnego z jego śmiercią; obaj pochodziliśmy z tego samego świata.

— Więc nigdy nie zabił pan nikogo z Flushing?

— No, tego bym nie powiedział.

— Więc co dokładnie ma pan na myśli?

— Przez lata sprawiłaś, że kilka z moich przedsięwzięć... powiedzmy, zawiesiło działalność.

Kat torpedowała każde „przedsięwzięcie", o którym chociaż plotkowano, że jest powiązane z Cozone'em. Niewątpliwie naraziła go na poważne straty.

— Dąży pan do jakiegoś wniosku? — spytała.

— Nie chcę, żeby te dni się powtórzyły.

— Więc uznał pan, że to wszystko się skończy, jeśli powie mi pan, że nie zabił mojego ojca?

— Coś w tym rodzaju. Myślałem... a raczej miałem nadzieję... że dojdziemy do porozumienia.

— Porozumienia.

— Tak.

— Do takiego, jakie rzekomo zawarł pan z moim ojcem.

Wciąż wpatrywał się w fale, ale w kąciku jego ust zamajaczył uśmiech.

— Coś w tym rodzaju.

Kat nie była pewna, jak zareagować.

— Dlaczego teraz? — spytała.

Podniósł szklankę do ust.

— Mógł mi pan powiedzieć wiele lat temu, skoro pan

uważał, że może to doprowadzić do — zaznaczyła cudzysłów palcami w powietrzu — „porozumienia". Więc dlaczego teraz?

— Wiele się zmieniło.

— To znaczy?

— Odszedł mój bliski przyjaciel.

— Monte Leburne?

Cozone upił kolejny łyk napoju.

— Twarda jesteś, Kat, muszę ci to przyznać.

Nawet nie starała się odpowiedzieć.

— Bardzo kochałaś ojca, prawda?

— Nie jestem tutaj po to, żeby rozmawiać o swoich uczuciach.

— Niech będzie. Pytasz, dlaczego mówię ci o tym dopiero teraz. Ponieważ Monte Leburne już nie żyje.

— Ale przyznał się do zabójstwa.

— Owszem. Powiedział także, że nie miałem z tym nic wspólnego.

— Racja, jak również to, że nie miał pan nic wspólnego z pozostałymi dwoma zabójstwami. Ich także się pan wyprze?

Lekko zwrócił głowę w jej stronę. Jego twarz stężała.

— Nie będę rozmawiał o pozostałej dwójce. W żadnej formie. Wyrażam się jasno?

Kat zrozumiała. Cozone się nie przyznawał, choć zarazem nie miał zamiaru się wypierać. Przesłanie było jasne: Tak, załatwiłem tamtych dwóch, ale nie twojego tatę.

Jednak to nie znaczyło, że musiała mu wierzyć.

Cozone chciał, żeby dała mu spokój. O to w tym wszystkim chodziło. Był gotów powiedzieć każdą historię, byle tylko osiągnąć cel.

— To, co ci teraz powiem, musi zostać między nami — oświadczył. — Rozumiemy się?

Kat pokiwała głową, ponieważ nie miało to większego znaczenia. Gdyby zechciała wykorzystać otrzymane informacje, obietnica złożona zabójcy by jej nie powstrzymała. On zapewne też zdawał sobie z tego sprawę.

— Cofnijmy się w czasie, dobrze? Do dnia aresztowania Montego Leburne'a. Widzisz, kiedy federalni dopadli Montego, trochę się zmartwiłem. Nie muszę tłumaczyć dlaczego. Monte zawsze był jednym z moich najbardziej lojalnych pracowników. Od razu się z nim skontaktowałem.

— Jak? Przebywał w odosobnieniu.

Cozone zmarszczył czoło.

— Ależ proszę.

Racja. Cozone miał swoje dojścia. Poza tym to było nieistotne.

— Obiecałem Montemu, że jeśli pozostanie lojalny zgodnie z oczekiwaniami, jego rodzina otrzyma sowitą rekompensatę.

Przekupstwo.

— A gdyby nie pozostał lojalny?

— Nie musimy się bawić w gdybanie, prawda, Kat? — Popatrzył na nią.

— Chyba nie.

— Poza tym nawet w obliczu poważnych gróźb wielu pracowników sprzedało swoich szefów, żeby polepszyć swój los. Miałem nadzieję zniechęcić do tego Leburne'a za pomocą marchewki, a nie kija.

— Wygląda na to, że się panu udało.

— Owszem. Choć nie wszystko przebiegło zgodnie z oczekiwaniami.

— To znaczy?

Cozone zaczął obracać sygnet na palcu.

— Jak zapewne wiesz, Montego Leburne'a pierwotnie zatrzymano w związku z oskarżeniem o dwa zabójstwa.

— Zgadza się.

— Poprosił mnie o zgodę na przyznanie się do trzeciego.

Kat przez chwilę siedziała nieruchomo. Czekała na dalszy ciąg, ale wydawało się, że Cozone nagle opadł z sił.

— Po co miałby to zrobić?

— Ponieważ dla niego to już było bez znaczenia. Dostał karę dożywocia.

— Mimo wszystko. Chyba nie przyznał się dla zabawy.

— Masz rację.

— Więc po co?

— Wyjaśnię ci, dlaczego nie rozmawialiśmy o tym wcześniej. Częścią mojej umowy z Montem Leburne'em była obietnica, że wszystko zostanie między nami. Nie będę ci wciskał kitu o przestępczym honorze, ale chcę, żebyś zrozumiała. Nie mogłem nic powiedzieć, ponieważ przyrzekłem mu dyskrecję. Gdybym to zrobił, zdradziłbym lojalnego pracownika.

— Który w zamian mógłby postanowić przestać pana kryć.

— Zawsze warto myśleć praktycznie — przyznał Cozone. — Ale przede wszystkim chciałem pokazać Montemu i moim innym pracownikom, że dotrzymuję słowa.

— A teraz?

Cozone wzruszył ramionami.

— Monte nie żyje, zatem umowa przestała obowiązywać.

— I może pan swobodnie o tym rozmawiać.

— Jeśli tylko zechcę. Oczywiście wolałbym, żebyś zatrzymała to dla siebie. Zawsze wierzyłaś, że zabiłem twojego ojca. Chciałbym cię zapewnić, że to nieprawda.

Kat zadała oczywiste pytanie.

— Więc kto to zrobił?
— Nie wiem.
— Czy Leburne miał z tym cokolwiek wspólnego?
— Nie.
— Wie pan, dlaczego się przyznał?
Cozone rozłożył ręce.
— A po co robi się takie rzeczy?
— Dla pieniędzy?
— Nie tylko.
— Po co jeszcze?
— Tutaj sprawy się komplikują, Kat.
— Co pan ma na myśli?
— Obiecano mu przysługi.
— Jakie przysługi?
— Lepsze traktowanie w więzieniu. Lepszą celę. Dodatkowe racje żywnościowe. Pomoc w zdobyciu pracy dla jego siostrzeńca.
Kat zmarszczyła czoło.
— Kto mu coś takiego zaproponował?
— Nigdy mi nie powiedział.
— Jednak ma pan swoje podejrzenia.
— Nie widzę sensu w gdybaniu.
— Już pan to mówił. Jaką pracę dostał jego siostrzeniec?
— To nie była praca. Chodziło raczej o dostanie się do szkoły.
— Jakiej szkoły?
— Akademii policyjnej.
Jak na komendę otworzyły się niebiosa. Deszcz spadł na ocean, wzburzając wodę. Powoli przesunął się nad dziedzińcem w ich stronę. Cozone wstał i nieco się cofnął, żeby całkowicie skryć się pod dachem. Kat poszła w jego ślady.

— Leslie odwiezie cię do twojego samochodu — rzucił Cozone.

— Mam więcej pytań.

— I tak powiedziałem za dużo.

— A jeśli panu nie wierzę?

Wzruszył ramionami.

— Wtedy będziemy dalej żyli tak jak dotychczas.

— Bez porozumienia?

— Niech i tak będzie — odparł.

Pomyślała o wszystkim, co powiedział, o przestępczym honorze, porozumieniach i umowach.

— Porozumienia przestają obowiązywać, gdy ktoś umrze, czy tak?

Nic nie odpowiedział.

— Tak pan przed chwilą mówił. Cokolwiek ustaliliście z Leburne'em, to już nieaktualne.

— Zgadza się.

Pojawił się Wesołek Leslie, ale Kat nie ruszyła się z miejsca.

— Zawarł pan także porozumienie z moim ojcem. — Niemal nie poznawała własnego głosu. — Tak pan powiedział.

Deszcz bębnił o dach. Musiała mówić głośniej, żeby Cozone ją usłyszał.

— Wie pan, kim jest Złotko? — spytała.

Popatrzył w dal.

— Wiesz o Złotku? — zdziwił się.

— Do pewnego stopnia.

— Więc po co mnie pytasz?

— Ponieważ chciałabym z nią porozmawiać.

Jego twarz przybrała pytający wyraz.

— Jeżeli pan nie ma pojęcia, kto zabił mojego ojca, to może Złotko będzie coś wiedziała.

— Może — rzucił Cozone z taką miną, jakby chciał przytaknąć.

— Dlatego chciałabym się z nią spotkać. Czy to ma sens?

— Poniekąd — odparł, niemal zbyt ostrożnie.

— Może mi pan pomóc ją znaleźć?

Cozone popatrzył na Lesliego. Ten ani drgnął.

— Owszem, moglibyśmy spróbować.

— Dziękuję.

— Pod jednym warunkiem.

— Jakim?

— Obiecasz, że pozwolisz mi spokojnie działać.

— Jeśli rzeczywiście nie miał pan nic wspólnego...

— Mówię prawdę.

— Zatem zgoda.

Wyciągnął w jej stronę dłoń. Niechętnie ją uścisnęła, wyobrażając sobie, że krew, którą miał na rękach, spływa teraz na nią. Cozone nie zwalniał uścisku.

— Jesteś pewna, że tego właśnie chcesz, Kat?

— To znaczy?

— Czy jesteś pewna, że chcesz się spotkać ze Złotkiem?

Zabrała dłoń.

— Tak, jestem pewna.

Obejrzał się na spienione fale.

— Może to i dobrze. Może najwyższy czas wyjawić wszystkie tajemnice, nawet te najbardziej niszczycielskie.

— Co to ma znaczyć? — spytała Kat.

Ale Cozone się odwrócił i ruszył do wnętrza domu.

— Leslie odwiezie cię do twojego samochodu. Zadzwoni do ciebie, kiedy znajdzie adres Złotka.

34

Titus zadał Danie to samo pytanie jeszcze kilkanaście razy. Trzymała się swojej wersji, tak jak się spodziewał. Nie znała Kat. Nigdy jej nie widziała. Nie miała pojęcia, dlaczego Kat miałaby prowadzić dochodzenie w związku z jej zniknięciem.

Uwierzył jej.

Odchylił się do tyłu i potarł podbródek. Dana wbijała w niego wzrok. W jej oczach pozostała wątła iskierka nadziei. Reynaldo opierał się o futrynę. Titus zastanawiał się, czy mógłby sobie pozwolić na jeszcze jedną wypłatę od Dany, uznał jednak, że nie warto łamać własnych zasad. Nie bądź chciwy. Nadszedł czas przeciąć tę więź. Mógł się założyć, że detektyw Kat Donovan jeszcze nie powiedziała nikomu o dochodzeniu. Po pierwsze, miała zbyt mało dowodów. A poza tym wolałaby nie zdradzać, w jaki sposób wpadła na trop tego przestępstwa.

Prześladując byłego chłopaka.

Rozważył wszystkie za i przeciw. Z jednej strony, kiedy usunie Danę Phelps, wszystko się skończy. Będzie martwa, a jej ciało zostanie pogrzebane na farmie. Żadnych śladów.

Z drugiej strony Kat Donovan dotarła dalej niż ktokolwiek inny. Połączyła zniknięcie Gererda Remingtona z Daną Phelps. Była osobiście zaangażowana w tę sprawę.

Może tak łatwo się nie poddać.

Wyeliminowanie policjanta to olbrzymie ryzyko. Tyle że w tym wypadku równie groźne będzie pozostawienie jej przy życiu.

Musiał przeprowadzić dokładną analizę kosztów — zabić ją czy nie — ale tymczasem pozostała jeszcze jedna sprawa do załatwienia.

Titus uśmiechnął się do Dany.

— Napijesz się herbaty?

Pokiwała głową ze wszystkich sił, których nie pozostało jej wiele.

— Tak, poproszę.

Popatrzył na Dymitra.

— Zaparzysz herbaty dla pani Phelps?

Dymitr odszedł od komputera i zniknął w kuchni.

Titus wstał.

— Za chwilę wrócę — zapowiedział.

— Mówię prawdę, panie Titusie.

— Wiem, Dano. Nie przejmuj się.

Titus podszedł do Reynalda, który stał obok drzwi. Obaj wyszli z pomieszczenia.

— Już czas — powiedział Titus.

Reynaldo pokiwał głową.

— W porządku.

Titus obejrzał się przez ramię.

— Wierzysz jej? — spytał.

— Tak.

— Ja też, ale musimy mieć całkowitą pewność.

Reynaldo zmrużył oczy.

— Więc mam jej nie zabijać?

— Ależ tak — odparł Titus, zerkając w stronę stodoły. — Po prostu się z tym nie spiesz.

■ ■ ■

Chaz zadzwonił do Julie Weitz. W słuchawce odezwał się kobiecy głos.

— Halo?

— Czy to Julie Weitz?

— Tak.

— Mówi detektyw Faircloth z nowojorskiej policji.

Chaz zadał jej kilka pytań. Tak, kontaktowała się przez internet z pewnym mężczyzną, nawet kilka razy, ale to wyłącznie jej sprawa. Nie, nie miała zamiaru z nim wyjeżdżać. Dlaczego policja się tym interesuje? Chaz podziękował i się rozłączył.

Trafiona, zatopiona. Czy może raczej bezpieczna.

Potem zadzwonił do domu Marthy Paquet. W słuchawce odezwał się kobiecy głos.

— Halo?

— Czy to Martha Paquet?

— Nie — odparła kobieta. — Jej siostra, Sandi.

■ ■ ■

Wesołek Leslie odwiózł Kat srebrnym mercedesem do żółtego ferrari Chaza. Zanim wysiadła, obiecał:

— Zadzwonię, kiedy będę znał adres.

Prawie mu podziękowała, ale wydawało się to nie na miejscu. Kierowca zwrócił jej pistolet. Wyczuwała po ciężarze broni, że wyjął naboje. Potem oddał jej komórkę.

Kat wysiadła. Mercedes odjechał.

Wciąż kręciło jej się w głowie. Nie wiedziała, co myśleć o słowach Cozone'a. A nawet gorzej, dokładnie wiedziała, co o nich myśleć. Czyż to nie oczywiste? Stagger odwiedził Montego Leburne'a zaraz po jego aresztowaniu. Nie powiedział o tym Suggsowi, Rinsky'emu ani nikomu innemu. Zawarli układ, zgodnie z którym Leburne przyznał się do zabójstwa jej taty.

Ale po co?

A może to też stawało się oczywiste?

Prawdziwe pytanie brzmiało, co Kat może zrobić z tą wiedzą. Konfrontacja ze Staggerem nic jej nie da. Kapitan będzie uparcie trzymał się swojej wersji. Musiałaby mu udowodnić, że kłamie. Ale jak?

Odciski palców znalezione na miejscu zbrodni.

Stagger się nimi zajął, prawda? Jeśli jednak należałyby do niego, to wykazałaby to pierwsza analiza, której dokonali Suggs i Rinsky. Odciski wszystkich policjantów znajdują się w bazie danych. Zatem nie mogły należeć do kapitana.

Potem Stagger dołączył do dochodzenia, twierdząc (a przynajmniej tak to wyglądało), że odciski należą do przypadkowego bezdomnego.

To one były kluczem.

Kat zadzwoniła na komórkę Suggsa.

— Cześć, Kat, jak leci?

— Dobrze. Udało ci się zerknąć na te stare odciski palców?

— Jeszcze nie.

— Nie chciałabym cię ponaglać, ale to bardzo ważne.

— Po tylu latach? Nie rozumiem dlaczego. Tak czy inaczej, poprosiłem o dostęp do materiałów ze śledztwa. Wszystkie znajdują się w magazynie. Podobno potrwa to jeszcze kilka dni.

— Nie możesz tego przyspieszyć?

— Być może, ale oni pracują nad aktualnymi sprawami, Kat. To nie jest priorytet.

— Owszem, jest — odparła. — Uwierz mi. Zrób to dla mojego ojca.

Na drugim końcu linii zapadła cisza.

— Dla twojego ojca — odezwał się po chwili Suggs i od razu się rozłączył.

Kat zerknęła na ten cholerny kawałek plaży i przypomniała sobie, o czym myślała, zanim pojawił się Leslie i oparł o samochód Chaza.

To ja, Kat.

To ona napisała tę wiadomość do Jeffa/Rona. Najpierw wysłała mu link do teledysku *Missing You*. Jeff zachował się, jakby nie wiedział, z kim ma do czynienia. Potem napisała...

To ja, Kat.

Zrobiło jej się zimno. To ona podała mu swoje imię. Nie użył go pierwszy. Zaczął nazywać ją Kat, jakby się znali, dopiero po tym, gdy mu się przedstawiła.

Coś było nie tak.

Coś było bardzo nie tak z Daną Phelps, Gerardem Remingtonem oraz Jeffem Raynesem alias Ronem Kochmanem. Jeszcze nie potrafiła tego udowodnić, ale troje ludzi zniknęło.

A przynajmniej dwoje. Gerard i Dana. Co się tyczy Jeffa...

Był tylko jeden sposób, żeby się dowiedzieć. Wsiadła do ferrari i uruchomiła silnik. Nie zamierzała wracać do Nowego Jorku. Jeszcze nie. Pojedzie z powrotem do domu Rona

Kochmana. Jeśli będzie musiała, wyważy jego przeklęte drzwi, ale dowie się prawdy.

Kiedy znów skręciła w Deforest Street, na podjeździe stały te same dwa samochody. Zatrzymała się za nimi i ustawiła skrzynię biegów na parkowanie. Kiedy sięgnęła do klamki, zadzwonił telefon.

To był Chaz.

— Halo?

— Martha Paquet wczoraj wieczorem wyjechała na weekendową wycieczkę. Od tamtej pory nikt jej nie widział.

▪ ▪ ▪

Titus podziękował Danie za współpracę.

— Kiedy będę mogła wrócić do domu? — spytała.

— Jutro, jeśli wszystko pójdzie dobrze. Tymczasem Reynaldo zaprowadzi cię do pokoju gościnnego w stodole. Są tam prysznic i łóżko. Myślę, że będzie ci tam wygodniej.

Dana miała dreszcze, ale zdołała powiedzieć:

— Dziękuję.

— Nie ma za co. Możesz odejść.

— Nikomu nie powiem ani słowa — dodała. — Może mi pan zaufać.

— Wiem. Ufam ci.

Chwiejnie ruszyła do wyjścia, gdzie czekał na nią Reynaldo, Poruszała się, jakby brnęła przez głębokie błoto. Kiedy zamknęły się za nimi drzwi, Dymitr zakaszlał w pięść.

— Eee, mamy problem.

Titus gwałtownie przeniósł na niego wzrok. Nigdy nie miewali problemów. Nigdy.

— Co się stało?

— Dostajemy e-maile.

Kiedy ich goście udostępniali im hasła do swoich skrzynek, Dymitr tak konfigurował konta, żeby cała przychodząca korespondencja była przekierowywana do niego. W ten sposób mógł monitorować wiadomości od zatroskanych krewnych i przyjaciół oraz na nie odpowiadać.

— Od kogo?

— Od siostry Marthy Paquet. Chyba dzwoniła też do niej na komórkę.

— Czego dotyczą e-maile?

Dymitr poprawił okulary na nosie.

— Dzwonił ktoś z nowojorskiej policji i pytał, gdzie jest Martha. Zaniepokoił się, kiedy siostra odpowiedziała, że Martha wyjechała z facetem.

Titus poczuł oślepiający gniew.

Kat.

Jego bilans zysków i strat — zabić czy nie — przechylił się wyraźnie na jedną stronę.

Chwycił klucze i pospiesznie ruszył do drzwi.

— Odpisz siostrze, że wszystko w porządku, świetnie się bawisz i wrócisz jutro. Jeśli pojawią się jakieś inne wiadomości, zadzwoń do mnie na komórkę.

— Dokąd jedziesz?

— Do Nowego Jorku.

■ ■ ■

Kat zabębniła we frontowe drzwi. Popatrzyła na nieprzezroczystą szybę, wypatrując oznak ruchu. Niczego nie zobaczyła. Staruszek na pewno był w domu. Przecież odjechała stąd zaledwie przed godziną. Oba samochody stały przed domem. Ponownie zapukała.

Żadnej odpowiedzi.

Staruszek kazał jej się wynosić ze swojego domu. Swojego. Zatem Ron czy też Jeff może nie być właścicielem. Jest nim stary. Możliwe, że Jeff i jego córka, Melinda, tylko wynajmują pokoje. Mogła bez trudu odnaleźć nazwisko staruszka w rejestrze, ale co by to dało?

Chaz miał powiadomić o całej sprawie FBI, chociaż wciąż niewiele się dowiedzieli. Dorosłym wolno znikać na kilka dni. Miała nadzieję, że spójność faktów pozwoli potraktować jej sprawę poważnie, nie była jednak pewna. Przecież Dana Phelps rozmawiała z synem oraz doradcą finansowym. Z kolei Martha Paquet mogła utknąć w łóżku ze swoim nowym kochankiem.

Gdyby nie jeden szczegół: obie kobiety podobno wyjechały z tym samym mężczyzną.

Okrążyła posesję, starając się zajrzeć przez okna, ale zasłony były zaciągnięte. Staruszek leżał na szezlongu za domem. Czytał książkę Parnella Halla, ściskając ją tak mocno, jakby próbowała uciec.

— Witam — odezwała się Kat.

Zaskoczony usiadł.

— Co pani tu robi, do diabła?

— Pukałam do drzwi.

— Czego pani chce?

— Gdzie jest Jeff?

Wyprostował się.

— Nie znam nikogo o tym imieniu.

Nie uwierzyła mu.

— Gdzie jest Ron Kochman?

— Już pani mówiłem. Tutaj go nie ma.

Kat podeszła do szezlonga, górując nad staruszkiem.

— Zaginęły dwie kobiety.

— Co takiego?

— Dwie kobiety poznały go przez internet. Teraz obie zniknęły.

— Nie wiem, o czym pani mówi.

— Nie odejdę, dopóki mi pan nie powie, gdzie on jest.

Nic nie odpowiedział.

— Wezwę gliny. Wezwę FBI. Wezwę media.

Staruszek wytrzeszczył oczy.

— Nie zrobiłaby pani tego.

Kat się nachyliła, tak że ich twarze dzieliło tylko kilkanaście centymetrów.

— Przekonamy się? Powiem wszystkim, że Ron Kochman kiedyś nazywał się Jeff Raynes.

Wciąż siedział nieruchomo.

— Gdzie on jest? — rzuciła.

Nic nie odpowiedział.

Miała ochotę sięgnąć po broń, ale się powstrzymała.

— Gdzie on jest?! — krzyknęła.

— Zostaw go w spokoju.

Wstrzymała oddech, kiedy usłyszała ten głos. Obejrzała się w stronę domu. Otworzyły się drzwi z moskitierą. Kat poczuła, że uginają się pod nią kolana. Otworzyła usta, lecz nie wydobył się z nich żaden dźwięk.

Jeff wyszedł z domu i rozpostarł ramiona.

— Jestem tutaj, Kat.

35

Kiedy Reynaldo i Dana doszli do stodoły, Bo stał przy drzwiach i merdał ogonem. Doskoczył do swojego pana, a ten przyklęknął na jedno kolano i podrapał go za uchem.

— Dobry piesek.

Bo zaszczekał z zadowoleniem.

Za sobą Reynaldo usłyszał trzask drzwi domu. Titus zeskoczył z werandy i pospieszył w stronę czarnego SUV-a. Clem Sison, który zastąpił Claude'a na stanowisku szofera, zasiadł za kierownicą. Titus wskoczył na siedzenie pasażera.

SUV szybko odjechał, wzbijając w powietrze chmurę kurzu.

Reynaldo zastanawiał się, co się stało, i dopiero gdy pies zaszczekał, zdał sobie sprawę, że z roztargnienia przestał go drapać. Uśmiechnął się i ponownie skupił na zwierzaku. Labrador wyglądał na zachwyconego. To właśnie jest wspaniałe w psach. Zawsze dokładnie wiesz, co czują.

Dana stała bez ruchu. Z delikatnym uśmiechem obserwowała mężczyznę i psa. Reynaldowi to się nie spodobało. Wstał i kazał Bo wracać do podziemnych skrzyń. Pies zaskowyczał z niezadowoleniem.

— Idź — powtórzył jego pan.

Bo niechętnie wyszedł ze stodoły i ruszył w stronę ścieżki.

Dana patrzyła w ślad za odchodzącym psem, a uśmiech zniknął z jej ust.

— Też mam labradora — powiedziała. — Suczkę, ma na imię Chloe. Tylko jest czarna, a nie czekoladowa. Ile lat ma pana pies?

Reynaldo nie odpowiedział. Z miejsca, w którym stał, widział starą piłę ogrodniczą amiszów wiszącą na ścianie. Kiedyś zastanawiał się, czy ostrze zdołałoby przepiłować kości palców. Okazało się, że wymaga to nieco czasu. Narobił bałaganu i raczej rozrywał kości, zamiast je czysto przecinać, ale udało mu się stopniowo uporać ze wszystkimi palcami. Mężczyzna — ten z trzeciej skrzyni — strasznie wrzeszczał. Hałas przeszkadzał Titusowi, więc Reynaldo zakneblował Numer Trzy szmatą i zakleił mu usta taśmą. To zdusiło krzyki cierpienia. Gdy ostrze utknęło w chrząstce, Numer Trzy zaczął tracić przytomność. Reynaldo dwukrotnie przerywał, szedł po wiadro z wodą i oblewał mężczyznę. To go budziło. Kiedy ofiara zemdlała po raz trzeci, przyniósł sobie kilka wiader wody na zapas.

— Pić? — spytał.

— Poproszę — odparła Dana.

Napełnił dwa wiaderka i ustawił je na stole z narzędziami. Dana uniosła jedno do ust i się napiła. Reynaldo znalazł ręcznik do rąk, który idealnie nadawał się na knebel, ale nigdzie nie widział taśmy klejącej. Oczywiście mógł postraszyć kobietę, że jeśli ta wypluje ręcznik, sprawi jej znacznie gorszy ból, choć z drugiej strony Titus odjechał, więc hałas nie będzie mu przeszkadzał.

Może Reynaldo pozwoli jej wrzeszczeć.

— Gdzie jest łóżko? — spytała Dana. — I prysznic?

— Siadaj — polecił, wskazując krzesło.

Kiedy zajmował się Numerem Trzy, przywiązał go sznurem, a dłoń, którą zamierzał ciąć, uwięził w dużym imadle na stole z narzędziami. Na widok sznura mężczyzna zaczął się opierać, ale Reynaldo uciszył go pistoletem. Teraz też mógł to zrobić, ale Dana sprawiała wrażenie pokorniejszej. Kiedy jednak zacznie ciąć, więzy okażą się konieczne.

— Siadaj — powtórzył.

Dana natychmiast usiadła na krześle.

Otworzył dolną szufladę z narzędziami i wyjął sznur. Nie znał się na węzłach, ale nie zamierzał oddalać się od ofiary, więc wystarczyło owinąć ją sznurem.

— Po co ten sznur? — spytała.

— Muszę pościelić łóżko. Nie mogę ryzykować, że uciekniesz, kiedy będę to robił.

— Nie ucieknę. Obiecuję.

— Siedź nieruchomo.

Gdy owijał jej klatkę piersiową, Dana zaczęła płakać. Jednak nie stawiała oporu. Nie był pewien, czy jest zadowolony, czy raczej rozczarowany. Już miał zrobić drugą pętlę, kiedy nagle usłyszał znajomy skowyt.

Bo.

Podniósł wzrok. Pies stał przed drzwiami stodoły i patrzył na swojego pana smutnym wzrokiem.

— Idź! — zawołał Reynaldo.

Bo ani drgnął. Znów zaskowyczał.

— Idź. Za kilka minut do ciebie przyjdę.

Labrador zaczął grzebać łapą w ziemi i zerkać w stronę swojego posłania. Reynaldo powinien był to przewidzieć. Bo lubił swoje posłanie. Lubił stodołę, zwłaszcza gdy był w niej jego pan. Reynaldo nie wpuścił go do środka tylko wtedy, gdy pracował nad Numerem Trzy. Psu się to nie spodobało. Nie fakt odpiłowywania palców — zwierzaka obchodził tylko Reynaldo — ale to, że nie może się dostać do posłania oraz swojego pana.

Potem przez kilka dni obwąchiwał miejsca, na które skapnęła krew.

Reynaldo wstał i podszedł do drzwi stodoły. Szybko podrapał psa za uchem.

— Przepraszam, piesku, ale musisz zostać na zewnątrz.

Cofnął się, żeby zamknąć drzwi. Bo ruszył w jego stronę.

— Siad — ostro rozkazał Reynaldo.

Pies usłuchał.

Reynaldo zacisnął dłoń na uchwycie drzwi, gdy nagle poczuł uderzenie w tył głowy. Cios powalił go na kolana. Jego głowa wibrowała jak kamerton. Podniósł wzrok i zobaczył Danę z metalowym krzesłem w dłoniach. Cofnęła się, a potem z gardłowym krzykiem zamachnęła się po raz kolejny.

Zdążył się uchylić i krzesło minęło jego głowę. Słyszał zaniepokojone szczekanie Bo. Podniósł rękę, chwycił krzesło i wyrwał je kobiecie z rąk.

Rzuciła się do ucieczki.

Reynaldo wciąż klęczał. Próbował wstać, lecz zakręciło mu się w głowie. Ponownie opadł na ziemię. Bo zaczął go lizać po twarzy i to dodało mu sił. Zdołał się podnieść, wyjął pistolet i wybiegł na zewnątrz. Popatrzył w prawo. Ani śladu kobiety. Popatrzył w lewo. Również nic.

Obrócił się i zobaczył, że Dana znika w lesie. Uniósł pistolet, wystrzelił, a następnie za nią pobiegł.

▪ ▪ ▪

Titus był taki ostrożny.

Plan zbrodni idealnej nie pojawił się za sprawą nagłego olśnienia przy wtórze okrzyku „Eureka!". Był owocem ewolucji, przetrwania najsilniejszych — pomysłem, który narodził się ze wszystkich poprzednich projektów. Łączył miłość, seks, romans i tęsknotę. Wykorzystywał prymitywne instynkty i nowoczesne metody działania.

Był idealny.

Przynajmniej do czasu.

Titus wiedział, że internetowi oszuści zazwyczaj mają wąskie horyzonty. Zamieszczają w sieci ogłoszenie, udając kobietę szukającą seksu, umawiają się z facetem i okradają go z drobniaków.

Nie, to nie dla niego.

Połączył wszystkie swoje poprzednie operacje — sutenerstwo, wymuszenia, oszustwa, kradzież tożsamości — i przeniósł je na kolejny poziom. Zaczął od stworzenia idealnych fałszywych profili internetowych. Jak? Istniało kilka sposobów. Dymitr pomógł mu znaleźć „martwe", „usunięte" albo nieaktywne konta w serwisach społecznościowych takich jak Facebook czy nawet MySpace — konta ludzi, którzy zarejestrowali się, wrzucili kilka zdjęć, a potem przestali korzystać ze swojego profilu. Najczęściej posługiwał się anulowanymi kontami.

Na przykład Ron Kochman. Zgodnie z danymi z pamięci podręcznej jego konto zostało skasowane dwa tygodnie po założeniu. Idealny przypadek. Albo Vanessa Moreau. Znaleźli jej portfolio w serwisie castingowym Mucho Models. Nie aktualizowała swojego konta od trzech lat, a gdy Titus próbował ją wynająć w imieniu fikcyjnego magazynu, nie otrzymał odpowiedzi.

Mówiąc w skrócie, oba konta były martwe.

To był pierwszy krok.

Kiedy już zlokalizował tożsamości, które mógł wykorzystać, dokładnie sprawdzał je w sieci, tak jak by zrobił każdy potencjalny zalotnik. W dzisiejszych czasach to norma. Gdy poznajemy kogoś przez internet — a nawet osobiście — sprawdzamy jego nazwisko w Google, zwłaszcza jeśli jesteśmy zainteresowani bliższą znajomością. Dlatego całkowicie fałszywa tożsamość nie wchodziła w grę. Dałoby się ją łatwo zdemaskować. Ale jeśli dana osoba jest prawdziwa, tylko nie można się z nią skontaktować...

Strzał w dziesiątkę.

W sieci nie było praktycznie żadnych informacji dotyczących Rona Kochmana, chociaż w tym wypadku Titus i tak postarał się, żeby „Ron" z „ostrożności" przedstawiał się jako Jack. To działało. Tak samo było z Vanessą Moreau. Po jej skrupulatnym sprawdzeniu — czemu normalny człowiek nie byłby w stanie podołać bez pomocy prywatnego detektywa — Titus dowiedział się, że Vanessa Moreau to pseudonim zawodowy niejakiej Nancy Josephson, która obecnie mieszka z mężem i dwójką dzieci w Bristolu w Anglii.

Następnym istotnym kryterium był wygląd.

Uznał, że z Vanessą może być problem. Wydawała się po prostu zbyt atrakcyjna i miała urodę typowego kociaka. Mężczyźni byliby podejrzliwi. Ale w swojej pracy sutenera Titus nauczył się, że mężczyźni w kontaktach z kobietami tracą głowę. Wszyscy z niewiadomego powodu wierzą, że są dla tych kobiet darem niebios. Gerard Remington nawet opowiadał Vanessie, że wybitne jednostki — on pod względem inteligencji, ona zaś pod względem wyglądu — powinny w naturalny sposób się przyciągać.

„Wyjątkowi ludzie się odnajdują. Rozmnażają się i dzięki temu wzbogacają gatunek", argumentował.

Tak właśnie powiedział. Poważnie.

Ron Kochman był idealnym i rzadkim okazem. Zazwyczaj, dla całkowitego bezpieczeństwa, Titus używał każdego z profili do usidlenia tylko jednego celu. Potem usuwał konto i zaczynał korzystać z kolejnego. Jednak znajdowanie idealnych tożsamości — ludzi, którzy byli obecni w sieci, ale nie dawało się ich znaleźć — stanowiło kłopot. Kochman ponadto odznaczał się odpowiednim wyglądem oraz wiekiem. Bogate kobiety byłyby podejrzliwe wobec kogoś zbyt młodego i mogłyby go uznać za zboczeńca, którego podniecają starsze panie, albo oszusta zainteresowanego tylko ich pieniędzmi. Z kolei ktoś zbyt stary nie byłby dla nich atrakcyjnym kandydatem do romansu.

Kochman był wdowcem (kobiety ich uwielbiają) oraz „naturalnym" przystojniakiem. Nawet na zdjęciach wyglądał na miłego faceta — rozluźniony, pewny siebie, swobodny, o ładnych oczach i pociągającym uśmiechu.

Kobiety miały do niego słabość.

Dalsza część planu była bardzo prosta. Titus zbierał zdjęcia ze starych kont na Facebooku, Mucho Model i tym podobnych, a następnie umieszczał je w różnych internetowych serwisach randkowych. Starał się, żeby profile były proste i przyzwoite. Kiedy robi się to wystarczająco często, nabiera się wprawy. Nigdy nie zachowywał się lubieżnie wobec kobiet ani nadmiernie wyzywająco wobec mężczyzn. Sztukę uwodzenia uważał za swoją mocną stronę. Z uwagą wysłuchiwał kandydatów i odpowiadał na ich potrzeby. To była jego siła — powracał do czasów, gdy obserwował dziewczęta na dworcu autobusowym. Nigdy przesadnie się nie chwalił. Unikał rozwodzenia się nad swoimi cechami. Raczej pokazywał swoją osobowość (w komentarzach nieco umniejszał swoją wartość), niż o niej opowiadał („Jestem bardzo zabawny i troskliwy”).

Nigdy nie pytał o konkretne rzeczy, ale kiedy rozpoczynał z kimś korespondencję, ofiara zawsze przekazywała mu dostatecznie dużo danych. Gdy już znał nazwisko, adres lub inne kluczowe informacje, prosił Dymitra o dokładne sprawdzenie ofiary i oszacowanie jej stanu posiadania. Jeśli suma na koncie nie była sześciocyfrowa, nie kontynuował flirtu. Jeżeli ktoś miał dużą rodzinę, która zauważyłaby jego zniknięcie, Titus również się wycofywał.

Używał jednocześnie nawet dziesięciu tożsamości i flirtował z setkami potencjalnych celów. Zdecydowana większość szybko odpadała. Niektórzy wymagali zbytniego wysiłku. Inni nie chcieli kontynuować znajomości bez wcześniejszego umówienia się na kawę. Niektórzy go sprawdzali i domyślali się, że to sztuczka, zwłaszcza w wypadku mniej zakamuflowanych tożsamości niż Ron Kochman czy Vanessa Moreau.

Jednak Titus miał do dyspozycji niekończący się strumień potencjalnych ofiar.

Obecnie trzymał na farmie siedmioro ludzi: pięciu mężczyzn i dwie kobiety. Wolał mężczyzn. Może to dziwnie brzmi, ale prawie nikt nie zwraca uwagi na zniknięcie samotnego mężczyzny. Tacy ciągle znikają. Uciekają albo przeprowadzają się z nowo poznaną kobietą. Nikt nie zadaje pytań, gdy mężczyzna chce przenieść swoje pieniądze na inne konto, ale ludzie dziwią się — owszem, to czystej wody staroświecki seksizm — gdy kobieta zaczyna „szaleć” ze swoimi finansami.

Zastanówcie się. Jak często słyszycie w wiadomościach, że policja szuka zaginionego czterdziestosiedmioletniego samotnego mężczyzny?

Niemal nigdy.

Zwłaszcza gdy mężczyzna wciąż wysyła e-maile albo SMS-y, a nawet, kiedy to konieczne, dzwoni. Operacja Titusa była prosta i precyzyjna. Trzymał ofiary przy życiu, dopóki ich potrzebował. Wykrwawiał je finansowo w stopniu, który nie wzbudzał większych podejrzeń. Robił to tak długo, jak długo było to opłacalne. Potem zabijał tych ludzi i sprawiał, że znikali.

To podstawa. Kiedy kończy się użyteczność ofiar, nie można ich pozostawić przy życiu.

Titus prowadził swoją operację na farmie już od ośmiu miesięcy. Pod względem geograficznym zarzucał sieć w zasięgu dziesięciu godzin jazdy od gospodarstwa. To dawało mu do dyspozycji dużą część Wschodniego Wybrzeża — od Maine do Karoliny Południowej, a nawet Środkowego Zachodu. Cleveland było oddalone zaledwie o pięć godzin, Indianapolis o dziewięć, Chicago znajdowało się dokładnie na granicy dziesięciu godzin. Starał się, aby żadne dwie ofiary nie mieszkały blisko siebie ani nie były ze sobą powiązane. Na przykład Gerard Remington pochodził z Hadley w Massachusetts, a Dana Phelps z Greenwich w Connecticut.

Reszta była prosta.

W końcu każda internetowa relacja musi doprowadzić do osobistego kontaktu. Jednak Titus był zaskoczony tym, jak bliscy potrafią być dla siebie ludzie, którzy nigdy nie spotkali się twarzą w twarz. Z ponad połową ofiar wymieniał erotyczne SMS-y albo uprawiał wirtualny seks. Prowadził erotyczne rozmowy telefoniczne, zawsze korzystając z jednorazowej komórki, czasami zatrudniając do tego kobiety, które nie wiedziały, w czym uczestniczą, ale przeważnie posługując się prostym urządzeniem do modyfikacji głosu. W każdym przypadku jeszcze przed pierwszym spotkaniem pojawiały się zapewnienia o uczuciach.

Dziwne.

Wspólny wyjazd — na weekend albo tydzień — stawał się faktem. Gerard Remington, który wyraźnie miał problemy z kontaktami społecznymi (niemal zrujnował plan, gdy uparł się, żeby pojechali jego samochodem — w końcu zaimprowizowali i ogłuszyli go na parkingu przed lotniskiem), kupił pierścionek zaręczynowy i przygotował oświadczyny, mimo że wcześniej nie widział Vanessy na oczy. Nie był pierwszy. Titus czytał o takich związkach, o ludziach, którzy kontaktowali się ze sobą przez internet całymi miesiącami, a nawet latami. Gwiazdor drugiej linii z drużyny Notre Dame zakochał się, chociaż nigdy nie spotkał „dziewczyny", która go wrabiała. W końcu uwierzył nawet, że umarła na skutek dziwacznego połączenia białaczki z wypadkiem samochodowym.

Owszem, miłość jest ślepa, ale jeszcze bardziej zaślepia potrzeba bycia kochanym.

Właśnie tego nauczył się Titus. Ludzie są nie tyle łatwowierni, ile zdesperowani. A może, podsumował, to dwie strony tego samego medalu.

Teraz ta idealna operacja najwyraźniej natrafiła na poważną przeszkodę. Z perspektywy czasu Titus miał pretensje tylko do siebie. Stał się leniwy. Tak długo wszystko szło gładko, że stracił czujność. Kiedy Kat odezwała się do Rona Kochmana na YouAreJustMyType.com, powinien był natychmiast usunąć ten profil i zerwać kontakt. Nie zrobił tego z kilku powodów.

Po pierwsze, był bliski usidlenia kolejnych dwóch ofiar za pomocą tego konta. Kosztowało go to dużo pracy. Nie chciał ich stracić z powodu czegoś, co na pierwszy rzut oka wyglądało na typową próbę nawiązania kontaktu z byłym partnerem. Po drugie, nie miał pojęcia, że Kat jest policjantką. Nie próbował jej sprawdzić. Z góry założył, że to samotna dziewczyna, którą skutecznie odstraszy gadka spod znaku „nie wracajmy do przeszłości". Mylił się. Po trzecie, Kat nie zwróciła się do niego imieniem Ron, tylko Jeff, więc Titus uznał, że pewnie pomyliła go z innym podobnym facetem albo Ron kiedyś był znany jako Jeff, a zatem było go jeszcze trudniej znaleźć, co czyniło fałszywy profil skuteczniejszym.

To również był błąd.

Jednak chociaż teraz mógł to wszystko spokojnie przeanalizować, nadal nie rozumiał, w jaki sposób Kat połączyła elementy układanki. W jaki sposób na podstawie krótkiej wymiany wiadomości w serwisie randkowym detektyw Kat Donovan dotarła do Dany Phelps, Gerarda Remingtona i Marthy Paquet?

Musi się tego dowiedzieć.

Dlatego nie może po prostu jej zabić i zapomnieć. Musi ją schwytać i skłonić do mówienia, żeby stwierdzić, jak bardzo mu zagraża. Zastanawiał się, czy jego idealna operacja nie dobiegła końca. Niewykluczone. Jeśli się dowie, że Kat była bliska rozwiązania zagadki lub podzieliła się z kimś swoją wiedzą, będzie zmuszony skasować całe przedsięwzięcie — czyli zabić pozostałe cele, pogrzebać je, spalić gospodarstwo i uciec z zagarniętymi pieniędzmi.

Mimo wszystko koniecznie chciał odzyskać równowagę. Nie może wpadać w panikę i działać zbyt strachliwie. Nie podejmie ostatecznej decyzji, dopóki nie pozna więcej faktów. Musi znaleźć Kat Donovan i dowiedzieć się, co ona wie, a potem sprawić, żeby zniknęła. Z jakiegoś powodu ludzie wierzą w mit, że jeśli kogoś zabijesz, sprawiedliwość dopadnie cię ze zdwojoną siłą. Tak naprawdę trupy nie mówią. Zaginione zwłoki nie pozostawiają tropów. Ryzyko jest znacznie większe, gdy puści się swoje ofiary albo wrogów wolno.

Zawsze warto całkowicie się ich pozbyć.

Titus zamknął oczy i odchylił głowę na oparciu siedzenia. Jazda do Nowego Jorku zajmie około trzech godzin. Może się zdrzemnąć, dzięki czemu będzie wypoczęty przed tym, co go czeka.

36

Kat znieruchomiała na podwórku tego zwyczajnego domu w Montauk, czując, jak ziemia się rozwiera, by ją pochłonąć. Osiemnaście lat temu Jeff powiedział, że już nie chce się z nią ożenić, a teraz stał w odległości zaledwie trzech metrów. Przez dłuższą chwilę oboje milczeli. Kat widziała na jego twarzy ból oraz zagubienie i zastanawiała się, czy on widzi to samo u niej.

Kiedy w końcu się odezwał, zwrócił się do starszego mężczyzny:

— Mógłbyś nas na chwilę zostawić, Sam?

— Tak, oczywiście.

Kątem oka zobaczyła, jak tamten zamyka książkę i wchodzi do domu. Ona i Jeff wciąż nie spuszczali z siebie wzroku. Przypominali dwójkę czujnych rewolwerowców czekających na pierwszy ruch przeciwnika albo raczej dwie niedowierzające dusze, które obawiają się, że jeśli któraś z nich odwróci się czy choćby mrugnie, druga zniknie, rozpadając się w proch.

Jeff miał łzy w oczach.

— Boże, jak dobrze cię widzieć.

— Ciebic też — odpowiedziała.

Cisza.

— Naprawdę powiedziałam: „ciebie też”? — dodała.

— Kiedyś byłaś lepsza w ripostach.

— Kiedyś w wielu rzeczach byłam lepsza.

Pokręcił głową.

— Świetnie wyglądasz.

Uśmiechnęła się do niego.

— Ty też... Hej, to mi wchodzi w krew.

Jeff podszedł do niej z rozpostartymi ramionami. Miała ochotę paść mu w objęcia. Chciała, żeby ją przytulił, przycisnął do piersi, a potem może odsunął się i czule pocałował, czekając, aż ostatnie osiemnaście lat stopnieje jak poranny szron. Ale — być może był to manewr obronny — tylko cofnęła się o krok i uniosła dłoń. Zatrzymał się, zaskoczony, zaraz jednak pokiwał głową.

— Co tutaj robisz, Kat?

— Szukam dwóch zaginionych kobiet.

Kiedy to powiedziała, poczuła się pewniej. Nie przeszła przez to wszystko, żeby rozniecić płomień, który jej dawny narzeczony zgasił lata temu. Przyjechała, żeby rozwiązać sprawę.

— Nie rozumiem — odparł.

— Nazywają się Dana Phelps i Martha Paquet.

— Nigdy o nich nie słyszałem.

Spodziewała się takiej odpowiedzi. Gdy uprzytomniła sobie, że to ona pierwsza napisała „To ja, Kat”, reszta szybko stała się jasna.

— Masz laptop? — spytała.

— Jasne, dlaczego pytasz?

— Mógłbyś go przynieść?

— Nadal nie...

— Przynieś go, Jeff. Dobrze?

Pokiwał głową. Kiedy wszedł do domu, Kat padła na kolana, czując, że ciało odmawia jej posłuszeństwa. Miała ochotę zapomnieć o zaginionych kobietach, położyć się na ziemi i płakać, rozmyślając o wszystkich niewykorzystanych szansach w swoim głupim życiu.

Zdołała się podnieść kilka sekund przed powrotem Jeffa. Włączył laptop i go jej podał. Usiadła przy stoliku piknikowym, a Jeff zajął miejsce naprzeciwko.

— Kat?

Słyszała ból w jego głosie.

— Nie teraz. Proszę. Po prostu pozwól mi to zrobić, dobrze?

Weszła na stronę YouAreJustMyType.com i wywołała jego profil.

Zniknął.

Ktoś zwiera szeregi. Szybko otworzyła skrzynkę e-mailową i znalazła link do nieaktywnej strony facebookowej, który przesłał jej Brandon. Obróciła laptop.

— Byłeś na Facebooku?

Jeff zmrużył oczy, patrząc na ekran.

— Tak mnie znalazłaś?

— To mi pomogło.

— Skasowałem konto, kiedy tylko się o nim dowiedziałem.

— Z internetu nic nie znika bezpowrotnie.

— Dzisiaj rano spotkałaś moją córkę, gdy jechała do szkoły.

Kat pokiwała głową. A więc córka do niego zadzwoniła po ich rozmowie. Kat mogła się tego spodziewać.

— Kilka lat temu Melinda... tak ma na imię... uznała, że jestem samotny. Jej matka zmarła wiele lat temu. Nie umawiam się z kobietami ani nic w tym stylu, więc stwierdziła, że przynajmniej mógłbym mieć profil na Facebooku. Żeby skontaktować się z dawnymi znajomymi albo kogoś poznać. Wiesz, jak to jest.

— Więc to twoja córka założyła konto?

— Tak. Chciała mi zrobić niespodziankę.

— Wiedziała, że kiedyś nazywałeś się Jeff Raynes?

— Wtedy jeszcze nie. Gdy tylko się dowiedziałem, skasowałem profil. Potem jej wyjaśniłem, że kiedyś byłem kimś innym.

Kat popatrzyła mu w oczy. Wciąż miał przeszywające spojrzenie.

— Dlaczego zmieniłeś nazwisko?

Pokręcił głową.

— Wspomniałaś coś o zaginionych kobietach.

— Tak.

— Po to tutaj przyjechałaś?

— Tak. Ktoś cię wykorzystał jako przynętę.

— Przynętę?

— Użył twoich zdjęć i stworzył internetowy profil na stronie dla singli — wyjaśniła rzeczowym głosem. Potrzebowała spokoju. Musiała skupić się na faktach, liczbach i definicjach, zapominając o emocjach. — Zaginęły dwie kobiety, które się na niego złapały.

— Nie miałem z tym nic wspólnego — oświadczył Jeff.

— Teraz już to wiem.

— Jak się w to wplątałaś?

— Jestem policjantką.

— Prowadzisz dochodzenie w tej sprawie? Ktoś jeszcze mnie rozpoznał?

— Nie. Zarejestrowałam się na stronie YouAreJustMyType.com. A raczej moja przyjaciółka zrobiła to w moim imieniu. Zobaczyłam twój profil i napisałam do ciebie. — Prawie się uśmiechnęła. — Wysłałam ci teledysk do *Missing You*.

Uśmiechnął się.

— John Waite.

— No właśnie.

— Uwielbiałem ten teledysk. — W jego oczach zabłysło coś na kształt nadziei. — Więc, eee... nie masz nikogo?

— Nie mam.

— Nigdy nie byłaś...

— Nie.

Oczy Jeffa znów napełniły się łzami.

— Matka Melindy zaszła ze mną w ciążę, kiedy oboje byliśmy pijani, a nasze życie przypominało bagno. Mnie udało się wydostać, ona nie miała tyle szczęścia. W domu jest mój były teść. Mieszkamy tutaj we troje, odkąd moja żona zmarła. Melinda miała wtedy półtora roku.

— Przykro mi.

— W porządku. Po prostu chciałem, żebyś wiedziała.

Kat spróbowała przełknąć ślinę.

— To nie moja sprawa.

— Pewnie masz rację — odparł Jeff. Popatrzył w lewo i zamrugał. — Chciałbym ci jakoś pomóc w kwestii tych zaginionych kobiet, ale niczego nie wiem.

— Zdaję sobie z tego sprawę.

— A jednak przyjechałaś do mnie z tak daleka.

— Nie mieszkam aż tak daleko. Poza tym musiałam się upewnić.

Jeff odwrócił się w jej stronę. Boże, wciąż był tak cholernie przystojny.

— I upewniłaś się?

Jej świat się rozpadał. Miała zawroty głowy. Nie wierzyła,

że jeszcze kiedyś zobaczy jego twarz i usłyszy głos. Ból był bardziej dotkliwy, niż mogła przypuszczać. Cierpienie wywołane przez ich gwałtowne rozstanie stało się jeszcze wyraźniejsze, gdy zobaczyła jego piękną, udręczoną, niezapomnianą twarz.

Nadal go kochała.

Niech to wszystko szlag. Nienawidziła się za to. Czuła się słaba, głupia i naiwna.

Nadal go kochała.

— Jeff?

— Tak?

— Dlaczego ode mnie odszedłeś?

■ ■ ■

Pierwszy pocisk uderzył w drzewo niecałe dziesięć centymetrów od głowy Dany.

Kawałki kory trafiły ją w lewe oko. Przypadła do ziemi i zaczęła uciekać na czworakach. Drugi i trzeci pocisk przeleciały jej nad głową. Nie miała pojęcia, jak wysoko.

— Dano?

W głowie miała tylko jedną świadomą myśl: oddalić się od tego mięśniaka. To on ją zamknął w tej cholernej skrzyni. To on kazał jej się rozebrać. To przez niego miała na sobie tylko kombinezon i skarpety.

Żadnych butów.

Teraz uciekała przed tym psycholem przez las w samych skarpetkach.

Nie dbała o to.

Jeszcze zanim Mięśniak zamknął ją pod ziemią, Dana Phelps zrozumiała, że została oszukana. Początkowo najgorsze nie były ból ani strach, tylko upokorzenie i pogarda dla samej siebie za to, że dała się omotać kilku zdjęciom i gładkim słówkom.

Boże, jakie to żałosne...

Jednak kiedy warunki się pogorszyły, odrzuciła od siebie te myśli. Jej jedynym celem stało się przetrwanie. Wiedziała, że nie ma sensu sprzeciwiać się mężczyźnie, który nazywał siebie Titusem. Był gotów zrobić wszystko, żeby zdobyć informacje. Może trochę udawała, że jest załamana — miała nadzieję, że dzięki temu stracą czujność — ale i tak czuła się fatalnie.

Nie miała pojęcia, ile dni spędziła w skrzyni. Nie było tam wschodów ani zachodów słońca, zegarów, światła, nawet mroku.

Tylko ciemność zimna jak kamień.

— Wyjdź, Dano. To nie ma sensu. Przecież cię wypuścimy, pamiętasz?

Tak, jasne.

Wiedziała, że zamierzają ją zabić, a może mają jeszcze gorsze zamiary, na co wskazywały przygotowania Mięśniaka. Podczas ich pierwszego spotkania Titus był bardzo przekonujący. Starał się dać jej nadzieję, co ostatecznie było okrutniejsze niż uwięzienie w skrzyni. Ale Dana wiedziała. Titus pokazał swoje prawdziwe oblicze. Podobnie jak tamten maniak komputerowy, Mięśniak oraz dwaj strażnicy, których widziała.

Leżąc całymi dniami w ciemności, zastanawiała się, jak zamierzają ją zabić. Raz usłyszała strzał. Jakie to będzie uczucie? A może po prostu zostawią ją w tej skrzyni i przestaną jej rzucać garstki ryżu?

Czy to miało jakieś znaczenie?

Teraz, gdy wyszła spod ziemi i znalazła się na otwartym terenie, rozległym, pięknym i zapierającym dech w piersiach, poczuła się wolna. Jeśli ma umrzeć, przynajmniej stanie się to na jej warunkach.

Nie przestawała biec. Owszem, współpracowała z Titusem. Co by zyskała, gdyby odmówiła? Kiedy została zmuszona do telefonicznego potwierdzenia przelewów, miała nadzieję, że Martin Bork usłyszy coś w jej głosie albo że uda się jej przemycić jakąś subtelną wiadomość. Jednak Titus trzymał jeden palec na przycisku przerywającym połączenie, a drugi na spuście pistoletu.

No i pozostawała jeszcze jego największa groźba...

— Nie chcesz tego, Dano! — zawołał Mięśniak.

Już wszedł do lasu. Przyspieszyła, wiedząc, że potrafi przezwyciężyć wyczerpanie. Zwiększała dystans, zwinnie pędząc przez zarośla, uchylając się przed gałęziami i omijając drzewa, aż nagle stanęła na czymś i usłyszała ostry trzask.

Z trudem powstrzymała okrzyk bólu.

Zatoczyła się w bok i oparła o drzewo. Utrzymała się na jednej nodze i chwyciła dłonią za lewą stopę. Patyk przełamał się na dwie ostre części, z których jedna przecięła jej podeszwę i w niej utkwiła. Dana próbowała wyciągnąć kawałek drewna, ale ani drgnął.

Mięśniak biegł w jej stronę.

Zaślepiona paniką, odłamała jak największą część patyka, pozostawiając drzazgę sterczącą z podeszwy.

— Ścigamy cię w trójkę! — zawołał Mięśniak. — Znajdziemy cię. Ale nawet jeśli nam się nie uda, to i tak mam twoją komórkę. Mogę wysłać SMS do Brandona. Napiszę w twoim imieniu, że limuzyna zabierze go do mamusi.

Przypadła do ziemi, zamknęła oczy i starała się nie słuchać.

To właśnie była najpoważniejsza groźba Titusa — jeśli Dana nie będzie współpracować, dopadną Brandona.

— Twój syn umrze w twojej skrzyni! — krzyczał Mięśniak. — Jeśli mu się poszczęści.

Pokręciła głową, a po jej policzkach spłynęły łzy strachu i wściekłości. Przez chwilę chciała się poddać. Ale nie, nie słuchaj tego człowieka. Pieprzyć go i jego groźby. Nawet jeżeli wróci, nie zagwarantuje swojemu synowi bezpieczeństwa.

Tylko uczyni go sierotą.

— Dano?

Doganiał ją.

Z trudem wstała. Skrzywiła się, kiedy postawiła stopę na ziemi, lecz nie miała innego wyjścia. Zawsze lubiła biegać, codziennie uprawiała jogging. Ćwiczyła biegi przełajowe podczas nauki na Uniwersytecie Wisconsin, gdzie poznała Jasona Phelpsa, miłość swojego życia. Jason żartował sobie z jej uzależnienia od euforii biegacza. „Ja jestem uzależniony od niebiegania", wielokrotnie powtarzał. Jednak mimo wszystko był z niej dumny. Jeździł z nią na każdy maraton. Czekał przy linii mety i rozpromieniał się, kiedy ją przekraczała. Nawet kiedy już był chory i ledwie mógł wstać z łóżka, namawiał ją do startów i czekał na nią na mecie w kocu okrywającym coraz chudsze nogi, wypatrując jej na ostatnim zakręcie umierającymi oczami.

Nie pobiegła w żadnym maratonie od śmierci Jasona. Wiedziała, że już nigdy tego nie zrobi.

Słyszała wiele wzniosłych słów o śmierci, ale była tylko jedna uniwersalna prawda: śmierć jest do dupy. Głównie dlatego, że ci, którzy pozostają, muszą żyć dalej. Śmierć nie jest na tyle miłosierna, żeby zabrać również ciebie. Zamiast tego stale ci przypomina, że życie trwa, niezależnie od wszystkiego.

Próbowała przyspieszyć. Jej mięśnie i płuca były chętne, lecz rana coraz bardziej dawała jej się we znaki. Starała się odciążać lewą stopę, przezwyciężyć przeszywający ból, ale za każdym razem, gdy stawiała ją na ziemi, miała wrażenie, że ktoś wbija jej sztylet w podeszwę.

Prześladowca się zbliżał.

Jak okiem sięgnąć, otaczał ją las. Mogła biec dalej — taki miała zamiar — ale co się stanie, jeśli nigdy nie znajdzie drogi wyjścia? Jak długo zdoła wytrzymać z kawałkiem drewna w stopie, ścigana przez szaleńca?

Niezbyt długo.

Skoczyła w bok i wtoczyła się za skałę. Mięśniak był już blisko. Słyszała, jak przedziera się przez zarośla. Nie miała wyboru. Nie mogła dalej biec.

Będzie musiała stawić mu czoło.

37

— Dlaczego ode mnie odszedłeś?

Jeff skrzywił się, trafiony tymi słowami jak pięścią. Z jakiegoś powodu Kat ujęła jego dłoń. Nie bronił się. Kiedy się dotknęli, nic ich nie poraziło, nie przeskoczyła żadna potężna iskra ani nie porwał ich potężny prąd. To dziwne, ale poczuli się bezpiecznie. Jak w domu. Mieli wrażenie, że pomimo upływu lat, całego cierpienia i swoich odmiennych losów robią to, co należy.

— Przepraszam — powiedział Jeff.

— Nie chcę przeprosin.

— Wiem.

Spletli palce. Siedzieli, trzymając się za ręce. Kat nie naciskała. Płynęła z nurtem. Nie walczyła. Otworzyła się na bliskość z tym mężczyzną, który złamał jej serce, chociaż wiedziała, że powinna go odepchnąć.

— To było dawno temu — rzucił Jeff.

— Osiemnaście lat.

— Właśnie.

Kat przekrzywiła głowę.

— Czujesz, że upłynęło tyle czasu?

— Nie — odparł.

Siedzieli tak jeszcze przez jakiś czas. Niebo się rozchmurzyło. Zaświeciło słońce. Kat miała ochotę spytać, czy Jeff pamięta ich wspólny weekend w Amagansett, ale po co miałaby to robić? Co za idiotyzm — siedzi z mężczyzną, który najpierw wręczył jej pierścionek zaręczynowy, a potem wystawił ją do wiatru, i mimo to po raz pierwszy od dawna ona czuje się pewnie. Może to tylko złudzenie. Może sama się oszukuje. Dobrze wiedziała, jak niebezpiecznie jest ufać instynktowi, a nie faktom.

Jednak czuła się kochana.

— Ukrywasz się — stwierdziła.

Nie odpowiedział.

— Bierzesz udział w programie ochrony świadków albo coś w tym rodzaju?

— Nie.

— Więc o co chodzi?

— Potrzebowałem zmiany, Kat.

— Wdałeś się w bójkę w barze w Cincinnati.

Na jego twarzy pojawił się nieznaczny uśmiech.

— Wiesz o tym, co?

— Wiem. To się wydarzyło niedługo po naszym rozstaniu.

— Tak się zaczął okres samozniszczenia w moim życiu.

— Wkrótce po bójce zmieniłeś nazwisko.

Jeff spuścił wzrok, jakby po raz pierwszy zauważył, że trzymają się za ręce.

— Dlaczego to nam przychodzi tak naturalnie? — spytał.

— Co się stało, Jeff?

— Już mówiłem, potrzebowałem zmiany.

— Nie powiesz mi? — Poczuła, że łzy napływają jej do

oczu. — Więc co, mam wstać i sobie pójść? Wrócić do Nowego Jorku, zapomnieć o tym wszystkim i nigdy więcej cię nie zobaczyć?

Nie spuszczał oczu z jej dłoni.

— Kocham cię, Kat.

— Ja też cię kocham.

Głupota. Bezmyślność. Szaleństwo. Szczerość.

Kiedy podniósł na nią wzrok i ich spojrzenia się spotkały, Kat poczuła, że cały świat ponownie wali się jej na głowę.

— Ale nie możemy wrócić do tego, co było — dodał. — To tak nie działa.

Jej komórka ponownie zabrzęczała. Kat dotychczas ją ignorowała, ale teraz Jeff delikatnie odsunął dłoń od jej ręki. Czar — jeśli można było to tak nazwać — prysł. Ziąb przeszył porzuconą dłoń i całą rękę.

Kat sprawdziła, kto dzwoni. To był Chaz. Odeszła od stołu i przystawiła telefon do ucha. Odchrząknęła i odezwała się:

— Halo?

— Martha Paquet przed chwilą wysłała swojej siostrze e-mail.

— Co takiego?

— Napisała, że wszystko jest w porządku. Razem ze swoim chłopakiem zatrzymali się w innej tawernie i świetnie się bawią.

— Właśnie jestem z jej rzekomym chłopakiem. To wszystko oszustwo.

— Jak to?

Opowiedziała o wykorzystaniu fałszywej tożsamości Rona Kochmana. Pominęła to, że wcześniej miał na imię Jeff oraz że była z nim blisko związana. Nie obawiała się upokorzenia, nie chciała jednak wprowadzać niepotrzebnego zamieszania.

— Więc co się, u diabła, dzieje, Kat? — spytał Chaz.

— Coś bardzo, bardzo niedobrego. Rozmawiałeś już z federalnymi?

— Tak, ale na razie mnie ignorują. Może te nowe informacje pomogą nam ruszyć z miejsca, choć na razie nie mamy niemal żadnych dowodów, że doszło do przestępstwa. Ludzie często robią takie rzeczy.

— Jakie rzeczy?

— Oglądałaś program *Catfish*? Mnóstwo ludzi zakłada fałszywe profile na takich stronach. Używają zdjęć atrakcyjniejszych osób, żeby zrobić dobre pierwsze wrażenie. Strasznie mnie to wkurza. Laski zawsze opowiadają, że zwracają uwagę przede wszystkim na osobowość, a potem łup, tracą głowę dla jakiegoś ciacha. Kat, może nie kryje się za tym nic więcej.

Zmarszczyła czoło.

— Więc co, Chaz, ten brzydal albo brzydula tak po prostu namawia innych, żeby przelewali jemu lub jej setki tysięcy dolarów na konta w szwajcarskich bankach?

— Pieniądze Marthy są nienaruszone.

— Na razie. Chaz, posłuchaj mnie. Chciałabym, żebyś sprawdził, czy w ciągu ostatnich kilku miesięcy zniknęły bez śladu jakieś dorosłe osoby. Może zgłoszono zaginięcie, a może tylko podejrzewano ucieczkę z kochankiem. Zapewne nikt nie zwrócił na te sprawy większej uwagi, ponieważ zaginione osoby wysyłały SMS-y albo e-maile, podobnie jak ta trójka. Ale sprawdź, czy którakolwiek z nich korzystała z serwisów randkowych.

— Podejrzewasz, że jest więcej ofiar?

— Tak.

— Dobrze, rozumiem — mruknął Chaz. — Ale nie wiem, czy federalni zrozumieją.

Miał rację.

— Spróbuj nas umówić na spotkanie — odparła Kat. — Zadzwoń do Mike'a Keisera. Jest zastępcą dyrektora FBI w Nowym Jorku. Może lepiej się dogadamy twarzą w twarz.

— Więc wracasz do miasta?

Kat się obejrzała. Jeff wstał od stołu. Miał na sobie dżinsy i obcisłą czarną koszulkę. To wszystko — obrazy, dźwięki, emocje i tak dalej — było niemal nie do zniesienia. Przytłaczało ją do tego stopnia, że czuła się wręcz zagrożona.

— Tak, już jadę.

▪ ▪ ▪

Nie tracili czasu na pożegnania, obietnice ani uściski. Zapewne już powiedzieli wszystko, co zamierzali. Mieli wrażenie, że to wystarczy, a zarazem czuli, że tak wiele pozostało niedopowiedziane. Kat przyjechała tutaj w poszukiwaniu odpowiedzi, tymczasem, jak to zwykle bywa w życiu, wyjeżdżała z nowym zestawem pytań.

Jeff odprowadził ją do samochodu. Skrzywił się, widząc żółte ferrari, a ona wbrew wszystkiemu się roześmiała.

— To twoje? — spytał.

— A gdybym powiedziała, że tak?

— Zacząłbym się zastanawiać, czy od naszego ostatniego spotkania nie wyrósł ci bardzo mały penis.

Nie potrafiła się powstrzymać. Zarzuciła mu ręce na szyję. Zatoczył się do tyłu, ale zaraz odzyskał równowagę i odwzajemnił uścisk. Wtuliła twarz w jego klatkę piersiową i załkała. Objął jej głowę masywną dłonią i mocniej ją przytulił. Zacisnął powieki. Przywarli do siebie, tuląc się coraz bardziej rozpaczliwie, aż w końcu Kat gwałtownie się odepchnęła, bez słowa wsiadła do samochodu i odjechała. Nie oglądała się. Nie zerkała w lusterko wsteczne.

Przejechała kolejne pięćdziesiąt kilometrów jak we mgle, tępo poddając się wskazaniom nawigacji, jakby sama była maszyną. Kiedy doszła do siebie, postanowiła skupić się wyłącznie na sprawie. Pomyślała o wszystkim, czego się dowiedziała — o przynęcie, przelewach, e-mailach, skradzionej tablicy rejestracyjnej i telefonach.

Ogarniała ją coraz większa panika.

To nie może czekać na osobiste spotkanie.

Zaczęła dzwonić do swoich kontaktów, prosząc o pomoc, aż w końcu zdołała się połączyć z Mikiem Keiserem, zastępcą dyrektora FBI.

— Co mogę dla pani zrobić, pani detektyw? Zajmujemy się incydentem, który dziś rano miał miejsce na lotnisku LaGuardia. Oprócz tego muszę nadzorować dwa naloty na handlarzy narkotyków. To pracowity dzień.

— Wiem, że się nie nudzicie, ale mam sprawę dotyczącą zaginięcia co najmniej trzech osób w co najmniej trzech stanach. Jedna pochodzi z Massachusetts, druga z Connecticut, a trzecia z Pensylwanii. Uważam, że może być znacznie więcej ofiar, o których jeszcze nie wiemy. Czy otrzymał pan już raport na ten temat?

— Owszem. Dotarło też do mnie, że pani partner, detektyw Faircloth, próbuje nas umówić, ale naprawdę mamy urwanie głowy z tą sytuacją na LaGuardii. To może być kwestia bezpieczeństwa narodowego.

— Jeżeli ci ludzie są przetrzymywani wbrew swojej woli...

— Nie ma pani na to żadnych dowodów. Zresztą czy to prawda, że każda z rzekomych ofiar kontaktowała się ze swoimi krewnymi lub przyjaciółmi?

— Ale teraz żadna z nich nie odbiera telefonu. Podejrzewam, że wcześniejsze e-maile i telefony zostały wymuszone.

— Na jakiej podstawie?

— Niech pan popatrzy na to z szerszej perspektywy.

— Proszę się streszczać, pani detektyw.

— Zacznijmy od dwóch kobiet. Obie nawiązały internetową znajomość z tym samym facetem...

— Który tak naprawdę był kimś innym.

— Właśnie.

— Ktoś tylko wykorzystywał jego zdjęcia.

— Zgadza się.

— Co chyba zdarza się dosyć często.

— To prawda, ale dalszy ciąg jest nietypowy. Obie kobiety wyjeżdżają z tym samym facetem w odstępie tygodnia.

— Nie wie pani, że to ten sam facet.

— Słucham?

— Kilka osób mogło korzystać z tego samego fałszywego profilu.

Kat o tym nie pomyślała.

— Nawet jeśli tak było, żadna z tych kobiet nie wróciła ze swojej wycieczki.

— Co również nie jest zaskakujące. Jedna przedłużyła wyjazd. Druga wyjechała dopiero wczoraj, tak?

— Panie dyrektorze, jedna z tych kobiet przelała mnóstwo pieniędzy ze swojego rachunku i rzekomo przeprowadza się do Kostaryki.

— Czy nie dzwoniła do swojego syna?

— Tak, ale...

— Uważa pani, że telefon został na niej wymuszony.

— Tak. Musimy też wziąć pod uwagę sprawę Gerarda Remingtona. On także nawiązał internetową znajomość, a potem zniknął. Jego pieniądze trafiły na to samo konto w szwajcarskim banku.

— Więc według pani co dokładnie się dzieje?

— Myślę, że ktoś żeruje na tych ludziach. Natrafiliśmy na trzy ofiary, ale uważam, że jest ich dużo więcej. Ktoś wabi je obietnicą wakacji z potencjalnym życiowym partnerem, a potem uprowadza i zmusza do współpracy. Jak dotąd żadna z tych osób nie wróciła. Gerard Remington zniknął bez śladu kilka tygodni temu.

— Sądzi pani, że...

— Mam nadzieję, że żyje, ale nie jestem optymistką.

— Naprawdę wierzy pani, że ci ludzie zostali porwani?

— Owszem. Ktokolwiek za tym stoi, działa sprytnie i ostrożnie. Ukradł tablice rejestracyjne. Z jednym wyjątkiem żadna z ofiar nie korzystała z kart kredytowych, nie wypłacała pieniędzy z bankomatów ani nie wykonywała żadnych innych czynności, które można namierzyć. Ci ludzie po prostu zniknęli.

Kat czekała.

— No dobrze, muszę iść na zebranie w sprawie zamieszania na lotnisku, przyznaję jednak, że ta sprawa śmierdzi. W tej chwili nie dysponuję wolnymi ludźmi, ale obiecuję, że się tym zajmiemy. Proszę nam przekazać nazwiska tych trzech osób. Będziemy nadzorować ich konta, sprawdzimy karty kredytowe i rejestry połączeń telefonicznych. Przesłuchamy ludzi od serwisu randkowego i zobaczymy, co nam powiedzą o założycielach tych profili. Chociaż nie wiem, czy czegokolwiek się w ten sposób dowiemy. Przestępcy zawsze korzystają z anonimowych wirtualnych sieci prywatnych. Sprawdzę także, czy uda się skłonić właścicieli serwisu do zamieszczenia ostrzeżenia na stronie głównej, choć wątpię, żeby byli skłonni do współpracy, bo zaszkodzi im to w interesach. Departament Skarbu może podjąć trop pieniędzy. Zgłoszono dwie podejrzane transakcje, prawda? To powinno wystarczyć, żeby się zaangażowali.

Kat słuchała, jak dyrektor Keiser wymienia kolejne punkty z listy możliwych działań, i doszła do straszliwego, przerażającego wniosku.

To nic nie da.

Ktokolwiek za tym stoi, działa bardzo skutecznie. Owszem, federalni zajmą się tą sprawą, mimo że na razie nie mogą jej traktować priorytetowo. Może nawet, przy odrobinie szczęścia, czegoś się dowiedzą.

W końcu.

Ale co jeszcze Kat może zrobić?

— Pani detektyw? Muszę już iść — zakończył dyrektor Keiser.

— Doceniam, że mi pan uwierzył — powiedziała Kat.

— Niestety, wierzę, ale mam nadzieję, że się pani myli.

— Ja również.

Rozłączyli się. Kat pozostała jeszcze jedna karta do rozegrania. Zadzwoniła do Brandona.

— Gdzie jesteś? — spytała.

— Wciąż na Manhattanie.

— Znalazłam faceta, z którym rzekomo wyjechała twoja mama.

— Co takiego?

— Myślę, że od początku miałeś rację i twojej mamie przydarzyło się coś złego.

— Ale przecież z nią rozmawiałem — zaoponował chłopak. — Powiedziałaby mi, gdyby coś było nie w porządku.

— Nie, jeśli czuła, że w ten sposób naraziłaby siebie albo ciebie na niebezpieczeństwo.

— Uważasz, że właśnie tak się stało?

Nie było powodu dalej udawać.

— Owszem, właśnie tak uważam.

— O Boże.

— Sprawą już zajęło się FBI. Wykorzystają każdy legalny sposób, żeby odkryć, co się wydarzyło. — Powtórzyła najważniejsze słowo: — Legalny.

— Kat?

— Tak?

— Czy w ten sposób chcesz mi zasugerować, żebym ponownie włamał się na tamtą stronę internetową?

Pieprzyć gładką gadkę.

— Tak.

— Dobrze, jestem teraz w kawiarni niedaleko twojego domu. Będę potrzebował spokoju i silniejszego łącza.

— Chcesz skorzystać z mojego mieszkania?

— Tak, tam będzie dobrze.

— Dam znać portierowi, żeby cię wpuścił. Ja też już tam jadę. Zadzwoń do mnie, jeśli czegoś się dowiesz: kto zamieścił profile, czy zarejestrował jeszcze jakieś konta, z kim się kontaktował i tak dalej. Jeśli chcesz, poproś o pomoc znajomych. Musimy się dowiedzieć wszystkiego.

— Załatwione.

Rozłączyła się, zadzwoniła do portiera, a następnie mocniej wcisnęła pedał gazu, chociaż miała wrażenie, że pędzi bez celu. Zaczynała ją ogarniać panika. Im więcej się dowiadywała, tym bardziej bezsilna się czuła. Zawodowo i osobiście.

Kiedy jej telefon ponownie zadzwonił, na ekranie wyświetliła się informacja „numer zastrzeżony”.

Kat odebrała połączenie.

— Halo?

— Mówi Leslie.

Chudzielec od Cozone'a. Nawet przez telefon wyczuwała jego niepokojący uśmiech.

— Co się stało? — spytała.

— Znalazłem Złotko.

38

Mięśniak się zbliżał.

W swojej kryjówce za głazem Dana Phelps rozglądała się za jakąś bronią. Kamieniem. Leżącą gałęzią. Czymkolwiek. Zaczęła obmacywać grunt dookoła siebie, ale znalazła tylko niegroźne kamyki oraz gałązki zbyt wątłe nawet na ptasie gniazdo.

— Dano?

Tembr jego głosu wskazywał na to, że szybko się zbliża. Broń, broń. Wciąż niczego nie miała. Pomyślała o kamykach. Może zmiesza je z piachem i ciśnie mu w twarz. Jeśli trafi w oczy, na chwilę go oślepi, a wtedy...

Wtedy co?

Cały plan był idiotyczny. Element zaskoczenia pozwolił jej uciec ze stodoły, a wytrenowanie i przypływ adrenaliny umożliwiły oddalenie się od prześladowcy, jednak Mięśniak był od niej większy, silniejszy i miał pistolet. Wyglądał na najedzonego i zdrowego, podczas gdy ona nie wiadomo jak długo przebywała w podziemnym wiezieniu karmiona garstką ryżu.

Była bez szans.

Jaką przewagą dysponowała w tej walce Dawida z Goliatem? Nie miała nawet procy. Jedyne, na co być może mogła liczyć, to element zaskoczenia. Ukryła się za głazem. Mięśniak za chwilę ją ominie. Powinna się na niego rzucić i go zaskoczyć. Zaatakować oczy i krocze z wściekłością, na jaką stać tylko kogoś, kto walczy o życie.

Ale czy to w ogóle możliwe?

Nie bardzo.

Usłyszała, że zwolnił. Teraz stawiał kroki z większą czujnością. Świetnie. Straciła nawet element zaskoczenia.

Więc co jej pozostało?

Nic.

Każda część jej ciała mdlała z wyczerpania. Chciała mieć to już za sobą. Niech zrobi z nią, co zechce. Może ją zabić na miejscu. Pewnie tak właśnie postąpi. Albo zaprowadzi ją z powrotem do stodoły i zrobi te wszystkie potworności, które zaplanował, żeby wydobyć z niej informacje dotyczące policjantki, o którą pytał Titus.

Dana nie kłamała. Nie miała pojęcia, kim jest Kat Donovan, ale to najwyraźniej nie miało znaczenia dla niego ani Mięśniaka. Była dla nich czymś mniej wartym od zwierzęcia (wystarczy spojrzeć na psa Mięśniaka). Czymś nieożywionym, martwym jak ten głaz, przedmiotem, który należy usunąć z drogi albo rozbić na kawałki, w zależności od potrzeby. Co innego, gdyby byli po prostu okrutni lub sadystyczni, lecz oni byli znacznie gorsi.

Byli do szczętu pragmatyczni.

Kroki Mięśniaka się zbliżały. Dana spróbowała zmienić pozycję ciała, żeby móc się na niego rzucić, gdy będzie ją mijał, ale mięśnie odmawiały jej posłuszeństwa. Usiłowała znaleźć nadzieję w fakcie, że Titus najwyraźniej wystraszył się tej Kat.

Przejął się nią.

Usłyszała to w jego głosie i pytaniach, jak również świadczył o tym fakt, że pozostawił ją w rękach Mięśniaka. Widziała, jak wybiegł z domu i odjechał.

Dlaczego tak bardzo się zmartwił?

Czy detektyw Kat Donovan, kobieta o miłej i serdecznej twarzy, którą Dana zobaczyła na ekranie komputera, jest na jego tropie? Czy właśnie jedzie na ratunek Danie?

Mięśniak był niecałe dziesięć kroków od niej.

To bez znaczenia. Nic jej nie pozostało. Bolała ją stopa. Huczało jej w głowie. Nie miała broni, siły ani doświadczenia.

Jeszcze pięć kroków.

Teraz albo nigdy.

Dotrze do niej za kilka sekund...

Dana zamknęła oczy i wybrała... nigdy.

Przypadła do ziemi, zakryła głowę i pomodliła się w myślach. Mięśniak zatrzymał się przy głazie. Dana miała opuszczoną głowę, twarz niemal zakopała w piachu. Przygotowała się na cios.

Ale ten nie nadszedł.

Mięśniak ponownie ruszył, przedzierając się przez zarośla. Nie zauważył jej. Dana się nie poruszała. Leżała równie nieruchomo jak głaz. Nie potrafiła powiedzieć, jak długo to trwało. Pięć minut. Może dziesięć. Kiedy odważyła się zerknąć, Mięśniak zniknął.

Zmiana planów.

Ruszyła z powrotem w stronę domu.

▪ ▪ ▪

Leslie podał Kat adres szeregowca na rogu Lorimer i Noble w brooklińskim Greenpoint, niedaleko kościoła baptystów. W okolicy wnosiły się domy z czerwonej cegły z betonowymi tarasami. Kat minęła zaniedbany budynek z tymczasowym szyldem „Hawajskie solarium". Nie potrafiła sobie wyobrazić dziwniejszego zestawienia niż hawajska opalenizna i Greenpoint.

Nie było wolnych miejsc do parkowania, więc zatrzymała żółte ferrari przed hydrantem. Wspięła się na taras. Przy dzwonku mieszkania na piętrze umieszczono odklejającą się plastikową taśmę z nazwiskiem A. PARKER. Kat wcisnęła guzik i usłyszała dzwonienie.

Po chwili czarnoskóry mężczyzna z ogoloną głową hałaśliwie zszedł po schodach i otworzył drzwi. Miał na sobie robocze rękawiczki i niebieski kombinezon z logo telewizji kablowej. Pod lewą pachą trzymał żółty kask.

— O co chodzi? — spytał, stając w drzwiach.

— Szukam Złotka.

Mężczyzna zmrużył oczy.

— Kim pani jest?

— Nazywam się Kat Donovan.

Przez chwilę się jej przyglądał.

— Czego pani chce od Złotka?

— Chodzi o mojego ojca.

— To znaczy?

— Złotko kiedyś go znała. Chciałabym tylko porozmawiać z nią przez chwilę.

Zerknął ponad jej głową, a następnie rozejrzał się po ulicy. Zauważył żółte ferrari. Zastanawiała się, czy on także je skomentuje, ale tego nie zrobił. Popatrzył w drugą stronę.

— Przepraszam, panie...?

— Parker. Anthony Parker. — Ponownie spojrzał w lewo, lecz najwyraźniej tylko grał na zwłokę. Widać było, że nie wie, jak się zachować.

— Jestem sama — zapewniła go Kat.

— Widzę.

— Nie chcę sprawiać żadnych kłopotów. Chciałabym jedynie zadać jej kilka pytań.

Popatrzył Kat w oczy. Zmusił się do uśmiechu.

— Niech pani wejdzie. — Otworzył drzwi na oścież i je przytrzymał.

Kat weszła do przedsionka i wskazała schody.

— Na piętrze? — spytała.

— Tak.

— Złotko tam jest?

— Będzie.

— Kiedy?

— Za chwilę — odparł Anthony Parker. — To ja jestem Złotko.

▪ ▪ ▪

Dana musiała się przemieszczać powoli.

Do poszukiwań dołączyli dwaj inni mężczyźni. Jeden miał karabin, a drugi pistolet. Porozumiewali się z Reynaldem za pomocą komórek albo walkie-talkie z zestawami słuchawkowymi. Przeczesywali las, uniemożliwiając jej pójście prostą drogą do domu. Często musiała się na kilka minut zatrzymywać.

To bardzo dziwne, ale uwięzienie pod ziemią niemal ją na to przygotowało. Odczuwała ból w całym ciele, lecz starała się go ignorować. Była zbyt zmęczona, żeby płakać. Rozważała znalezienie dobrej kryjówki i czekanie, aż ktoś przybędzie ją uratować.

Ale to by się nie sprawdziło.

Po pierwsze, potrzebowała pożywienia. Zanim to wszystko się zaczęło, już była odwodniona. Teraz czuła się coraz gorzej. Poza tym trzej mężczyźni krążyli po lesie, zmuszając ją do ciągłego ruchu. W pewnej chwili jeden z nich znalazł się tak blisko, że podsłuchała, jak Mięśniak mówi: „Jeśli odeszła tak daleko, to umrze, zanim zdoła wrócić".

To była wskazówka. Nie oddalaj się od gospodarstwa. Poza nim niczego nie ma. Co więc powinna zrobić?

Nie pozostawili jej wyboru. Musi wrócić do domu.

Dlatego już od... nie miała pojęcia, od jak dawna; upływ czasu stracił znaczenie... była w ciągłym ruchu, przesuwając się każdorazowo o metr albo dwa. Trzymała się nisko nad ziemią. Nie miała kompasu, ale mniej więcej wiedziała, w którą stronę powinna iść. Uciekała po linii prostej. W drodze powrotnej musiała kluczyć.

Las był gęsty, więc czasami bardziej polegała na słuchu niż wzroku, w końcu jednak wydało się jej, że widzi w oddali polanę.

A może to tylko pobożne życzenia.

Podczołgała się bliżej jak komandos, wykorzystując resztki nadwątlonych sił. Nic z tego — taki sposób przemieszczania się był zbyt wyczerpujący. Zaryzykowała i wstała, czując, że kręci się jej w głowie od przypływu krwi, ale za każdym razem, gdy stawiała stopę na ziemi, jej nogę przeszywał ból. Ponownie opadła i spróbowała iść na czworakach.

W ten sposób poruszała się wolniej.

Pięć, może dziesięć minut później pokonała ostatnią linię drzew i dotarła na polanę, na której stał dom.

Co teraz?

Jakimś cudem zdołała wrócić dokładnie w to miejsce, w którym weszła do lasu. Przed sobą widziała tylną ścianę stodoły. Po prawej stronie stał dom. Trzeba ruszać dalej. Tutaj była zbyt widoczna.

Puściła się biegiem w stronę stodoły.

Miała nadzieję, że czując oddech śmierci na karku, zdoła przezwyciężyć ból stopy, ale się przeliczyła. Przeszywający ból zmienił bieg w niezdarne skakanie na jednej nodze. Bolały ją stawy. Napinały się mięśnie.

Jednak wiedziała, że zginie, jeśli się zatrzyma. Rachunek był prosty.

Niemal przewróciła się na ścianę stodoły i z całych sił do niej przywarła, jakby to mogło ją uczynić niewidzialną.

Na razie była bezpieczna.

No dobrze. Jeszcze nikt jej nie zauważył. To najważniejsze. Co dalej?

Znaleźć pomoc.

Jak?

Zastanawiała się, czy nie pobiec drogą dojazdową, która musiała prowadzić do wyjścia. Niestety, nie miała pojęcia, jak daleko się ono znajduje, a co gorsza, czy jest otwarte. Łatwo byłoby ją zauważyć i przechwycić.

Jednak brała to pod uwagę.

Wyciągnęła szyję, próbując dostrzec koniec drogi. Była za daleko.

I co teraz?

Miała dwie możliwości. Mogła pobiec drogą. Podjąć ryzyko.

Albo gdzieś się ukryć, w nadziei, że ktoś przyjdzie jej z pomocą bądź uda jej się wymknąć pod osłoną ciemności.

Nie potrafiła jasno myśleć. Ukrywanie się do zmroku wydawało się wykonalne, ale nie mogła liczyć na rychły ratunek. Jej zmęczony, zagubiony mózg przeanalizował wszystkie za i przeciw, po czym doszedł do następującego wniosku: ucieczka jest najlepszym z całej puli fatalnych rozwiązań. Owszem, nie miała pojęcia, jak bardzo jest oddalona od szosy albo innych ludzi. Jednak nie mogła tutaj zostać i czekać na powrót Mięśniaka.

Przeszła zaledwie dziesięć metrów, gdy nagle otworzyły się drzwi domu. Na werandę wyszedł informatyk w wełnianej czapce, przyciemnianych okularach i barwnej koszuli. Dana pokuśtykała w lewo i rzuciła się głową naprzód do wnętrza stodoły. Na czworakach przedostała się do metalowego stołu z narzędziami. Sznur, którym Mięśniak zamierzał ją związać, wciąż leżał na podłodze.

Czekała, żeby sprawdzić, czy informatyk wejdzie do stodoły. Nie pojawił się. Czas mijał. Musiała zaryzykować. Ta „kryjówka" była zbyt odsłonięta. Powoli wyczołgała się spod stołu. Na ścianie przed nią wisiały narzędzia, wśród nich kilka pił, drewniany młotek, szlifierka.

A także siekiera.

Dana spróbowała wstać. Krew ponownie uderzyła jej do głowy. Przed oczami pokazały się mroczki, aż musiała przyklęknąć.

Wolniej. Spokojnie.

Pobiegnięcie drogą już nie wydawało się możliwe.

Oddychaj głęboko.

Powinna się ruszyć. Mięśniak i jego koledzy wkrótce wrócą. Z trudem wstała i sięgnęła po siekierę. Ściągnęła ją ze ściany.

Siekiera była cięższa, niż na to wyglądała, tak że Dana prawie upadła. Odzyskała równowagę i oburącz chwyciła rękojeść.

Miłe uczucie.

Ale co dalej?

Wyjrzała ze stodoły. Informatyk palił papierosa przy podjeździe.

Nie mogła tamtędy uciec.

Jaka była druga możliwość? Znaleźć sobie kryjówkę, tak?

Obejrzała się. W stodole nie zdoła się schować. Zrozumiała, że najlepiej zrobi, jeśli wróci do domu. Popatrzyła w stronę tylnej części budynku. Wiedziała, że tam mieści się kuchnia.

Kuchnia. Jedzenie.

Sama myśl o tym — o napełnieniu żołądka — przyprawiła ją o zawroty głowy.

Ale przede wszystkim w domu znajdował się komputer. A także telefon.

Sposób na wezwanie pomocy.

Facet w wełnianej czapce wciąż stał do niej tyłem. Nie będzie lepszej okazji. Nie spuszczając go z oka, Dana zaczęła podkradać się na palcach do kuchennych drzwi. Akurat była całkowicie odsłonięta w połowie drogi pomiędzy stodołą a tyłem domu, gdy facet w wełnianej czapce rzucił niedopałek na ziemię, przydepnął go, a następnie odwrócił się w jej stronę.

Dana pochyliła głowę i z całych sił puściła się biegiem na tyły domu.

■ ■ ■

Titus czekał w samochodzie niedaleko rogu Columbus Avenue. Nie podobało mu się, że wrócił do miasta, mimo że elegancka Upper West Side miała tyle wspólnego z jego dawnym życiem, co dyrektor funduszu hedgingowego z włóczęgą. Miał wrażenie, że coś ciągnie go do świata, który skutecznie pozostawił w tyle.

Nie chciał tutaj być.

Clem Sison przeszedł przez ulicę i wślizgnął się na siedzenie kierowcy.

— Donovan nie ma w domu.

Poszedł do budynku Kat Donovan z „paczką" wymagającą pokwitowania. Portier poinformował go, że pani Donovan obecnie nie ma w domu. Clem mu podziękował i zapowiedział, że wróci później.

Titus nie lubił opuszczać gospodarstwa na dłużej, niż to było konieczne. Rozważał powrót i pozostawienie go, żeby samodzielnie schwytał kobietę, ale wiedział, że Clem temu nie podoła. Był osiłkiem, który znał się na broni i wykonywaniu rozkazów, lecz na niczym więcej.

Więc co teraz?

Titus skubał wargę i rozmyślał o swoich możliwościach. Wciąż wbijał wzrok we front domu Kat Donovan, gdy nagle zauważył coś, co go oszołomiło.

Do budynku wszedł Brandon Phelps.

Co, do...?

Ale chwileczkę, może to wszystko tłumaczy. Czy to Brandon Phelps wszystko zapoczątkował? Czy prawdziwy problem stanowi Kat Donovan, czy Brandon... a może oboje? Titus wiedział, że chłopak od samego początku sprawiał im kłopoty. Maminsynek wysyłał dziesiątki tęsknych e-maili i SMS-ów. A teraz nagle spotyka się z Kat Donovan, nowojorską policjantką. Titus analizował możliwe scenariusze zdarzeń.

Czy Donovan wpadła na jego trop wcześniej, niż podejrzewał?

Czy to możliwe? Czy Kat mogła udawać byłą Rona Kochmana, żeby go wywabić z ukrycia? Czy Brandon zgłosił się do niej... czy raczej ona do niego?

Czy to miało znaczenie?

W kieszeni zabrzęczał telefon. Wyjął go i zobaczył, że dzwoni Reynaldo.

— Halo?

— Mamy problem — odezwał się Reynaldo.

Titus nerwowo zacisnął szczęki.

— Co się stało?

39

Kanapę okrywały dwie kapy zrobione na szydełku. Kat usiadła pomiędzy nimi na niewielkim skrawku wolnej przestrzeni. Anthony Parker rzucił żółty kask na krzesło. Zdjął kolejno robocze rękawice. Ostrożnie ułożył je na niskim stoliku, jakby była to niezwykle ważna czynność. Kat rozejrzała się po mieszkaniu. Było słabo oświetlone, ale może to dlatego, że Anthony Parker włączył tylko jedną lampę. Drewniane meble wyglądały na stare. Na komodzie stał stary telewizor kineskopowy. Tapetę w chińskim stylu pokrywały niebieskie wzory przedstawiające czaple, drzewa i nadwodne krajobrazy.

— To było mieszkanie mojej matki — wyjaśnił Parker.

Kat pokiwała głową.

— Zmarła w zeszłym roku.

— Przykro mi — wymamrotała, ponieważ tak wypadało, a nic innego nie przychodziło jej do głowy.

Całe ciało miała odrętwiałe.

Anthony „Złotko" Parker usiadł naprzeciwko. Podejrzewała, że zbliżał się do sześćdziesiątki albo niedawno ją przekroczył.

Kiedy popatrzył jej w oczy, niemal nie mogła tego znieść. Musiała lekko się obrócić, żeby nie siedzieć z nim twarzą w twarz. Anthony Parker — Złotko? — wyglądał tak cholernie zwyczajnie. W policyjnej kartotece jego wzrost i budowę ciała opisano by jako średnie. Miał sympatyczną twarz, ale nie było w niej niczego wyjątkowego ani nawet kobiecego.

— Wyobrażasz sobie, jaki jestem zszokowany, że cię widzę — odezwał się Parker.

— Cóż, chyba w tej kategorii mnie pan nie przebije.

— Racja. Więc nie wiedziałaś, że jestem mężczyzną?

Kat pokręciła głową.

— Poczułam się jak w *Grze pozorów*.

Uśmiechnął się.

— Przypominasz swojego ojca.

— Tak, często to słyszę.

— Poza tym podobnie mówisz. On też zawsze bronił się za pomocą humoru. — Parker się uśmiechnął. — Rozśmieszał mnie.

— Mój ojciec?

— Tak.

— Pan i mój ojciec — szepnęła, kręcąc głową.

— Tak.

— Nie mogę w to uwierzyć.

— Rozumiem.

— Więc twierdzi pan, że mój ojciec był gejem?

— Nie zamierzam go szufladkować.

— Ale wy dwaj...? — Kat zbliżyła do siebie dłonie, tak że prawie klasnęła.

— Tak, byliśmy parą.

Zamknęła oczy, próbując się nie skrzywić.

— Minęło prawie dwadzieścia lat — rzucił Parker. — Dlaczego teraz przyjechałaś?

— Właśnie się o was dowiedziałam.

— Skąd?

Machnęła ręką.

— To nieistotne.

— Nie gniewaj się na niego. Kochał cię. Kochał was wszystkich.

— A także pana — odburknęła. — Był naprawdę pełen miłości.

— Wiem, że to dla ciebie szok. Czy czułabyś się lepiej, gdybym był kobietą?

Kat nic nie odpowiedziała.

— Musisz zrozumieć, jak on to przeżywał — dodał Parker.

— Czy mógłby pan po prostu odpowiedzieć na moje pytanie? Był gejem czy nie?

— To takie ważne? — Parker poprawił się na krześle. — Czy gardziłabyś nim, gdyby się okazało, że tak?

Nie była pewna, co odpowiedzieć. Cisnęło jej się na usta tyle pytań, ale może rzeczywiście to wszystko nie miało związku ze sprawą.

— Żył w kłamstwie — stwierdziła.

— Tak. — Parker przekrzywił głowę. — Tylko pomyśl, jakie to było dla niego okropne. Kochał cię. Kochał twoich braci. Kochał nawet waszą matkę. Zdajesz sobie sprawę, w jakim świecie dorastał. Walczył z tym, o czym od dawna wiedział, aż w końcu go to pochłonęło. Ale to nie zmienia tego, kim był. Nie stał się przez to gorszym mężczyzną ani policjantem. To w żaden sposób nie umniejszało jego wartości. Co innego mógł zrobić?

— Na przykład rozwieść się z moją matką.

— Zaproponował jej to.

Spojrzała na niego zaskoczona.

— Co takiego?

— Chciał to zrobić dla jej dobra. Ale odmówiła.

— Zaraz, chce pan powiedzieć, że moja matka o panu wiedziała?

Parker wbił wzrok w podłogę.

— Nie wiem. Kiedy pojawia się olbrzymi sekret, którego nie można nikomu zdradzić, wszyscy zaczynają żyć w kłamstwie. Oczywiście, że was oszukiwał, ale wy nie chcieliście dostrzec prawdy. Taka sytuacja wszystkich demoralizuje.

— Poprosił ją o rozwód?

— Nie. Jak mówiłem, tylko go zaproponował. Dla jej dobra. Zresztą sama wiesz, w jakiej okolicy mieszkaliście. Co by dalej było z waszą matką? A z nim? Przecież nie mógł jej zostawić, a potem powiedzieć wszystkim o nas. Dzisiaj jest lepiej niż dwadzieścia lat temu, ale nawet teraz trudno to sobie wyobrazić.

Rzeczywiście.

— Jak długo byliście... — wciąż nie potrafiła w to uwierzyć — ...razem?

— Czternaście lat.

Kolejny wstrząs. Była dzieckiem, kiedy to się zaczęło.

— Czternaście lat?

— Tak.

— I przez cały ten czas zdołaliście utrzymać to w tajemnicy?

Coś mrocznego przemknęło przez jego twarz.

— Próbowaliśmy. Twój ojciec miał mieszkanie w Central Park West. Tam się spotykaliśmy.

Kat zawirowało w głowie.

— Przy Sześćdziesiątej Siódmej Ulicy?

— Tak.

Zamknęła oczy. Jej mieszkanie. Zdrada stawała się coraz dotkliwsza, ale czy była gorsza dlatego, że chodziło o mężczyznę? Nie. Kat zawsze chlubiła się swoją otwartością, czyż nie? Kiedy dowiedziała się, że ojciec miał kochankę, była niezadowolona, lecz wyrozumiała.

Dlaczego to miałoby być gorsze?

— Potem przeprowadziłem się do Red Hook — wyjaśnił Parker. — Zaczęliśmy tam się spotykać. Wiele razem podróżowaliśmy. Pewnie pamiętasz. Udawał, że wyjeżdża z przyjaciółmi albo idzie na jakąś popijawę.

— A pan przebierał się w damskie stroje?

— Tak. Myślę, że tak było mu łatwiej. Wolał chociaż pozornie być z kobietą. W jego świecie bycie dziwakiem było lepsze od bycia pedałem, chyba rozumiesz?

Nie odpowiedziała.

— Zresztą byłem przebrany za kobietę podczas naszego pierwszego spotkania. Zrobił nalot na klub, w którym pracowałem. Pobił mnie. Był taki wściekły. Nazwał mnie potworem. Pamiętam, że miał łzy w oczach, gdy zadawał ciosy. Kiedy widzi się człowieka tak ogarniętego gniewem, ma się wrażenie, że bije sam siebie.

Kat ponownie nic nie powiedziała.

— Potem odwiedził mnie w szpitalu. Początkowo twierdził, że zależy mu, bym nikomu się nie wygadał. Udawał, że mi grozi. Ale obaj znaliśmy prawdę. To nie stało się od razu. Twój ojciec żył w cierpieniu. Wypływało z niego falami. Wiem, że teraz pewnie masz ochotę go znienawidzić.

— Nie nienawidzę go — odparła Kat, niemal nie rozpoznając własnego głosu. — Jest mi go żal.

— Ludzie wciąż mówią o walce o prawa homoseksualistów i potrzebie akceptacji. Tyle że większości z nas wcale nie o to chodzi. Chcemy swobody bycia sobą. Uczciwego życia. Tak trudno jest kogoś udawać. Twój ojciec dźwigał to brzemię przez całe życie. Bał się ujawnienia bardziej niż czegokolwiek innego, a jednak nie potrafił się ze mną rozstać. Żył w kłamstwie i był przerażony, że ktoś się o tym dowie.

Kat wreszcie zrozumiała.

— Ale ktoś wreszcie się dowiedział, prawda?

Złotko — Kat nagle zobaczyła go jako Złotko, a nie Anthony'ego Parkera — pokiwał głową.

To przecież oczywiste, prawda? Tessie o tym wiedziała. Ludzie widywali ich razem. Ich sąsiedzi uważali, że jej ojciec ma słabość do czarnoskórych prostytutek. Jednak dla kogoś sprytniejszego, kto mógł wykorzystać te informacje dla własnych potrzeb, to mogło oznaczać coś zgoła innego.

„Porozumienie".

— Bandzior nazwiskiem Cozone dał mi pański adres — odezwała się Kat. — To on się o was dowiedział, prawda?

— Tak.

— Kiedy?

— Miesiąc albo dwa przed zamordowaniem twojego ojca.

Kat wyprostowała się na kanapie, zapominając, że jest córką, i wchodząc w rolę policjantki.

— Więc mój ojciec był na tropie Cozone'a. Zbliżał się. Cozone zapewne wysłał swoich ludzi, żeby go śledzili. Znaleźli na niego haka. Coś, co Cozone mógł wykorzystać, żeby powstrzymać dochodzenie.

Złotko nie przytaknął. Nie musiał. Kat na niego spoglądała.

— Złotko?

Powoli podniósł wzrok i popatrzył Kat w oczy.

— Kto zabił mojego ojca?

■ ■ ■

— Numer Sześć uciekła — oznajmił Reynaldo.

Titus zacisnął dłoń na telefonie. Coś w jego wnętrzu wybuchło.

— Jak, u diabła...? — Powstrzymał się i zamknął oczy.

Opanowanie. Cierpliwość. Kiedy je tracił, tracił wszystko. Zwalczył gniew i spytał najspokojniej, jak potrafił:

— Gdzie teraz jest?

— Pobiegła na północ od stodoły. Szukamy jej we trzech.

Na północ, pomyślał Titus. To dobrze. W tamtym kierunku przez wiele kilometrów ciągnie się las. W takim stanie nie powinna ujść daleko. Nigdy nie zdarzyło się, żeby ktoś uciekał im dłużej niż przez minutę albo dwie, ale jedną z zalet gospodarstwa było to, że znajdowało się na odludziu. Na północy był tylko las. Od szosy na południu farmę dzielił ponad kilometr. Wejście było ogrodzone, podobnie jak cały teren od wschodu i zachodu.

— Niech ucieka — zadecydował Titus. — Wracajcie do gospodarstwa. Niech Rick i Julio staną na straży, na wypadek gdyby wróciła.

— Dobrze.

— Jak dawno uciekła?

— Kilka minut po twoim odjeździe.

Trzy godziny temu.

— Okay, informuj mnie na bieżąco.

Titus się rozłączył. Oparł głowę i spróbował racjonalnie przeanalizować sytuację. Zarobił na tej operacji więcej, niż się spodziewał. W tej chwili było to sześć milionów dwieście tysięcy dolarów. Kiedy stwierdzi, że ma dosyć?

Chciwość jest najczęstszym powodem upadku.

Mówiąc w skrócie, czy to już koniec? Czy to zyskowne przedsięwzięcie, jak wszystkie poprzednie, właśnie dobiegło kresu?

Titus był gotowy na ten dzień. Wiedział, że żadna operacja biznesowa nie może trwać wiecznie. W końcu zniknie zbyt wiele osób. Władze będą musiały dokładnie się temu przyjrzeć, ale chociaż brał pod uwagę każdą możliwość, byłoby szczytem buty myśleć, że nigdy nie zostanie złapany.

Oddzwonił na farmę. Dymitr odebrał dopiero po czwartym dzwonku.

— Halo?

— Wiesz o naszym problemie? — spytał Titus.

— Reynaldo powiedział, że Dana uciekła.

— Taaak. Chcę, żebyś wyświetlił dane z jej telefonu.

Włączony telefon komórkowy można namierzyć, dlatego gdy przybywali nowi „goście", Dymitr przenosił wszystkie dane z ich telefonów na swój komputer, tworząc ich duplikat na twardym dysku. Potem z aparatów wyjmowano baterie i sprzęt wrzucano do szuflady.

— Dana Phelps — odezwał się Dymitr. — Już mam. Czego potrzebujesz?

— Wejdź w kontakty. Potrzebuję numeru jej syna.

Titus usłyszał stukanie klawiszy.

— Mam. Brandon Phelps. Komórka czy numer w szkole?

— Komórka.

Dymitr podał mu numer.

— Mam zrobić coś jeszcze? — spytał.

— Możliwe, że będziemy musieli skończyć — odparł Titus.

— Naprawdę?

— Tak. Nastaw mechanizm samozniszczenia w komputerach, ale jeszcze go nie aktywuj. Najpierw przywiozę chłopaka.

— Po co?

— Jeśli Dana Phelps wciąż się gdzieś ukrywa, będziemy musieli ją wywabić. Wyjdzie, kiedy usłyszy jego krzyki.

▪ ▪ ▪

— Nie rozumiem — odezwał się Złotko. — Myślałem, że złapano człowieka, który go zabił.

— Nie. Tamten tylko wziął na siebie winę.

Złotko wstał i zaczął krążyć po pokoju. Kat go obserwowała.

— Cozone dowiedział się o was kilka miesięcy przed śmiercią taty, prawda? — spytała Kat.

— Zgadza się. — Złotko miał łzy w oczach. — Kiedy zaczął szantażować twojego ojca, wszystko się zmieniło.

— W jaki sposób?

— Twój ojciec ze mną zerwał. Powiedział, że to już koniec. Że wzbudzam w nim obrzydzenie. Wróciła wściekłość, którą pamiętałem z naszego pierwszego spotkania. Uderzył mnie. Spróbuj zrozumieć. Kierował złość ku mnie, ale był wściekły głównie na siebie. Kiedy żyje się w kłamstwie...

— Tak, rozumiem — przerwała mu Kat. — Naprawdę nie potrzebuję lekcji psychologii dla początkujących. Był nienawidzącym siebie gejem uwięzionym w świecie macho heteryków.

— Mówisz o tym tak beznamiętnie.

— Nieprawda — odparła Kat. Miała ściśnięte gardło i próbowała to przezwyciężyć. — Później, kiedy będę miała czas, żeby o tym pomyśleć, to wszystko złamie mi serce. Kiedy dopuszczę to do siebie, będę zdruzgotana, że mój ojciec tak cierpiał, a ja tego nie dostrzegałam. Zakopię się w pościeli z butelką i zniknę ze świata, dopóki się z tym nie uporam. Ale teraz muszę zrobić wszystko, co w mojej mocy, żeby mu pomóc.

— Dowiadując się, kto go zabił?

— Tak, postępując jak policjantka, na którą mnie wychował. Więc kto go zabił?

Parker pokręcił głową.

— Jeśli nie Cozone, to naprawdę nie wiem.

— Więc kiedy widział się pan z nim po raz ostatni?

— Tamtego wieczoru, gdy zginął.

Kat się skrzywiła.

— Mówił pan, że zerwaliście.

— Owszem. — Złotko się zatrzymał i uśmiechnął przez łzy. — Ale nie potrafił beze mnie wytrzymać. Taka była prawda. Nie mógł być ze mną, jednak nie potrafił o mnie zapomnieć. Czekał na mnie na tyłach nocnego klubu, w którym pracowałem. — Złotko podniósł wzrok, zatopiony we wspomnieniach. — Przyniósł tuzin białych róż. Moich ulubionych. Miał na sobie okulary przeciwsłoneczne. Myślałem, że chce się w ten sposób zamaskować, ale kiedy je zdjął, zobaczyłem, że ma oczy czerwone od płaczu. — Łzy swobodnie spływały po policzkach Parkera. — To było takie cudowne. Wtedy widziałem go po raz ostatni. Później tego wieczoru...

— Został zamordowany — dokończyła Kat.

Cisza.

— Kat?

— Tak?

— Nigdy nie pogodziłem się z jego stratą — odezwał się Złotko. — Był jedynym mężczyzną, którego naprawdę kochałem. Część mnie zawsze będzie go nienawidziła. Mogliśmy uciec. Znaleźć sposób, żeby być razem. Ty i twoi bracia w końcu byście zrozumieli. Bylibyśmy szczęśliwi. Tkwiłem w tym przez tyle lat, ponieważ istniała taka szansa. Rozumiesz, co mam na myśli? Dopóki żyliśmy, obaj głupio wierzyliśmy, że znajdziemy jakieś wyjście.

Złotko uklęknął i chwycił Kat za obie dłonie.

— Mówię ci o tym, żebyś zrozumiała. Wciąż cholernie za nim tęsknię. Każdego dnia. Dałbym wszystko i wybaczyłbym wszystko, żeby tylko spędzić z nim jeszcze kilka sekund.

Zablokuj to, pomyślała Kat. Na razie postaw blokady. Przetrwaj.

— Kto go zabił?

— Nie wiem.

Jednak Kat już wiedziała, kto może jej udzielić odpowiedzi. Musiała tylko wreszcie skłonić go do powiedzenia prawdy.

40

Stojąc przed posterunkiem, Kat zadzwoniła na komórkę Staggera.

— Chyba nie mamy już sobie nic do powiedzenia — rzucił.

— Nieprawda. Właśnie rozmawiałam ze Złotkiem. Myślę, że wciąż mamy o czym rozmawiać.

Cisza.

— Halo? — odezwała się Kat.

— Gdzie jesteś?

— Właśnie idę do twojego gabinetu, chyba że to znów niewłaściwy moment.

— Nie, Kat. — Jeszcze nigdy nie słyszała w głosie Staggera takiego znużenia. — Myślę, że to dobry moment.

Kiedy weszła, siedział przy biurku. Przed sobą ustawił zdjęcia żony i dzieci, jakby mogły go osłonić. Kat zaczęła ostro, oskarżając go o kłamstwo i jeszcze gorsze przewinienia. Stagger odparł atak. Pojawiły się krzyki i łzy, ale w końcu kapitan przyznał się do kilku rzeczy.

Tak, Stagger wiedział o Złotku.

Tak, obiecał Montemu Leburne'owi kilka przysług w zamian za przyznanie się do winy.

Tak, zrobił to, ponieważ obawiał się, że cała sprawa wyjdzie na jaw.

— Nie chciałem tego ze względu na twojego ojca — stwierdził. — Nie chciałem, żeby zmieszano jego nazwisko z błotem. Ze względu na niego, ale także ciebie i twoją rodzinę.

— A co z twoim własnym interesem? — skontrowała Kat.

Stagger wykonał niejednoznaczny gest.

— Powinieneś był mi powiedzieć.

— Nie wiedziałem jak.

— Więc go zabiłeś?

— Co?

— Kto zabił mojego ojca?

Stagger pokręcił głową.

— Naprawdę nie rozumiesz?

— Nie.

— Monte Leburne go zabił. Cozone wydał mu takie polecenie.

Kat zmarszczyła czoło.

— Nadal próbujesz mi sprzedać tę wersję?

— Ponieważ to prawda, Kat.

— Cozone nie miał motywu. Mój ojciec tańczył, jak mu zagrali.

— Nie — zaprotestował Stagger zmęczonym tonem. — Wcale nie.

— Ale Cozone wiedział o...

— Owszem, wiedział. I przez krótką chwilę trzymał twojego ojca w garści. Spokojnie patrzyłem, jak Henry się wycofuje. Nawet mu na to pozwoliłem, więc może też miałem coś do stracenia. Kiedy Cozone dowiedział się o Złotku, twój ojciec się zmienił. Znalazł się w potrzasku. Nie widział żadnego wyjścia, aż w końcu... — Staggerowi głos uwiązł w gardle.

— Aż w końcu co?

Podniósł na nią wzrok.

— Pewnie miał dosyć. Henry przez tyle lat udawał, lecz to nie wpływało negatywnie na jego służbę. Jednak dla dalszego utrzymania pozorów musiał zaniedbać pracę. Każdy człowiek ma jakąś granicę wytrzymałości, a twój ojciec właśnie do niej dotarł. Kazał Cozone'owi iść do diabła. Było mu wszystko jedno.

— Jak Cozone na to zareagował? — spytała Kat.

— A jak sądzisz?

Przez chwilę stali w milczeniu.

— I to wszystko?

— To wszystko. To koniec, Kat.

Nie wiedziała, co odpowiedzieć.

— Zrób sobie jeszcze kilka dni przerwy. Potem wracaj do pracy.

— Nie zostanę przeniesiona?

— Nie. Wolałbym, żebyś została. Wciąż chcesz nowego partnera?

Pokręciła głową.

— Nie, myliłam się.

— Co do czego?

— Co do Chaza Fairclotha.

Stagger wziął do ręki długopis.

— Kat Donovan właśnie przyznała się do błędu. Czy cuda nigdy się nie skończą?

▪ ▪ ▪

Kuchenne drzwi domu nie były zamknięte na klucz.

Trzymając siekierę w jednej dłoni, Dana Phelps uchyliła drzwi z moskitierą, a wślizgnąwszy się do środka, delikatnie zamknęła je za sobą z ledwie słyszalnym trzaskiem. Przystanęła na chwilę, próbując wziąć się w garść.

Ale trwało to tylko sekundę.

Jedzenie.

Na stole przed nią stało ogromne pudło zbożowych batoników, jakie kupuje się w hurtowniach spożywczych. Nigdy wcześniej nie doświadczyła koszmaru głodu. Wiedziała, że mądrzej byłoby poszukać telefonu — i zamierzała to zrobić — lecz kiedy zobaczyła jedzenie tak blisko siebie, nie potrafiła się powstrzymać.

Przestań, zganiła się w myślach. Skup się na swoim zadaniu.

Rozejrzała się w poszukiwaniu telefonu. W kuchni go nie było. Uświadomiła sobie, że nigdzie nie widziała kabli. Na zewnątrz słyszała ryk generatora. Czy właśnie w ten sposób uzyskują prąd? Nie mają łącza telefonicznego?

To bez znaczenia.

Wiedziała, że w innym pomieszczeniu znajduje się komputer z dostępem do internetu. Mogła go użyć do wezwania pomocy. Jeżeli zdoła się tam przedostać. Zastanawiała się, jak długo informatyk będzie palił na zewnątrz. Widziała, jak rzuca papierosa i zaczyna się odwracać w jej stronę. Zapali kolejnego czy...?

Usłyszała, że frontowe drzwi się otwierają.

Cholera.

Rozejrzała się za jakąś kryjówką. Kuchnia była niewielka i skromnie wyposażona. Znajdowały się w niej szafki i stół. Chowanie się pod stołem nie miało sensu. Nie położono na nim obrusa, więc byłaby całkowicie odsłonięta. Niewielka brązowa lodówka, taka sama jak w college'u w Wisconsin, gdzie poznała Jasona, nie mogła jej pomieścić. Zobaczyła drzwi, zapewne prowadzące do piwnicy. Może zdąży tam zejść.

Kroki.

Nagle Danie przyszła do głowy kolejna myśl: dosyć ukrywania się.

Drzwi wahadłowe oddzielały kuchnię od salonu, gdzie przesłuchiwał ją Titus. Jeśli informatyk tutaj wejdzie, jeśli postanowi przejść przez kuchnię, Dana go usłyszy i zobaczy. Będzie inaczej niż wcześniej w lesie. Owszem, jest wyczerpana i koniecznie musi zjeść jeden z tych przeklętych batoników zbożowych, ale jeżeli ten człowiek wejdzie do kuchni, będzie mogła wykorzystać olbrzymią przewagę związaną z elementem zaskoczenia.

Poza tym miała siekierę.

Kroki się zbliżały.

Stanęła obok drzwi. Chciała się upewnić, że ma wystarczająco dużo miejsca na zamachnięcie się siekierą — lecz jednocześnie musiała ustawić się pod takim kątem, żeby facet nie zobaczył jej, dopóki nie będzie za późno. Siekiera była cholernie ciężka. Dana zastanawiała się, jak dokładnie uderzyć. Uderzenie znad głowy wydawało się trudne do wykonania. Jeśli wyceluje w szyję i spróbuje odrąbać mężczyźnie głowę, cel ataku będzie bardzo mały, a cios wymagający wielkiej precyzji.

Kroki rozbrzmiewały po drugiej stronie drzwi.

Zacisnęła obie dłonie na rękojeści. Uniosła siekierę i chwyciła ją jak baseballista czekający na uderzenie. Taki kąt będzie najlepszy. Zamachnie się jak kijem baseballowym. Wyceluje w środek klatki piersiowej, próbując wbić ostrze głęboko w serce. Nawet jeśli nieco spudłuje, i tak wywoła potężne obrażenia.

Kroki ucichły. Drzwi zaczęły się otwierać ze skrzypieniem.

Ciało Dany drżało z wysiłku, ale była gotowa.

Nagle zadzwonił telefon.

Przez chwilę drzwi się nie poruszały. Potem się zamknęły. Dana opuściła siekierę. Na chwilę zatrzymała wzrok na zbożowym batoniku.

Facet w domu będzie zajęty co najmniej przez kilka sekund. Złapała batonik i spróbowała bezszelestnie go odpakować.

Usłyszała, jak w sąsiednim pokoju informatyk mówi: „Halo?”.

Zmiana planów, pomyślała. Zabrać kilka batoników. Zejść do piwnicy. Ukryć się tam z siekierą i batonami. Odpocząć. Nabrać sił. Znaleźć miejsce, w którym będzie mogła się na niego zaczaić, żeby zadać cios.

Jej kombinezon miał kieszenie. Wreszcie uśmiech losu. Nie przestając żuć, upychała batoniki po kieszeniach. Może zauważyliby zniknięcie całego pudła ze stołu, nikt jednak nie zwróci uwagi, jeśli zabierze pięć albo dziesięć batonów z opakowania, które pierwotnie zawierało sześćdziesiąt sztuk.

Dotarła do drzwi piwnicy, gdy nagle usłyszał, jak informatyk mówi do swojego rozmówcy:

— Reynaldo powiedział, że Dana uciekła.

Zamarła i wytężyła słuch. Usłyszała stukanie klawiszy, a potem informatyk ponownie się odezwał:

— Dana Phelps. Już mam. Czego potrzebujesz?

Trzymała dłoń na drzwiach do piwnicy. Znów usłyszała stukanie palców na klawiaturze.

— Mam. Brandon Phelps. Komórka czy numer w szkole?

Dana gwałtownie zakryła usta dłonią, żeby nie krzyknąć, ale po chwili ponownie chwyciła rękojeść siekiery. Usłyszała, jak informatyk podaje Titusowi numer komórki jej syna.

Nie, mój Boże, tylko nie Brandon...

Zbliżyła się do drzwi kuchni, próbując usłyszeć dalszy ciąg rozmowy i dowiedzieć się, po co Titusowi numer telefonu jej syna.

Ale czy to nie było oczywiste?

Zamierzali go dopaść.

Nie było miejsca na rozsądek. Wszystko stało się bardzo proste. Żadnego ukrywania się. Żadnego siedzenia w piwnicy i martwienia się o własne bezpieczeństwo. Umysł matki pochłaniała tylko jedna myśl:

Ocalić Brandona.

Kiedy informatyk się rozłączył, wybiegła z kuchni i ruszyła prosto na niego.

— Gdzie jest Titus?

Mężczyzna odskoczył. Kiedy zobaczył nadbiegającą Danę, otworzył usta, żeby wezwać pomoc. To byłby koniec. Jeśli krzyknie i zwróci uwagę pozostałych...

Dana poruszała się z szybkością i wściekłością, o jakie się nie podejrzewała. Siekiera z pełną siłą pomknęła ku mężczyźnie siedzącemu przy komputerze.

Nie celowała w klatkę piersiową. Siedział zbyt nisko.

Ostrze trafiło go prosto w usta, roztrzaskując zęby i rozdzierając wargi. Fontanna krwi niemal ją oślepiła. Mężczyzna spadł z krzesła, mocno uderzając plecami o podłogę. Dana szarpnęła z całej siły, żeby uwolnić ostrze. Wyślizgnęło się z twarzy z wilgotnym trzaskiem.

Nie wiedziała, czy go zabiła, lecz w jej działaniu nie było wahania ani niepewności. Krew już dotarła do jej twarzy. Dana czuła na języku metaliczny posmak.

Ponownie uniosła ostrze, tym razem nad głowę. Mężczyzna nie poruszał się ani nie stawiał oporu. Mocno uderzyła, rozłupując mu twarz na dwoje. Siekiera przecięła tył czaszki z zaskakującą łatwością, jakby to była skórka arbuza. Przyciemniane okulary rozłamały się na pół.

Dana nie marnowała czasu. Upuściła siekierę i zaczęła szukać telefonu.

Wtedy zauważyła, że drzwi frontowe są otwarte.

Stary pies stał w progu i obserwował ją, machając ogonem.

Dana przyłożyła palec do ust i spróbowała się uśmiechnąć, usiłując przekonać czworonoga, że wszystko jest w porządku.

Bo przestał machać ogonem. Po chwili zaczął szczekać.

▪ ▪ ▪

Reynaldo szedł przez las, bacznie się rozglądając, gdy nagle usłyszał szczekanie.

— Bo!

Znał wszystkie rodzaje szczekania swojego pupila. To nie było przyjazne powitanie, ale odgłos panicznego strachu.

Wyjął pistolet i puścił się biegiem w stronę domu, a pozostali dwaj mężczyźni podążyli jego śladem.

41

Brandon właśnie się sadowił na barowym stołku w mieszkaniu Kat, kiedy na jego komórkę zadzwonił ktoś z zastrzeżonego numeru.

Już wcześniej skontaktował się z jak największą liczbą znajomych, namawiając ich do włamania na stronę YouAreJustMyType.com. Sześć osób łączyło się z nim przez Skype'a, a ich twarze widniały na ekranie. Jego kumple w kampusie dysponowali potężnym systemem, dzięki któremu mogli lepiej sobie poradzić z włamaniem. Brandon zamierzał działać na odległość, łącząc się z hakerami na uczelni.

Odebrał telefon.

— Halo?

Usłyszał nieznajomy głos.

— Brandon?

— Tak. Kto mówi?

— Posłuchaj uważnie. Masz dwie minuty. Zejdź na dół i wyjdź z budynku. Skręć w prawo. Na rogu Columbus Avenue zobaczysz czarnego SUV-a. Wsiądź do środka. Twoja matka jest na tylnym siedzeniu.

— Co...?

— Jeśli nie pojawisz się dokładnie za dwie minuty, ona umrze.

— Zaraz, kto mówi...?

— Masz minutę i pięćdziesiąt pięć sekund.

Trzask.

Brandon zerwał się ze stołka i podbiegł do drzwi. Otworzył je na oścież i wcisnął guzik przyzywający windę. Znajdowała się na parterze. Sześć pięter niżej.

Lepiej skorzystać ze schodów.

Tak właśnie zrobił, prawie się z nich staczając. W dłoni wciąż trzymał telefon. Przeciął hol i wypadł z budynku. Skręcił w prawo w Sześćdziesiątą Siódmą Ulicę, niemal przewracając jakiegoś mężczyznę w garniturze.

Nie zwalniał. Pomknął ulicą, przypatrując się samochodom przed sobą. Na rogu obok budki telefonicznej zauważył czarnego SUV-a.

Właśnie się do niego zbliżał, gdy ponownie zadzwoniła jego komórka. Nie zwalniając kroku, sprawdził numer.

Znów zastrzeżony.

Był już blisko SUV-a. Otworzyły się tylne drzwi. Przyłożył telefon do ucha i usłyszał szczekanie psa.

— Halo?

— Brandonie, posłuchaj mnie.

Jego serce zamarło.

— Mamo? Jestem prawie w samochodzie.

— Nie!

W tle Brandon usłyszał okrzyki jakiegoś mężczyzny.

— Co to było? Mamo?

— Nie wsiadaj do samochodu!

— Nie rozu...

— Uciekaj, Brandonie! Po prostu uciekaj!

Chłopak się zatrzymał, spróbował się cofnąć, ale dwie ręce wysunęły się z tyłu samochodu i chwyciły go za koszulę. Upuścił komórkę, gdy jakiś mężczyzna starał się go wciągnąć do SUV-a.

▪ ▪ ▪

Kat cieszyła się ze spaceru przez park, mogła przewietrzyć głowę i pomyśleć, jednak znajome miejsca tym razem nie zapewniły jej spokoju. Pomyślała o Ramble położonym kilka przecznic na północ. Co jej ojciec musiał myśleć, gdy patrolował tamte okolice.

Kiedy sobie to wszystko przypominała, zachowanie ojca, jego picie, gniew i znikanie nabierały smutnego, żałosnego sensu. Człowiek tak wiele ukrywa. Swoje serce. Swoją prawdziwą naturę. Ta fasada staje się nie tylko okrutną rzeczywistością. Staje się więzieniem.

Biedny ojciec.

Jednak to już nie miało znaczenia. Żadnego. Odeszło w przeszłość. Cierpienie ojca się zakończyło. Żeby stać się jak najlepszą córką i uczcić jego pamięć albo zapewnić spokój zmarłym, musiała się stać jak najlepszą policjantką.

To oznaczało znalezienie sposobu na dopadnięcie Cozone'a.

Gdy wyszła z parku od zachodniej strony, zabrzęczała jej komórka Dzwonił Chaz.

— Byłaś przed chwilą na posterunku?

— Tak, przepraszam. Rozmawiałam z kapitanem.

— Powiedział mi, że wracasz.

— Być może — odparła.

— Chciałbym, żeby tak się stało.

— Ja też.

— Ale nie po to dzwonię — dodał Chaz. — Sprawdzam zaginionych ludzi, tak jak prosiłaś. Mam dopiero wstępne wyniki.

— Ale?

— Znalazłem jedenaście zaginionych osób w czterech stanach, wliczając Danę Phelps, Gerarda Remingtona i Marthę Paquet. Wszyscy niedawno poznali kogoś przez internet.

Kat zjeżyły się włoski na karku.

— Mój Boże.

— Prawda?

— Skontaktowałeś się z Keiserem z FBI?

— Wysłałem te dane do jego człowieka. Będą to dokładnie sprawdzać. Ale jedenaścioro zaginionych, Kat. Przecież to...

Chaz nie dokończył.

Nie pozostało nic więcej do dodania. Federalni będą wiedzieli, co dalej począć. Oni dwoje już zrobili więcej, niż do nich należało. Kat się rozłączyła, przechodząc przez Sześćdziesiątą Siódmą Ulicę. Nagle zauważyła jakieś zamieszanie na rogu Columbus Avenue.

— Co, do...?

Puściła się biegiem. Gdy się zbliżyła, zobaczyła Brandona Phelpsa, który bronił się przed kimś, kto próbował go wciągnąć na tylne siedzenie SUV-a.

■ ■ ■

Stary pies wbiegł po schodkach do domu, ślizgając się na drewnianej posadzce zalanej krwią i szczekając na Danę.

Oczywiście wiedziała, co to oznacza. Mięśniak — informatyk, którego właśnie zabiła, nazwał go Reynaldem — usłyszy zaniepokojone szczekanie swojego pupila i pospiesznie wróci do domu.

W pierwszym odruchu chciała się schować.

Ale to było niemożliwe.

Ogarnął ją dziwny spokój. Wciąż wiedziała, co musi zrobić.

Ocalić syna.

Nigdzie nie widziała telefonu komórkowego. Był tylko zwykły szary telefon stacjonarny podłączony do komputera na biurku. Gdyby chciała z niego skorzystać, musiałaby zostać tutaj. Całkowicie odsłonięta.

Niech i tak będzie.

Podniosła słuchawkę, przyłożyła ją do ucha i wybrała numer swojego syna. Dłoń tak bardzo jej drżała, że Dana prawie się pomyliła.

— Bo! — wykrzyknął jakiś głos.

To był Reynaldo. Znajdował się niedaleko. To tylko kwestia czasu, zanim tutaj dotrze. Jednak Dana nie miała wyboru. Z tego, co podsłuchała, wynikało, że Titus zamierza porwać jej syna. Musiała go powstrzymać. Nic innego nie miało znaczenia. Nie było żadnych wątpliwości, żalu ani wahania.

Zebrała się w sobie, ale kiedy usłyszała, jak jej syn mówi „Halo?", prawie straciła nad sobą panowanie.

Na werandzie zadudniły ciężkie kroki. Bo przestał szczekać i pobiegł w stronę swojego pana.

Nie miała więcej czasu.

— Brandonie, posłuchaj mnie.

Usłyszała, że wstrzymał oddech.

— Mamo? Jestem prawie w samochodzie.

— Nie!

— Bo! — ponownie zawołał Reynaldo.

— Co to było? — spytał Brandon. — Mamo?

Mocniej zacisnęła dłoń na słuchawce.

— Nie wsiadaj do samochodu!

— Nie rozu...

Wiedziała, że Reynaldo za kilka sekund będzie przy drzwiach.

— Uciekaj, Brandonie! Po prostu uciekaj!

■ ■ ■

Kat wyciągnęła broń i pobiegła ulicą.

W oddali widziała, że Brandon stawia zaciekły opór i niemal zdołał się uwolnić. Ktoś ruszył mu z pomocą, ale wtedy kierowca SUV-a wysiadł z samochodu.

Miał pistolet. Przechodnie zaczęli krzyczeć.

— Nie ruszaj się! — wrzasnęła Kat, lecz odległość i krzyki ludzi stłumiły jej głos. Dobrzy samarytanie się cofnęli. Kierowca podbiegł do Brandona.

Kat zobaczyła, jak unosi broń i zadaje cios w głowę chłopaka.

Walka dobiegła końca.

Brandon wpadł do samochodu. Tylne drzwi się zatrzasnęły.

Kierowca pospiesznie ruszył do swoich drzwi. Kat się zbliżała. Już miała strzelić, ale instynktownie się powstrzymała. Na ulicy było zbyt wielu cywilów, żeby ryzykować strzelaninę, a nawet gdyby jej się poszczęściło i trafiła w cel, to pasażer z tylnego siedzenia — ten, który schwytał Brandona — także mógł być uzbrojony.

Więc co robić?

Czarny SUV błyskawicznie ruszył i skręcił w lewo w Columbus Avenue.

Kat zauważyła mężczyznę wysiadającego z szarego forda fusion. Mignęła odznaką.

— Rekwiruję ten samochód.

Mężczyzna się skrzywił.

— Chyba pani żartuje? Nie dam pani samochodu...

Nie zwalniając kroku, pokazała mu pistolet. Podniósł ręce. Wyrwała mu kluczyki z prawej dłoni i wskoczyła do auta.

Minutę później jechała Sześćdziesiątą Siódmą w ślad za SUV-em.

Wyjęła komórkę i zadzwoniła do Chaza.

— Jadę za czarnym SUV-em. Właśnie skręca w prawo z Sześćdziesiątej Siódmej w Broadway.

Podała mu numery i szybko opowiedziała, co się wydarzyło.

— Ktoś z przechodniów zapewne już dzwoni na policję — rzekł Chaz.

— Upewnij się, że nie poślą za nimi żadnych oznakowanych radiowozów. Nie chcę ich spłoszyć.

— Masz plan?

— Tak. Pojadę za nimi, a ty zadzwoń do FBI. Powiedz im, co się dzieje. Niech poderwą helikopter.

▪ ▪ ▪

Brandon siedział z tyłu SUV-a, wciąż oszołomiony po otrzymanym ciosie w głowę. Titus celował do niego z pistoletu.

— Brandonie?

— Gdzie jest moja matka?

— Niedługo się z nią zobaczysz. Na razie chcę, żebyś się nie ruszał. Jeśli zrobisz coś, co mi się nie spodoba, twoja matka zginie. Rozumiesz?

Chłopak pokiwał głową i trwał w bezruchu.

Titus był zdenerwowany, kiedy jechali przez George Washington Bridge. Obawiał się, że któryś ze świadków agresywnego zachowania Clema przy Sześćdziesiątej Siódmej Ulicy powiadomił władze i teraz podąża za nimi policja. Jednak na

West Side Highway panował niewielki ruch. Minął niecały kwadrans, a Titus podejrzewał, że to za mało, by rozpocząć zorganizowane poszukiwania ich SUV-a. Mimo wszystko kazał Clemowi zatrzymać się obok hotelu Teaneck Marriott przy szosie numer 95. Rozważał kradzież innego samochodu, uznał jednak, że lepiej będzie zmienić tablice rejestracyjne. Znaleźli innego czarnego SUV-a zaparkowanego na tyłach budynku i Clem za pomocą śrubokrętu na baterie błyskawicznie podmienił tablice.

Ponownie wjechali na New Jersey Turnpike i ruszyli na południe w stronę gospodarstwa.

▪ ▪ ▪

— Poderwali helikopter? — spytała Kat.

— Powiedzieli, że potrzebują jeszcze pięciu minut.

— Okay — mruknęła, a po chwili dodała: — Zaczekaj chwilę.

— Co?

— Właśnie zatrzymali się przy Marriotcie.

— Może tam mieszkają?

— Dajmy znać federalnym.

Kat wjechała na rampę, trzymając się w odległości dwóch samochodów za porywaczami. Zobaczyła, jak wjeżdżają na parking i okrążają hotel. Zatrzymała się na poboczu i ustawiła w taki sposób, żeby jak najwięcej widzieć, ale nie dać się zauważyć.

Kierowca wysiadł. Zastanawiała się, czy od razu nie zainterweniować, nie wiedziała jednak, co się dzieje z Brandonem na tylnym siedzeniu, więc byłoby to zbyt ryzykowne. Czekała i obserwowała.

Po chwili znów połączyła się z Chazem.

— Właśnie zamienili tablice rejestracyjne i wracają na drogę.

— Dokąd jadą?

— Na południe. Chyba wjeżdżają na New Jersey Turnpike.

▪ ▪ ▪

Reynaldo co sił w nogach biegł w kierunku, z którego dobiegało szczekanie.

Jeżeli ta kobieta skrzywdziła Bo, jeśli spadł mu chociaż włos z głowy...

Pragnął dla niej powolnej śmierci.

Bo wciąż szczekał, kiedy Reynaldo dotarł na polanę. Czuł pulsowanie w nogach, gdy pędził w stronę domu. Wskoczył na schodki i ciężko wylądował na szerokiej werandzie.

Pies zamilkł.

O Boże, o Boże, proszę, niech nic mu się nie stanie... — modlił się w duchu Reynaldo.

Puścił się biegiem w stronę drzwi, kiedy nagle pojawił się Bo. Reynaldo z ulgą opadł na kolana.

— Bo! — zawołał.

Zwierzak do niego podbiegł. Jego pan rozłożył ręce i go objął, a Bo polizał go po twarzy.

Z wnętrza domu dobiegł okrzyk Dany:

— Uciekaj, Brandonie! Po prostu uciekaj!

Reynaldo wyjął pistolet. Dzieliło go zaledwie kilka kroków od drzwi. Podniósł się, gotowy natychmiast rozwiązać ten problem, gdy nagle zobaczył coś, co go powstrzymało i wywołało w nim panikę.

Łapy Bo pokrywała krew.

Jeżeli skrzywdziła mojego psa, tego kochanego, niewinnego psa, który nigdy nie zrobił nikomu nic złego...

Poszukał ran na przednich łapach. Niczego nie znalazł. Obejrzał tylne łapy. Również nic. Reynaldo popatrzył czworonogowi w oczy.

Pies pomachał ogonem, jakby chciał przekazać, że nic mu nie jest.

Reynaldo poczuł przypływ ulgi, ale po chwili inna myśl przyszła mu do głowy.

Skoro krew nie należy do psa, to do kogo?

Trzymał broń w pogotowiu. Oparł się plecami o drzwi. Kiedy się odwrócił i wszedł do domu, pochylił się, na wypadek gdyby na niego czekała.

Żadnego ruchu.

Potem zauważył na podłodze krwawe szczątki, które kiedyś były Dymitrem.

Czy to ona mu to zrobiła?

Ogarnęła go wściekłość. Co za suka! Jeszcze tego pożałuje!

Ale jak? Jak zrobiła to Dymitrowi? Odpowiedź: zapewne jest uzbrojona. Pewnie zabrała coś ze stodoły. Nie da się inaczej wytłumaczyć takiej krwawej łaźni.

Kolejne pytanie: gdzie ona teraz jest?

Reynaldo zauważył krwawe ślady stóp na podłodze. Podążył za nimi wzrokiem do miejsca, w którym się kończyły, czyli do kuchennych drzwi. Chwycił walkie-talkie i wywołał Julia.

— Jesteś za domem?

— Właśnie wróciłem.

— Widzisz jakąś krew przy drzwiach kuchennych?

— Nie, niczego nie widzę. Tutaj jest czysto.

— Dobrze. — Reynaldo się uśmiechnął. — Przygotuj spluwy i wyceluj w tę stronę. Baba może być uzbrojona.

42

Aqua siedział za krytym miedzianym dachem hangarem na łodzie w Central Parku. Miał skrzyżowane nogi i zamknięte oczy. Przyciskał język do podniebienia. Jego kciuki i środkowe palce układały się w okręgi. Dłonie spoczywały obok kolan.

Przysiadł się do niego Jeff Raynes.

— Znalazła mnie — powiedział.

Aqua pokiwał głową. Zażył dzisiaj solidną dawkę lekarstw. Nienawidził ich. Był po nich smutny i przygnębiony, jakby znajdował się pod wodą i nie mógł się poruszać. Pozbawiały go energii życiowej. Aqua często porównywał się w myślach do popsutego automatu, który wydaje przypadkowe produkty. Możesz zamówić zimną wodę, a dostać wrzącą kawę. Ale przynajmniej automat działał. Gdy Aqua zażywał lekarstwa, miał wrażenie, że ktoś wyciągał wtyczkę z gniazdka.

Potrzebował jednak jasności umysłu. Nie na długo. Zaledwie na kilka minut.

— Nadal ją kochasz? — spytał.

— Tak. Przecież wiesz.

— Zawsze ją kochałeś.

— Zawsze.

Aqua nie otwierał oczu.

— Wierzysz, że ona wciąż cię kocha?

Jeff stęknął.

— Gdyby to było takie proste.

— Minęło osiemnaście lat — przypomniał mu Aqua.

— Chyba mi nie powiesz, że czas leczy rany?

— Nie. Po co tutaj przyszedłeś?

Jeff nie odpowiedział.

— Czy nasza rozmowa nie jest bezużyteczna? — spytał Aqua.

— Co masz na myśli?

— Widziałeś się z nią dzisiaj.

— Tak — przyznał Jeff.

— Już raz się z nią rozstałeś. Naprawdę uważasz, że starczy ci sił, żeby to zrobić ponownie?

Cisza.

Aqua w końcu otworzył oczy. Skrzywił się, widząc cierpienie, które malowało się na twarzy przyjaciela. Położył dłoń na jego przedramieniu.

— Podjąłem wtedy decyzję — odezwał się Jeff.

— I z jakim skutkiem?

— Nie mogę jej żałować. Gdybym wtedy nie odszedł, nie urodziłaby się moja córka.

Aqua pokiwał głową.

— Ale minęło dużo czasu.

— To prawda.

— Może to wszystko wydarzyło się z jakiegoś powodu. Może wasza historia miłosna właśnie tak miała się potoczyć.

— Kat nigdy mi nie wybaczy.

— Zdziwiłbyś się, jak wiele może przezwyciężyć miłość.

Jeff się skrzywił.

— Czas leczy rany, nic nie dzieje się bez przyczyny, a miłość wszystko przezwycięży? Nie żałujesz mi dzisiaj sloganów.

— Jeff?

— Słucham?

— Moje lekarstwa niedługo przestaną działać. Za kilka minut się rozsypię i znów zacznę panikować. Będę myślał o tobie i Kat i zapragnę się zabić.

— Nie mów tak.

— Więc mnie wysłuchaj. Einstein zdefiniował szaleństwo jako uporczywe powtarzanie tych samych działań i oczekiwanie odmiennych skutków. Zatem co zamierzasz? Uciekniesz i ponownie złamiesz serca wam obojgu? Czy może spróbujesz czegoś innego?

■ ■ ■

Reynaldo wiedział, że Dana jest w potrzasku.

Wpatrując się w krwawe ślady stóp, w myślach przywołał plan kuchni. Stół, krzesła, kredens — nie miała się gdzie ukryć. Jej jedyną nadzieją było zaatakować go, gdy tylko wejdzie. Albo...

Bez ostrzeżenia oburącz pchnął drzwi.

Nie wszedł od razu do kuchni. Dana mogła się tego spodziewać. Jeśli czeka obok drzwi w nadziei, że on na oślep wtargnie do pomieszczenia, to się zdradzi.

Poruszy się, krzyknie, drgnie, cokolwiek.

Dla bezpieczeństwa Reynaldo cofnął się o krok, gdy pchnął drzwi.

Otworzyły się na oścież i uderzyły o ścianę, a następnie ponownie zatrzasnęły. Drewniana płyta zachwiała się kilkakrotnie, zanim znieruchomiała.

Po drugiej stronie nikt się nie poruszył.

Zauważył jednak więcej krwawych śladów.

Sięgnął po broń i wszedł do kuchni. Wycelował w prawo, następnie w lewo.

W pomieszczeniu było pusto.

Potem popatrzył na podłogę i znów dostrzegł krwawe odciski stóp.

Prowadziły do drzwi piwnicy.

Oczywiście. Reynaldo niemal klepnął się dłonią w czoło. Ale nieważne. Wiedział, że z piwnicy jest tylko jedno inne wyjście — zewnętrzne drzwi zabezpieczone kłódką.

Numer Sześć naprawdę znalazła się w potrzasku.

Zabrzęczała komórka. Dzwonił Titus. Reynaldo przyłożył telefon do ucha.

— Już ją znalazłeś? — spytał Titus.

— Tak sądzę.

— Tak sądzisz?

Reynaldo pospiesznie opowiedział o drzwiach do piwnicy.

— Wracamy do domu — poinformował go Titus. — Powiedz Dymitrowi, żeby zaczął niszczyć pliki.

— Dymitr nie żyje.

— Co takiego?

— Ona go zabiła.

— Jak?

— Wygląda na to, że ma siekierę.

Cisza.

— Jesteś tam, Titusie?

— W stodole jest benzyna — odezwał się po chwili Titus. — Całe mnóstwo.

— Wiem — odparł Reynaldo. — I co z tego?

Ale znał odpowiedź, choć wcale mu się ona nie podobała. Wiedział, że ten dzień kiedyś nadejdzie. Tylko że to gospodarstwo było jego domem. Razem z Bo lubili tutaj przebywać.

Jeszcze bardziej wściekł się na sukę, która wszystko popsuła.

— Zacznij ją rozlewać w domu — polecił Titus. — Puścimy z dymem całą operację.

■ ■ ■

Kat nie miała pojęcia, dokąd jadą.

Przez ponad dwie godziny podążała za SUV-em, najpierw szosą New Jersey Turnpike, a następnie Pennsylvania Turnpike, jadąc na północ od Filadelfii. FBI wysłało helikopter. Leciał za nimi w bezpiecznej odległości, ale to nie znaczyło, że Kat mogła się odprężyć.

Ford miał wystarczająco dużo paliwa. O to się nie martwiła. Pozostawała w ciągłym kontakcie z agentami FBI. Nie mieli dla niej żadnych informacji. Pierwotne tablice rejestracyjne czarnego SUV-a również zostały skradzione. Właściciele YouAreJustMyType.com ociągali się i żądali nakazu sądowego. Chaz zlokalizował kolejne dwie potencjalne ofiary, nie miał jednak pewności. Wszystko wymagało czasu. Kat to rozumiała. W telewizyjnych programach policjanci potrafią zamknąć sprawę w ciągu godziny. W rzeczywistości trwa to znacznie dłużej.

Starała się nie myśleć o swoim ojcu ani Jeffie, ale z upływem czasu nie potrafiła się powstrzymać. Słowa Złotka odbijały się echem w jej uszach. Wspominała, co poświęcił i co byłby w stanie wybaczyć, gdyby tylko mógł spędzić jeszcze kilka chwil z jej ojcem. Widziała, że miłość Złotka jest szczera. To nie była gra. Zmuszało ją to do namysłu. Czy ojciec był z nim szczęśliwy? Czy zaznał namiętności i miłości? Miała nadzieję, że tak. Kiedy rozkładała to wszystko na czynniki pierwsze i zapominała o swoich wcale niepodświadomych uprzedzeniach — w końcu też pochodziła z tej dzielnicy — być może nawet była za to wdzięczna losowi.

Zaczęła się bawić w gdybanie i zastanawiać, co by się stało, gdyby ojciec nagle pojawił się obok niej, a ona powiedziałaby, że o wszystkim wie, i dała mu drugą szansę. Co by zrobił? Śmierć może nas wiele nauczyć. Gdyby mógł jeszcze raz przeżyć swoje życie, czy wyznałby wszystko jej mamie? Czy wiódłby wspólne życie ze Złotkiem?

Kat właśnie tego by pragnęła. Dla niego, a także dla swojej matki.

Szczerości. Jak Złotko to ujął? Swobody bycia sobą.

Czy ojciec był bliski tego wniosku? Czy zmęczyły go kłamstwa i oszustwa? Czy kiedy pojawił się w tamtym klubie z kwiatami, wreszcie znalazł w sobie siłę, żeby być sobą?

Kat pewnie nigdy się nie dowie.

Jednak najważniejsze pytanie, które wciąż powracało do niej, gdy na chwilę zapominała o znacznie istotniejszej misji ocalenia Brandona i jego matki, dotyczyło teraźniejszości. Załóżmy, że jej tata rzeczywiście zmaterializowałby się obok niej. Załóżmy, że powiedziałaby mu, że znów spotkała Jeffa i jest przekonana, iż mają szansę, a gdy go zobaczyła, zrozumiała, co Złotko miał na myśli, kiedy wspominał o oddaniu wszystkiego za kilka wspólnie spędzonych chwil.

Co ojciec by jej poradził?

Odpowiedź wydawała się oczywista.

Nie miało znaczenia, dlaczego Jeff uciekł i zmienił nazwisko. Złotko by o to nie dbał. Tata również. Tylko śmierć potrafi tego nauczyć. Jesteśmy skłonni oddać i wybaczyć wszystko w zamian za jedną sekundę więcej...

Gdy to się skończy, wróci do Montauk i powie Jeffowi, co czuje.

Słońce zachodziło, malując niebo na ciemny fiolet.

Przed nią czarny SUV wreszcie zjechał z autostrady na szosę numer 222.

Kat podążyła za nim. To już z pewnością niedaleko.

▪ ▪ ▪

Brandon o jeden raz za dużo spytał: „Czego chcecie od mojej matki?".

Titus zdzielił go w usta rękojeścią pistoletu, wybijając chłopakowi zęby. Krew popłynęła Brandonowi z ust. Zerwał koszulkę i przycisnął ją do rany. Przestał się odzywać.

Kiedy wjechali na szosę 222, Titus zerknął na zegarek. Znajdowali się o niecałe czterdzieści minut jazdy od celu. Dokonał w myślach kilku obliczeń — rozmiar pożaru, widoczność, ile czasu potrzebują strażacy, żeby przybyć na miejsce, zwłaszcza jeśli do nich zadzwoni i powie, że sytuacja jest pod kontrolą.

Przynajmniej godziny.

Tyle w zupełności wystarczy.

Zadzwonił do Reynalda.

— Skończyłeś rozlewać benzynę?

— Tak.

— Dana wciąż jest uwięziona w piwnicy?

— Tak.

— Gdzie Rick i Julio?

— Na podwórzu. Jeden z przodu, a drugi na tyłach domu.

— Wiesz, co trzeba zrobić.

— Wiem.

— Zajmij się tym. Potem podłóż ogień. Upewnij się, że wszystko spali się do gołej ziemi. Później idź do skrzyń i dokończ porządki.

■ ■ ■

Reynaldo się rozłączył. Bo stał obok stodoły. Psu nic się nie stanie. To teraz najważniejsze. Rick pilnował domu od frontu. Reynaldo do niego podszedł.

— Rozmawiałeś z Titusem? — spytał Rick.

— Tak.

— Podpalimy dom?

Reynaldo ukrywał nóż w dłoni. Błyskawicznie dźgnął Ricka głęboko w serce. Rick umarł, jeszcze zanim osunął się na ziemię. Reynaldo wyjął pudełko zapałek. Ponownie podszedł do domu i rzucił jedną płonącą zapałkę na frontowe schody.

Płomienie zbudziły się do życia i pomknęły błękitną linią.

Nie zatrzymywał się. Dotarł do tylnego wejścia. Trzymał pistolet przy boku. Wycelował i strzelił Juliowi w głowę. Zapalił kolejną zapałkę i rzucił ją obok tylnych drzwi. Płomienie ponownie buchnęły wspaniałą błękitną falą. Cofnął się o kilka kroków, żeby móc obserwować oba wyjścia.

Nie było innej drogi ucieczki. Zrozumiał, że Dana zginie w pożarze.

Patrzył, jak płomienie wspinają się coraz wyżej. Nie był piromanem, ale trudno oprzeć się fascynacji potęgą pożaru. Ogień błyskawicznie ogarnął dom, pożerając wszystko w zasięgu wzroku. Reynaldo nasłuchiwał wrzasków. Miał nadzieję, że je usłyszy, ale się zawiódł. Nie spuszczał wzroku z drzwi, zwłaszcza kuchennych, licząc, że płomienie wypłoszą kobietę, że pojawi się wirująca płonąca postać napędzana potwornym bólem, kręcąca piruety w ostatnim śmiertelnym tańcu.

Tego również się nie doczekał.

Uniósł ciało Julia i cisnął je w płomienie. Zwłoki Julia i Ricka będą zwęglone, lecz być może uda się je zidentyfikować. To może się okazać pomocne. Wina spocznie na nieżyjących.

Płomienie osiągnęły pełną moc.

Nadal nie słyszał krzyków ani nikogo nie widział.

Zastanawiał się, czy Danę zabił ogień, czy dym. Możliwe, że nigdy się nie dowie. Był jednak pewien, że kobieta zginęła. Niemożliwe, żeby zdołała uciec.

Mimo wszystko, gdy odwracał się od ruin, czuł dziwny niepokój.

43

Kiedy Dana Phelps zobaczyła płomienie, popędziła straszliwą ścieżką, którą już wielokrotnie podążała.

Zastanawiała się, gdzie na pewno nie będą jej szukać.

Przy podziemnych skrzyniach.

Dziwna sprawa z tym, co nazywamy szczęściem, przeznaczeniem albo zbiegiem okoliczności. Jej mąż, Jason, dorastał w Pittsburghu i był oddanym fanem tamtejszych drużyn Steelers, Pirates oraz Penguins. Uwielbiał dopingować swoje zespoły, jednak rozumiał lepiej od większości ludzi, jak bardzo przypadek rządzi światem. Wielu uważało, że gdyby w latach siedemdziesiątych dopuszczano analizę powtórek akcji zarejestrowanych kamerami HD, zobaczylibyśmy, jak piłka uderza o ziemię, zanim Franco Harris ją chwycił podczas słynnego meczu Pittsburgh Steelers z Oakland Raiders. Czyż nie tak? Czy zatem Steelers przegraliby tamto spotkanie i nie zdobyli czterech kolejnych tytułów Super Bowl?

Jason uwielbiał zadawać takie pytania. Nie obchodziły go poważne zagadnienia — etyka pracy, edukacja, szkolenia. Podejrzewał, że życiem zbyt często kieruje przypadek. Wszyscy chcemy wierzyć, że liczą się ciężka praca, wykształcenie i wytrwałość, jednak prawda jest taka, że znacznie ważniejsze bywają kaprysy losu. Bronimy się przed tą świadomością, ale władają nami szczęście, zbiegi okoliczności, przeznaczenie.

W jej wypadku szczęściem, zbiegiem okoliczności i przeznaczeniem była krew na łapach Bo.

Sprawdzenie, czy pies nie jest ranny, spowolniło Reynalda tylko na kilka sekund, ale to wystarczyło, żeby Dana rzuciła telefon, wbiegła do kuchni i zrozumiała, że jej prześladowca szybko ją znajdzie za sprawą krwawych odcisków stóp.

Co więc powinna zrobić?

Nie miała czasu na rozważanie sprytnych planów. Pomysł był prosty i — musiała to przyznać — genialny. Podeszła do drzwi piwnicy, otworzyła je i zrzuciła ze schodów swoje skarpetki.

Następnie, boso i na jednej nodze, wydostała się na zewnątrz. Dotarła do lasu i przypadła do ziemi. Kilka sekund później pojawił się Julio.

Gdy tylko wybuchł pożar, a płomienie zaczęły pełzać po drewnianych ścianach, Dana zdała sobie sprawę, że oprawcy zacierają ślady. Wszystko dobiegało końca. Popędziła ścieżką, przypominając sobie, że kiedy tutaj przybyła i zmuszono ją, by zdjęła swoją żółtą letnią sukienkę, zobaczyła coś, co ją zaniepokoiło.

Inne ubrania.

Słońce szybko zachodziło. Gdy dotarła na polanę, zaczęło się robić ciemno. Zobaczyła niewielki namiot, z którego korzystał Reynaldo. Szybko zajrzała do środka. Znalazła śpiwór i latarkę. Żadnego telefonu. Niczego, co mogłaby wykorzystać jako broń.

Oczywiście wciąż miała siekierę.

Zabrała latarkę, chociaż jeszcze nie miała odwagi jej włączyć. Polana była płaska. Danie nie udało się wypatrzyć skrzyni, w której musiała spędzić... nawet nie wiedziała, ile czasu. Nie pamiętała jej dokładnego położenia. Podeszła bliżej, pochyliła się i w końcu znalazła kłódkę. Niezwykłe. Gdyby nie kłódka, w ogóle nie zauważyłaby drzwi.

Przyszła jej do głowy szalona myśl — a może ukryć się w skrzyni? Kto przy zdrowych zmysłach by jej tam szukał? Ale z drugiej strony — kto przy zdrowych zmysłach z własnej woli ponownie zszedłby do podziemnego więzienia, nawet po to, żeby się ratować?

Nie ona.

Zresztą to nieistotne. Dom stał w płomieniach.

Zapadł zmrok. Dana prawie nic nie widziała. Zaczęła się czołgać po trawie, niepewna, co zrobić. Pokonała około dziesięciu metrów, gdy nagle natrafiła dłonią na coś metalicznego.

Kolejna kłódka.

Tym razem zamknięta.

Roztrzaskała ją dwoma ciosami siekiery. Klapa była cięższa, niż Dana się spodziewała. Musiała użyć całej swojej siły, żeby ją otworzyć.

Zajrzała do mrocznego otworu. Niczego nie słyszała ani nie widziała.

Za jej plecami szalał pożar. Nie miała wyboru. Musiała zaryzykować.

Zapaliła latarkę. Skierowała snop światła do skrzyni i głośno wstrzymała oddech.

Szlochająca kobieta podniosła na nią wzrok.

— Proszę, nie zabijaj mnie.

Dana prawie się rozpłakała.

— Przyszłam cię uratować, a nie skrzywdzić. Dasz radę sama wyjść?

— Tak.

— To dobrze.

Dana przeczołgała się kolejne dziesięć metrów i znalazła następną kłódkę. Rozłupała ją pierwszym ciosem. Mężczyzna w skrzyni również szlochał i nie miał siły, żeby wyjść na powierzchnię. Nie czekała. Podkradła się do trzeciej skrzyni i znalazła kłódkę. Rozbiła ją i otworzyła klapę, nawet nie zaglądając do środka. Przeszła do czwartej skrzyni.

Właśnie uporała się z kolejną kłódką, gdy nagle zobaczyła reflektory samochodu.

Ktoś podjechał do domu.

■ ■ ■

Clem otworzył bramę, po czym ponownie zasiadł za kierownicą.

Dopiero kiedy byli w połowie długości drogi prowadzącej do gospodarstwa, Titus dostrzegł płomienie.

Uśmiechnął się. To bardzo dobrze. Skoro nie widział pożaru z szosy, istniała duża szansa, że nikt nie powiadomi straży pożarnej. Będzie miał mnóstwo czasu na zrobienie porządków.

Z przodu zobaczył Reynalda, który ciągnął jakieś ciało w stronę płomieni.

— Co jest, do cholery? — odezwał się Clem. — Czy to nie Rick?

Titus spokojnie przystawił lufę pistoletu do tyłu jego głowy i oddał pojedynczy strzał. Clem bezwładnie opadł na kierownicę.

Wszystko zaczęło się za sprawą Titusa oraz Reynalda i tak samo się zakończy.

Zaszokowany Brandon krzyknął. Titus obrócił się i wycelował w pierś chłopaka.

— Wysiadaj.

Brandon chwiejnie wyszedł z samochodu. Reynaldo już na niego czekał. Titus po chwili do nich dołączył. Przez kilka sekund w trójkę patrzyli na płomienie.

— Jego matka nie żyje? — spytał Titus.

— Chyba tak.

Brandon wydał z siebie bolesny, pierwotny krzyk. Rzucił się w stronę Reynalda z uniesionymi rękami. Ten powstrzymał go mocnym ciosem w żołądek. Brandon upadł na ziemię, z trudem chwytając powietrze.

Titus wycelował w głowę chłopaka.

— Dlaczego „chyba"? — spytał Reynalda.

— Ponieważ wydaje mi się, że była w piwnicy. Tak jak mówiłem.

— Ale?

Szczekanie Bo wstrząsnęło wieczornym powietrzem.

Titus chwycił latarkę i zaczął wodzić wokoło snopem światła, aż w końcu odszukał starego psa, który wpatrywał się w ścieżkę prowadzącą do skrzyń i ujadał jak wściekły.

— Może jednak nie była w piwnicy — rzucił Titus, a kiedy Reynaldo pokiwał głową, wręczył mu latarkę. — Idź ścieżką. Trzymaj broń w pogotowiu. Zastrzel tę kobietę, kiedy tylko się pokaże.

— Możliwe, że się ukrywa — zauważył Reynaldo.

— Więc wkrótce przestanie.

— Mamo! — wrzasnął Brandon. — Nie idź tutaj! Uciekaj!

Titus uciszył chłopaka, wpychając mu lufę pistoletu w usta.

— Dano? Mam twojego syna! — krzyknął najgłośniej, jak potrafił. — Wychodź albo będzie cierpiał!

Odpowiedziała mu cisza.

— Dobrze, Dano! — zawołał ponownie. — Więc posłuchaj.

Wyjął lufę broni z ust Brandona. Wycelował w kolano chłopca i pociągnął za spust.

Wrzask Brandona wstrząsnął ciemnością.

■ ■ ■

Kat została na szosie, nie zwalniając, żeby nie zwrócić na siebie uwagi ludzi z SUV-a. Utrzymywała stały kontakt telefoniczny z agentami FBI. Podała im lokalizację i zjechała na pobocze mniej więcej sto metrów dalej.

— Dobra robota, pani detektyw — pochwalił zastępca dyrektora Keiser. — Nasi ludzie powinni tam być za piętnaście albo dwadzieścia minut. Muszę się upewnić, że mamy wystarczająco dużo agentów, żeby ich wszystkich zdjąć.

— Porwali Brandona, panie dyrektorze.

— Wiem o tym.

— Myślę, że nie powinniśmy czekać.

— Nie możemy tak po prostu tam wparować. Mają zakładników. Musi pani zaczekać na nasz zespół i pozwolić nam na nawiązanie dialogu. Zna pani zasady.

Kat się to nie spodobało.

— Z całym szacunkiem, panie dyrektorze, obawiam się, że nie ma na to czasu. Chciałabym prosić o zgodę na samodzielną akcję. Nie podejmę żadnych działań, jeśli nie będzie to absolutnie konieczne.

— Myślę, że to zły pomysł, pani detektyw.

To nie była odmowa.

Rozłączyła się, zanim Keiser zdążył powiedzieć więcej, i wyciszyła dzwonek. Pistolet miała w kaburze. Zostawiła samochód i ruszyła pieszo wzdłuż szosy. Musiała zachować ostrożność. Przy bramie mogły się znajdować kamery, dlatego przeskoczyła przez ogrodzenie z boku. Zapadł zmrok. Las był gęsty. Używała swojego iPhone'a — dzięki Bogu właściciel forda zamontował w aucie ładowarkę — jako słabej latarki.

Powoli szła między drzewami, aż nagle dostrzegła przed sobą płomienie.

■ ■ ■

Dana właśnie zdołała otworzyć kolejną skrzynię, gdy usłyszała wołanie Brandona:

— Mamo! Nie idź tutaj! Uciekaj!

Zamarła na dźwięk głosu swojego syna.

Potem usłyszała Titusa:

— Dano? Mam twojego syna!

Jej całe ciało zaczęło dygotać.

— Wychodź albo będzie cierpiał!

Prawie upuściła ciężką klapę, lecz nagle obok niej stanęła pierwsza kobieta, której pomogła. Chwyciła klapę i opuściła ją na ziemię. Ktoś wewnątrz skrzyni stęknął.

Dana ruszyła w stronę ścieżki.

— Nie rób tego — wyszeptała kobieta.

Zagubiona i oszołomiona, Dana odwróciła się w kierunku, z którego dobiegł głos.

— Co?

— Nie możesz go posłuchać — ostrzegła ją uwolniona kobieta. — On tylko się z tobą bawi. Musisz zostać tutaj.

— Nie mogę.

Kobieta położyła dłonie na policzkach Dany i popatrzyła jej prosto w oczy.

— Jestem Martha. A jak ty masz na imię?

— Dana.

— Posłuchaj, Dano. Musimy otworzyć pozostałe skrzynie.

— Oszalałaś? On ma mojego syna.

— Wiem. Ale kiedy tylko się pojawisz, zabije was oboje.

Dana pokręciła głową.

— Nie, mogę go ocalić. Mogę dokonać wymiany...

Głos Titusa przeciął ciemność jak kosa.

— Dobrze, Dano. Więc posłuchaj.

Obie kobiety obejrzały się, gdy w spokojnym wieczornym powietrzu huknął strzał.

Wrzask syna Dany zlał się w jedno z jej krzykiem.

Zanim zdążyła zrobić cokolwiek więcej, poddać się i ocalić syna, ta kobieta — Martha — rzuciła ją na ziemię.

— Zejdź ze mnie!

Martha ją przygniatała. Miała niezwykle spokojny głos.

— Nie.

Dana rzucała się i walczyła, ale tamta przytrzymywała ją z całych sił.

— Zabije was oboje — szepnęła Danie do ucha. — Dobrze o tym wiesz. Dla dobra swojego dziecka nie możesz tam pobiec.

Dana zaczęła się wić w panice.

— Puść mnie!

Po chwili ponownie rozległ się głos Titusa.

— Dobrze, Dano! Teraz przestrzelę mu drugie kolano.

■ ■ ■

Kat stopniowo przesuwała się naprzód, każdorazowo mijając po kilka drzew i starając się pozostawać w ukryciu, gdy nagle usłyszała, jak mężczyzna grozi Brandonowi.

Musiała przyspieszyć.

Parę sekund później, kiedy usłyszała strzał i wrzask chłopaka, zapomniała o środkach bezpieczeństwa. Wyszła na główną drogę i puściła się biegiem. Oczywiście wiedziała, że będzie stanowiła łatwy cel, ale teraz to nieistotne.

Musiała ocalić Brandona.

Trzymała pistolet w prawej dłoni. Echo oddechu huczało jej w uszach, jakby ktoś przycisnął do nich muszle.

Przed sobą zauważyła SUV-a. Obok samochodu stał mężczyzna z bronią. Brandon leżał na ziemi i zwijał się z bólu.

— Dobrze, Dano! — zawołał mężczyzna. — Teraz przestrzelę mu drugie kolano.

Kat wciąż była za daleko, żeby oddać strzał.

— Stój! — krzyknęła, nie zwalniając biegu.

Odwrócił się, słysząc jej głos. Przez pół sekundy, nie dłużej, wyglądał na zaskoczonego. Kat się nie zatrzymywała. Mężczyzna wymierzył w nią pistolet. Zanurkowała w bok, jednak facet wciąż trzymał ją na muszce. Właśnie miał oddać strzał, gdy coś go powstrzymało.

Brandon chwycił go za nogę.

Rozdrażniony mężczyzna wycelował w chłopaka.

Kat była gotowa. Nie traciła czasu na kolejne ostrzeżenie. Pociągnęła za spust i zobaczyła, jak mężczyzna upada do tyłu.

■ ■ ■

Ze swojego miejsca w połowie długości ścieżki Reynaldo słyszał wrzaski w stereo. Zza jego pleców dobiegały krzyki postrzelonego chłopaka. Przed nim rozlegał się rozpaczliwy krzyk matki, która właśnie płaciła karę za próbę ucieczki.

Teraz już dokładnie wiedział, gdzie Dana się znajduje.

Przy skrzyniach.

Nie pozwoli jej ponownie uciec.

Wpadł na polanę, którą przez tyle miesięcy nazywał domem. Było ciemno, ale miał latarkę. Skierował snop światła w prawo, a następnie w lewo.

Dana Phelps leżała na ziemi w odległości mniej więcej dwudziestu metrów. Była z nią też inna kobieta — chyba Numer Osiem — która przygniatała ją do ziemi.

Nie pytał, dlaczego i w jaki sposób Numer Osiem wydostała się ze skrzyni. Nie wołał ani w żaden sposób ich nie ostrzegał. Po prostu uniósł broń i wycelował. Już miał pociągnąć za spust, gdy usłyszał jakiś gardłowy okrzyk.

Ktoś skoczył mu na plecy.

Reynaldo się zachwiał i upuścił latarkę, ale kurczowo trzymał pistolet. Sięgnął za siebie, starając się chwycić napastnika. Ktoś inny podniósł latarkę i uderzył go w nos. Reynaldo zawył z bólu i strachu. Oczy zaczęły mu łzawić.

— Złaź ze mnie!

Cofnął się, rozpaczliwie usiłując zrzucić człowieka, który skoczył mu na plecy. Bezskutecznie. Czyjaś ręka opasała jego potężną szyję i zaczęła się zaciskać.

Byli wszędzie, otaczali go jak rój owadów.

Jeden dopadł do jego nogi. Reynaldo poczuł zęby, które wbiły mu się w ciało. Próbował się uwolnić, ale tylko stracił równowagę. Zatoczył się i runął na ziemię.

Ktoś wskoczył mu na klatkę piersiową. Ktoś inny chwycił go za rękę. Napastnicy byli jak demony wyłaniające się z mroku.

Albo ze skrzyń.

Ogarnęła go panika.

Pistolet. Wciąż miał pistolet.

Próbował unieść broń i posłać demony z powrotem do piekła, lecz ktoś przyciskał jego rękę do ziemi.

Nie przestawali go atakować.

Była ich czwórka. A może piątka. Nie wiedział. Byli nieustępliwi, jak zombie.

— Nie!

Już widział ich twarze. Był wśród nich ten łysy z drugiej skrzyni. Grubas z siódemki. Dołączył też mężczyzna z czwórki. Ktoś ponownie zdzielił Reynalda w nos latarką. Krew zaczęła mu spływać do ust. Źrenice uciekały do góry.

Z rozpaczliwym krzykiem zaczął pociągać za spust. Kule trafiły w ziemię, nie wyrządzając nikomu krzywdy, ale pod wpływem szoku napastnik, który przytrzymywał mu rękę, zwolnił uścisk.

Ostatnia szansa.

Reynaldo użył całej swojej siły, żeby się uwolnić.

Uniósł pistolet w powietrze.

W blasku księżyca dostrzegł nad sobą sylwetkę Dany Phelps. Chciał w nią wycelować, lecz nie zdążył.

Ostrze siekiery już mknęło w jego stronę.

Czas zwolnił.

Gdzieś w oddali rozległo się szczekanie Bo.

A potem wszystko ucichło.

44

Wyjaśnienie wszystkich okoliczności mogło potrwać nawet kilka tygodni, ale oto, co ustalili w ciągu pierwszych trzech dni:

W gospodarstwie jak dotąd wykopano trzydzieści jeden ciał. Dwudziestu dwóch mężczyzn i dziewięć kobiet.

Najstarszą ofiarą był siedemdziesięciosześcioletni mężczyzna, a najmłodszą czterdziestotrzyletnia kobieta.

Większość zabito strzałem w głowę. Wiele ofiar było niedożywionych. Kilka miało poważne obrażenia poza ranami głowy, wliczając odcięte części ciała.

Media prześcigały się w straszliwych nagłówkach. „Klub umarłych", „Randka z piekła rodem", „Amor śmierci", „Najgorsza randka w historii". Żaden z nich nie był zabawny. Żaden nie odzwierciedlał grozy wydarzeń, które rozegrały się na farmie.

Kat już nie zajmowała się tą sprawą. Kontrolę przejęło FBI. Nie miała o to pretensji.

Uratowano siedem osób, wliczając Danę Phelps. Wszystkie trafiły do szpitala i zostały zwolnione w ciągu dwóch dni.

Oprócz Brandona Phelpsa. Pocisk strzaskał mu rzepkę. Niezbędna była operacja.

Wszyscy sprawcy zginęli, z jednym istotnym wyjątkiem. Przywódca, Titus Monroe, przeżył postrzelenie przez Kat. Znajdował się w krytycznym stanie — w stanie śpiączki farmakologicznej, podłączony do respiratora — ale wciąż żył. Kat nie była pewna, co ma o tym myśleć. Może byłoby inaczej, gdyby Titus Monroe się obudził.

▪ ▪ ▪

Kilka tygodni później Kat odwiedziła Danę i Brandona w ich domu w Greenwich w Connecticut.

Kiedy zatrzymała się na podjeździe, chłopak przykuśtykał do niej o kulach, żeby się przywitać. Wysiadła z samochodu i go objęła. Przez kilka chwil stali przytuleni. Dana Phelps uśmiechnęła się i pomachała im z trawnika przed domem. Tak, pomyślała Kat, wciąż wygląda olśniewająco. Trochę schudła, a blond włosy nosiła związane w kucyk, ale teraz swoje piękno zawdzięczała wytrwałości i sile, a nie uprzywilejowanej pozycji czy szczęściu.

Dana podniosła piłeczkę tenisową. Bawiła się w aportowanie z dwoma psami. Jednym był czarny labrador Chloe.

Drugim — stary czekoladowy labrador imieniem Bo.

Kat podeszła do Dany. Pamiętała, że Stacy zarzucała jej zbyt szybkie osądzanie ludzi. Miała rację. Co innego intuicja, a co innego uprzedzenia — odnośnie do Dany, Chaza czy Złotka.

— Jestem zaskoczona — wyznała Kat.

— Dlaczego?

— Wydawało mi się, że ten pies będzie przywoływał złe wspomnienia.

— Jedynym błędem Bo było pokochanie niewłaściwej osoby — odparła Dana, rzucając piłkę na zieloną trawę. Na jej twarzy ukazał się lekki uśmiech. — Któż z nas nie może się z tym identyfikować?

Kat także się uśmiechnęła.

— Trafna uwaga.

Bo co sił w łapach popędził za piłką. Chwycił ją w pysk i podbiegł do Brandona. Chłopak oparł się na jednej kuli, pochylił i pogłaskał psa po łbie. Bo upuścił piłkę, pomerdał ogonem i zaszczekał, zachęcając Brandona, żeby ponownie ją rzucił.

Dana osłoniła oczy przed słońcem.

— Cieszę się, że przyjechałaś, Kat.

— Ja też.

Kobiety patrzyły, jak Brandon bawi się z psami.

— Już zawsze będzie kulał — poinformowała Dana. — Tak mi powiedzieli lekarze.

— Przykro mi.

Dana wzruszyła ramionami.

— Wygląda na to, że mu to nie przeszkadza. Wręcz jest z tego dumny.

— Jest bohaterem — stwierdziła Kat. — Gdyby nie włamał się na tamtą stronę internetową i nie domyślił, że wpadłaś w tarapaty... — Nie dokończyła. Nie musiała.

— Kat?

— Tak?

— A co z tobą?

— Ze mną?

Dana obróciła się w jej stronę.

— Chcę się wszystkiego dowiedzieć. Do samego końca.

— Dobrze — odrzekła Kat. — Ale nie jestem pewna, czy to już koniec.

▪ ▪ ▪

Kiedy następnego dnia po rozbiciu gangu na farmie Kat wróciła do swojego domu przy Sześćdziesiątej Siódmej, Jeff siedział na schodach przed wejściem.

— Od jak dawna tutaj czekasz? — spytała.

— Od osiemnastu lat.

Potem poprosił ją o przebaczenie.

— Nie rób tego — odparła.

— Czego?

Ale jak mogła mu to wyjaśnić? Było tak, jak powiedział Złotko: mogła poświęcić lub wybaczyć wszystko. Przyjęła go. Tylko to się liczyło.

— Po prostu tego nie rób, dobrze?

— Dobrze.

Miała wrażenie, że jakiś niewidzialny olbrzym jedną dłonią chwycił ostatnie osiemnaście lat, a drugą dzień dzisiejszy, po czym je połączył i zszył. Oczywiście Kat miała mnóstwo pytań. Chciała dowiedzieć się więcej, ale jednocześnie wiedziała, że to nie ma znaczenia. Jeff stopniowo zaczął jej wszystko opowiadać. Wyjaśnił, że przed osiemnastu laty musiał wrócić do Cincinnati, żeby zająć się sprawą rodzinną. Bezmyślnie uznał, że Kat na niego nie zaczeka, a proszenie ją o to byłoby niesprawiedliwe, albo uwierzył w jakąś inną rycerską bzdurę. Mimo wszystko miał nadzieję, że wróci i poprosi ją o przebaczenie, ale potem wdał się w tamtą bójkę w barze. Pijany chłopak, któremu złamał nos, był związany z mafią. Nad Jeffem zawisło widmo zemsty, więc uciekł i wyrobił sobie nowe dokumenty. Potem matka Melindy zaszła z nim w ciążę i...

— Chyba po prostu życie mi uciekło.

Kat domyślała się, że nie powiedział jej wszystkiego i z nieznanych powodów ukrywa pewne fragmenty swojej historii. Jednak go nie popędzała. O dziwo, rzeczywistość okazała się lepsza, niż mogła się spodziewać. Oboje wiele się nauczyli przez te bolesne lata, ale najważniejsza lekcja była zarazem najprostsza: Ciesz się tym, co masz, i o to dbaj. Szczęście jest kruche. Doceniaj każdą chwilę i rób wszystko, co możliwe, żeby je chronić.

Reszta życia to w pewnym sensie tylko szum w tle.

Oboje wiele wycierpieli, ale teraz czuli, że tak musiało być. Nie da się dotrzeć na szczyt, jeśli w pewnym momencie nie znalazło się na dnie, a drogi Kat i Jeffa musiały się rozejść, żeby w końcu, jakkolwiek nierealnie to brzmi, ponownie się spotkać w tym lepszym miejscu.

— Dotarliśmy do celu — powiedziała, czule go całując.

Teraz każdy pocałunek przypominał tamten czuły pocałunek na plaży.

Reszta świata może zaczekać. Kat jeszcze zemści się na Cozonie. Nie wiedziała, jak ani kiedy to zrobi, jednak pewnego dnia zapuka do jego drzwi i zakończy tę sprawę dla swojego ojca.

Ale jeszcze nie teraz.

Poprosiła o urlop, a Stagger go jej udzielił. Musiała wyjechać z miasta. Wynajęła mieszkanie w Montauk, niedaleko domu Jeffa. On nalegał, żeby zamieszkała u niego, lecz uznała, że to by była przesada. I tak spędzali razem każdą chwilę.

Córka Jeffa, Melinda, początkowo była nieufna, ale kiedy zobaczyła Kat i Jeffa razem, opuściły ją wszystkie wątpliwości.

— Dzięki tobie jest szczęśliwy — powiedziała do Kat ze łzami w oczach. — A zasługuje na to jak nikt.

Nawet staruszek, były teść Jeffa, powitał ją w rodzinie.

Wszystko się układało. Kat czuła się cudownie.

Na weekend wpadła do nich Stacy. Wieczorem, gdy Jeff grillował na podwórku, a obie kobiety siedziały z kieliszkami wina i obserwowały zachód słońca, Stacy uśmiechnęła się i stwierdziła:

— Miałam rację.

— W jakiej sprawie?

— Jest jak w bajce.

Kat pokiwała głową, przypominając sobie, co przyjaciółka powiedziała dawno temu.

— Tylko lepiej.

■ ■ ■

Miesiąc później Kat leżała na swoim łóżku, a jej ciało wciąż pulsowało od rozkoszy, gdy nagle bajka dobiegła końca.

Uśmiechała się i przytulała poduszkę, słysząc, jak Jeff śpiewa pod prysznicem. Ta piosenka stała się dla nich największą radością i nigdy nie mogli się od niej uwolnić.

— *I ain't missing you at all.*

Mój Boże, pomyślała, kręcąc głową. Taki piękny mężczyzna z takim fatalnym głosem.

Wciąż czuła się wspaniale rozleniwiona, gdy nagle zadzwoniła jej komórka. Kat wyciągnęła rękę i wcisnęła zielony guzik.

— Halo?

— Kat, mówi Bobby Suggs.

Suggs. Dawny przyjaciel rodziny. Detektyw, który pracował nad sprawą zabójstwa jej ojca.

— Cześć — odpowiedziała.

— Cześć. Masz chwilę?

— Jasne.

— Pamiętasz, że poprosiłaś mnie o sprawdzenie tamtych starych odcisków palców, które znaleźliśmy na miejscu zbrodni?

Kat usiadła na łóżku.

— Tak.

— Muszę powiedzieć, że było z tym od cholery roboty. Dlatego to tak długo trwało. W magazynie nie mogli ich znaleźć. Nikt już nie miał wyników. Podejrzewam, że Stagger je wyrzucił. Musiałem ponownie wykonać analizę.

— Zidentyfikowałeś odciski?

— Tak, mam nazwisko. Tylko nie wiem, co to wszystko znaczy.

Szum prysznica ucichł.

— Co to za nazwisko? — spytała Kat.

Wtedy jej powiedział.

Telefon wyślizgnął się jej z dłoni. Upadł na łóżko. Kat wbiła w niego wzrok. Suggs mówił dalej. Wciąż go słyszała, ale jego słowa już do niej nie docierały.

Zagubiona, powoli odwróciła się w stronę drzwi łazienki. Jeff stał na progu. Miał ręcznik owinięty wokół bioder. Nawet teraz, nawet po tej ostatecznej zdradzie, pomyślała, że jest piękny.

Przerwała połączenie.

— Słyszałeś? — spytała.

— Tak, wystarczająco dużo.

Przez chwilę milczała.

— Jeff? — odezwała się w końcu.

— Nie chciałem go zabić.

Zamknęła oczy. Jego słowa trafiły ją jak miażdżący cios. Jeff spokojnie pozwolił jej dojść do siebie.

— Klub — odezwała się w końcu. — Tamtego wieczoru, gdy zginął, poszedł do klubu.

— Zgadza się.

— Byłeś tam?

— Nie.

Pokiwała głową, już wszystko rozumiała. Klub dla transwestytów.

— Aqua?

— Zgadza się.

— Aqua go widział.

— Tak.

— Więc co się stało?

— Sądzę, że twój ojciec i Złotko weszli do klubu. Sam nie wiem, co dokładnie robili. Aqua nie podał mi żadnych szczegółów. Właśnie w tym sęk, że nie chciał mi powiedzieć ani słowa. Ale ich widział.

— A tata też widział Aquę?

Jeff pokiwał głową.

Tata poznał Aquę w O'Malley's. Kat słyszała naganę w jego głosie za każdym razem, gdy widywał ją z Aquą.

— Jeff, co się stało?

— Twój ojciec stracił nad sobą panowanie. Zadzwonił do Staggera. Powiedział mu, że muszą znaleźć tego faceta.

— Aquę?

— Tak. Nie wiedział, że byliśmy współlokatorami, prawda?

Kat nigdy nie widziała powodu, żeby ojcu o tym mówić.

— Było późno. Czy ja wiem, może druga albo trzecia w nocy. Byłem na dole w pralni. Twój ojciec się włamał. Wróciłem na górę...

— I co dalej?

— Twój ojciec go bił. Twarz Aquy... wyglądała strasznie.

Miał zamknięte oczy. Twój tata siedział mu na piersi i go okładał. Krzyknąłem, żeby przestał, ale mnie nie słuchał, tylko dalej... — Jeff pokręcił głową. — Pomyślałem, że może Aqua już nie żyje.

Kat przypomniała sobie, że Aqua trafił do szpitala po śmierci jej ojca. Uznała, że pewnie wymagał pomocy psychiatrycznej, ale teraz zrozumiała, że miał także inne problemy. W końcu wyleczył się z obrażeń fizycznych, lecz psychicznie nigdy nie wrócił do pełnej sprawności. Już wcześniej miewał psychotyczne napady, jednak po tamtej nocy, po pobiciu przez jej ojca...

Właśnie dlatego Aqua powtarzał, że to jego wina. Dlatego obwiniał się o ich rozstanie i chciał spłacić dług, chroniąc Jeffa, posuwając się nawet do ataku na Brandona.

— Skoczyłem na niego — wyjaśnił Jeff. — Przez chwilę walczyliśmy. W końcu mnie przewrócił. Kiedy leżałem na podłodze, wstał i wymierzył mi kopniaka w żołądek. Chwyciłem go za stopę, a on sięgnął do kabury. Wtedy Aqua odzyskał przytomność i go zaatakował. Wciąż trzymałem jego stopę. — Jeff odwrócił wzrok, a jego twarz wykrzywił ból. — Nagle przypomniałem sobie twoje słowa, że on zawsze nosił zapasowy pistolet przy kostce.

Kat zaczęła kręcić głową.

— Ponownie sięgnął do kabury. Powiedziałem mu, żeby tego nie robił, ale mnie nie posłuchał. Dlatego wsadziłem dłoń do jego buta i wyciągnąłem drugą broń...

Kat siedziała bez słowa.

— Stagger usłyszał strzał. Twój tata pewnie kazał mu stać na czatach. Wpadł do środka. Był spanikowany. Jego kariera zawisła na włosku. Powiedział, że wszyscy pójdziemy do więzienia. Nikt nam nie uwierzy.

— Więc to zatuszowaliście — wykrztusiła w końcu.

— Tak.

— A potem udawałeś, że nic się nie stało.

— Próbowałem.

Mimo wszystko na jej ustach pojawił się uśmiech.

— Nie jesteś taki jak mój tata, prawda?

— Co masz na myśli?

— On potrafił żyć w kłamstwie. — Pojedyncza łza spłynęła po jej policzku. — Ty nie.

Jeff milczał.

— To dlatego mnie zostawiłeś. Nie mogłeś mi powiedzieć prawdy, a nie byłeś w stanie do końca życia mnie okłamywać.

Nic nie odpowiedział. Kat już znała dalszy ciąg. Po ucieczce w życiu Jeffa rozpoczął się etap samozniszczenia. Kiedy wdał się w bójkę w barze i został zatrzymany, jego odciski palców trafiły do bazy danych. Teraz można je było dopasować do tych znalezionych na miejscu zbrodni. Stagger wszystko zatuszował, ale wiedział, że to może nie wystarczyć. Zapewne pojechał do Cincinnati i wyjaśnił Jeffowi, że musi się ukryć, tak żeby nikt nigdy nie mógł go odnaleźć.

— Stagger pomógł ci przyjąć tożsamość Rona Kochmana?

— Tak.

— Więc i tak żyłeś w kłamstwie.

— Nie, Kat — odparł. — To było tylko inne nazwisko.

— Ale teraz tak jest, prawda?

Jeff nic nie odpowiedział.

— Przez te ostatnie tygodnie ze mną żyłeś w kłamstwie. Więc co zamierzałeś zrobić, Jeff? Skoro znów jesteśmy razem, zdradź, jaki miałeś plan.

— Nie miałem żadnego planu. Początkowo po prostu chciałem być z tobą i nie obchodziło mnie nic innego. Rozumiesz?

Rozumiała, lecz nie chciała tego słuchać.

— Po pewnym czasie zacząłem się zastanawiać.

— Nad czym?

— Czy lepiej będzie żyć w kłamstwie z tobą, czy w prawdzie bez ciebie.

Przełknęła ślinę.

— Znalazłeś odpowiedź?

— Nie, ale teraz już nie będę musiał. Prawda wyszła na jaw. Kłamstwa odeszły.

— Tak po prostu?

— Nie, Kat. W naszym wypadku nic nie dzieje się „tak po prostu".

Podszedł do łóżka i usiadł obok niej. Nie próbował jej objąć. Nie starał się zanadto zbliżyć. Ona także się nie poruszyła. Po prostu siedzieli, wpatrując się w ścianę, pozwalając, żeby to wszystko przez nich przepłynęło — kłamstwa i tajemnice, śmierć, morderstwo i krew, lata cierpienia i samotności. W końcu Jeff przesunął w jej stronę dłoń. Kat zrobiła to samo i nakryła ją swoją dłonią. Bardzo długo trwali w bezruchu, dotykając się i niemal nie mając odwagi oddychać. A gdzieś w oddali, być może w przejeżdżającym samochodzie albo tylko w głowie Kat, ktoś śpiewał: „Wcale za tobą nie tęsknię".

Podziękowania

Autor chciałby podziękować następującym osobom, w przypadkowej kolejności, ponieważ nie pamięta dokładnie, kto w czym mu pomógł: Rayowi Clarke'owi, Jayowi Louisowi, Benowi Sevierowi, Brianowi Tartowi, Christine Ball, Jamiemu McDonaldowi, Laurze Bradford, Michaelowi Smithowi (tak, *Demon Lover* to prawdziwa piosenka), Diane Discepolo, Lindzie Fairstein oraz Lisie Erbach Vance. Odpowiadają za wszelkie błędy. W końcu są ekspertami. Dlaczego miałbym brać na siebie całą winę?

Jeżeli przypadkowo pominąłem twoje nazwisko na tej liście, daj mi znać, a dodam cię do podziękowań w następnej książce. Wiesz, jaki jestem zapominalski.

Poza tym chciałbym wspomnieć o następujących osobach:

Asghar Chuback
Michael Craig
John Glass
Parnell Hall
Chris Harrop
Keith Inchierca

Ron Kochman
Clemente „Clem” Sison
Steve Schrader
Joe Schwartz
Stephen Singer
Sylvia Steiner

Ci ludzie (albo ich bliscy) dokonali hojnych wpłat na wybrane przeze mnie cele charytatywne w zamian za umieszczenie ich nazwisk na kartach powieści. Jeśli chciałbyś w przyszłości wziąć udział w takim przedsięwzięciu, odwiedź stronę www.HarlanCoben.com albo napisz na adres giving@harlancoben.com, żeby poznać więcej szczegółów.

Polecamy thriller Harlana Cobena

SZEŚĆ LAT PÓŹNIEJ

Sześć lat temu Natalie Avery, ukochana Jake'a Fishera, miłość jego życia, wyszła za innego mężczyznę. Na jej ślubie odrętwiały z bólu patrzył, jak ubrana w białą suknię składa przysięgę małżeńską. Przez sześć lat żył ze złamanym sercem, wypełniając pustkę pracą. Przez sześć lat dotrzymywał obietnicy, jaką na nim wymogła: że zostawi ją i jej męża Todda w spokoju, nie będzie jej śledził, nie będzie dzwonił ani nawet wysyłał maili. Ale jego uczucia nie wygasły. Kiedy przypadkiem natrafia w internecie na nekrolog Todda Sandersona – dziwnym zbiegiem okoliczności absolwenta College'u Lanforda, w którym sam jest wykładowcą nauk politycznych – nie może się powstrzymać i rezerwuje lot do Savannah. Na pogrzebie czeka go niespodzianka... pogrążona w żałobie wdowa to nie Natalie, ale zupełnie inna kobieta. Co więcej – żona Todda od ponad dziesięciu lat. Kim zatem była Natalie? I czy w ogóle istniała? Czy wspomnienia cudownych chwil, jakie z nią spędził, są jedynie produktem jego wyobraźni? Dlaczego wszystko, w co dotąd wierzył, okazuje się fikcją? Nikt nie pamięta Natalie, nawet bliscy przyjaciele Jake'a. Nikt nigdy nie widział ich razem. Poszukując prawdy o kobiecie, która złamała mu serce, Jake budzi upiory przeszłości i sam naraża się na śmiertelne niebezpieczeństwo... podobnie jak Todd, który nie umarł naturalną śmiercią, lecz został zamordowany...